무너지는 제국

무너지는 제국

THE COLLAPSING EMPIRE

존 스칼지 장편소설 · 유소영 옮김

· The Interdependency Series ·

John Scalzi

Contents

특별히 톰 도허티, 그리고 토르의 모든 사람들에게
나를 믿어준 데 대한 감사의 마음을 담아
앞으로 10년을 기원하며.

(최소한)

플로우 붕괴만 아니었다면, 반란도 성공했을 것이다.

물론 길드 내에는 승무원이 반란을 일으킬 수 있는 합법적인 표준 절차, 수 세기 동안 통용된 프로토콜이 있다. 상급 승무원, 이상적인 경우 행정 장교/일등 항해사, 곤란하다면 수석 엔지니어, 수석 기술자, 수석 의사, 또는 아주 특이한 경우 선주 대리인이 선내의 황제 대리인에게 서면으로 길드 프로토콜에 부합하는 불만 사유 폭동 보고서를 제출하면 된다. 황제 대리인은 우주선의 수석 사제와 협의하고 필요하면 증언과 진술을 들어서 한 달 이내에 반란 인정서, 혹은 반란 거부서를 발표한다.

전자의 경우 보안 책임자는 공식적으로 함장을 직위 해제하고 격리 수용하며, 함장은 우주선의 다음 기착지에서 공식 길드 청문회를 받는다. 처벌은 함장직, 계급 및 특권 상실부터 민형사 재판을 통해 교도소 복역이나 극단적인 경우 사형 판결까지 가능하다. 후자의 경우, 보안 책임자는 불만을 제기한 승무원을 잡아다가 공식 길드 청문회에 회부하고, 기타 등등.

당연히 이 짓을 벌이는 사람은 아무도 없다.

반면 무기와 폭력이 오가고 갑작스러운 죽음이 발생하고 장교들이 동물처럼 서로 으르렁거리며 선원들은 도대체 무슨 일이 벌어졌는지 우왕좌왕하는, 실제 반란이 일어나는 경우가 있다. 그런 경우 상황에 따라 함장이 살해당해서 우주 공간에 버려진 뒤 모든 기록이 합법적으로 번듯해 보이도록 조작되기도 하고, 반란을 일으킨 장교와 선원들 쪽이 에어록 밖으로 쫓겨나고 함장이 반란분자 가족에 대한 연금과 복지혜택을 말소하는 '탈법 폭동 보고서'를 작성하기도 한다. 즉 배우자와 아이들이 쫄쫄 굶고, 반란 성향은 눈 색깔이나 위장장애처럼 유전되는 특성이므로 두 세대 동안 길드 내 사회생활이 금지된다는 뜻이다.

'텔 미 어나더 원' 호의 함교에서 아룰로스 기니오스 함장은 서류상 반란이 아닌 '실제' 반란에 대처하고 있었다. 아주 솔직하게 말하자면, 지금 상황은 그녀에게 그리 유리해 보이지 않았다. 보다 정확히 말하자면 행정 장교와 수하 선원들이 저 격벽 갑판을 용접기로 뚫기만 하면, 기니오스 함장과 이쪽 승무원들은 이후 '우발적인 사고' 피해자로 기록될 상황이었다.

"무기고는 비었습니다." 삼등 항해사 네빈 버너스가 확인한 뒤 보고했다. 기니오스는 고개를 끄덕였다. 당연하다. 무기고는 정확히 다섯 명만 열 수 있도록 되어 있었다. 함장, 당직 항해사들, 보안 책임자 케보. 다섯 명 중 한 사람이 지난 근무 시간 중에 무기를 빼돌린 것이다. 논리적으로 볼 때 그 인물은 지금 현재 친구들과 같이 격벽을 뚫고 있는 행정 장교 비르노 워그일 것이다.

기니오스도 완전히 무장해제 상태는 아니었다. 그루스고트 뒷골목 래피드 독스 갱단에서 활약하던 10대 시절부터 부츠에 차고 다니는 습관이 든 저속 다트푸셔가 있었다. 단발이고 근접 공격용이다. 1미터 이상의 거리에서는 맞은 사람을 열 받게 하는 효과밖에 없다. 이 다트푸셔로 그녀 자신이나 수하를 구할 수 있을 거라는 환상은 갖고 있지 않았다.

"상황." 기니오스는 선내 다른 장교들과 바삐 교신 시도 중인 라이카 던에게 말했다.

"엔지니어링 부서에서는 파노치 수석이 연락한 뒤 더 이상 소식 없습니다." 에바 파노치는 행정 장교가 이끈 무장 승무원들이 자기 부서를 접수하려 한다고 최초로 보고한 사람이었다. 이 보고를 받고 기니오스는 함교를 봉쇄하고 전 승무원에게 비상 신호를 발령했다. "수석 기술자 보스니는 응답이 없습니다. 저트멘 박사도 마찬가지입니다. 브레만은 숙소에 감금된 상태입니다." '텔 미' 호의 보안 책임자 피터 브레만을 뜻하는 말이었다.

"에거티는?" 룸 에거티는 선주 대리인으로서, 대부분의 경우 무용지물이었지만 비즈니스에 좋지 않은 반란에 가담했을 리가 없었다.

"없습니다. 슬라빈, 프린에게서도 연락이 없습니다." 두 사람은 황제 대리인과 선내 사제였다. "이등 항해사 닌에게서도 보고가 없습니다."

"거의 다 뚫렸습니다." 버너스는 격벽을 가리켰다.

기니오스는 오만상을 찌푸렸다. '텔 미' 호의 선주 토이스 가문의 추천으로 길드의 압력에 의해 배정된 행정 장교는 애당초 마음에 들지 않았다. 기니오스가 밀었던 부관은 이등 항해사 닌이었다. 좀 더 세게 고집했어야 할 것을. 다음에는 그렇게 하자.

한데 이젠 '다음'이랄 게 없잖아. 기니오스는 생각했다. 그녀는 죽은 목숨이었고, 충성한 장교들도 이미 죽지 않았다면 같은 신세다. '텔 미' 호는 플로우 안에 있고 앞으로 한 달 동안 계속 있을 예정이므로 블랙박스를 작동시켜 다른 사람들에게 무슨 일이 벌어졌는지 알릴 방법도 없다. '텔 미' 호가 엔드 행성에서 플로우를 나갈 때쯤에는 참상도 정돈되고 증거는 조작되고 이야기도 짜 맞출 것이다. "기니오스에게 비극적인 일이 생겼습니다.", 이렇게 말하겠지. "폭발 사고. 많은 사망자가 발생했습니다. 함장은 더 많은 승무원을 살리기 위해 용감하게 되돌아갔습니다."

뭐 이따위 이야기.

격벽이 뚫리고 1분 뒤 쇠판이 바닥에 툭 떨어졌다. 볼트 스로어로 무장한 승무원 셋이 들어와서 함교 승무원들을 향해 총구를 겨눴다. 함교 승무원은 아무도 움직이지 않았다. 그것이 목적이었다. 무장한 승무원 한 사람이 '안전' 신호를 보냈고, 행정 장교 올리 인버가 허리를 굽혀 격벽에 난 구멍을 통해 들어왔다. 그는 기니오스를 보고 이쪽으로 다가왔다. 무장한 승무원 한 사람이 볼트 스로어를 그녀에게 겨눴다.

"기니오스 함장." 인버는 인사를 건넸다.

"올리." 그녀도 인사로 답했다.

"아룰로스 기니오스 함장, 상선 길드 공통규약 7장 38조에 의거, 본인은…."

"집어쳐, 올리." 기니오스는 말했다.

인버는 미소 지었다. "좋습니다."

"반란 계획은 훌륭했어. 일이 잘못되면 엔진을 폭파하겠다고 협박하기 위해 엔지니어링 부서부터 접수한다."

"고맙습니다, 함장님. 이 변화 과정에서 사상자를 최소한으로 하고 싶었습니다."

"파노치도 아직 살아 있다는 뜻인가?"

"'최소한'이라고 했습니다, 함장님. 파노치 수석은 그리 협조적이지 않더군요. 부관 하이번이 승진했습니다."

"다른 장교는 몇 명이나 확보했지?"

"그 걱정을 하실 필요는 없을 텐데요, 함장님."

"흠, 최소한 날 안 죽이는 척은 안 하는군."

"일이 이렇게 되어서 유감입니다, 함장님. 전 당신을 존경했습니다."

"헛소리 집어치우라고 했잖아, 올리."

인버는 다시 미소 지었다. "아첨을 좋아하는 분이 아니었지요."

"왜 이 폭동을 계획했는지 말해줄 수 있나?"

"아뇨, 싫습니다."

"말해 봐. 내가 왜 죽는지는 알고 죽고 싶다고."

인버는 어깨를 으쓱했다. "물론 돈이죠. 우린 엔드 군이 현재 벌어지는 반란을 진압하는 데 필요한 무기를 많이 싣고 있습니다. 라이플, 볼트 스로어, 로켓 발사기. 적하목록에 서명했으니 아시겠지요. 알파인에 있을 때, 이 무기를 대신 반란군에게 팔라는 사람이 접근했습니다. 웃돈 30퍼센트. 좋은 거래 같더군요. 그러겠다고 했지요."

"무기를 어떻게 그쪽에 전달할 계획인지 궁금하군. 엔드의 우주항구는 그쪽 정부가 통제하고 있는데."

"거기까지 가지 않습니다. 플로우에서 나가는 즉시 '해적'의 습격을 받아 짐을 빼앗길 테니까요. 계획에 응하지 않은 함장님과 다른 승무원들은 공격에서 죽는 걸로. 간단하고, 쉽고, 남은 사람은 돈을 듬뿍 벌고, 행복하겠죠."

"토이스 가문은 행복하지 않을 텐데." 기니오스는 '텔 미'의 선주를 입에 올렸다.

"그쪽은 배와 화물에 대한 보험이 있잖습니까. 괜찮을 겁니다."

"에거티 건은 행복하지 않을 거야. 그를 죽여야 하잖아. 야너 토이스의 사위야."

인버는 토이스 가문 수장의 이름을 듣고 미소 지었다. "믿을 만한 정보통을 통해, 토이스는 아끼는 아들을 홀몸으로 만드는 것도 나쁘지 않다고 생각하는 것으로 알고 있습니다. 결혼을 통해 다른 인맥을 돈독하게 하는 것도 좋겠죠."

"그럼 전부 다 계획했던 거군."

"개인적인 원한은 아닙니다, 함장."

"돈 때문에 살해당하는 건 개인적인 일 같다고, 올리."

인버가 뭐라 대답하려고 입을 여는 순간, '텔 미' 호는 선내의 그 누구도—기니오스도 인버도—아카데미 모의 실습 시간 외에 들어본 적이 없는 경보음을 울리며 플로우에서 이탈했다.

기니오스와 인버는 몇 초 동안 얼어붙은 채 서 있었다. 그러다 동시에 조종간으로 향했다. 텔 미가 예기치 않게 플로우에서 이탈했는데 되돌아갈 방법을 찾지 못한다면, 분명 돌이킬 수 없는 재앙이었다.

이쯤에서, 설명이 필요할 것 같다.

이 우주에는 '빛보다 빠른' 여행이란 것이 없다. 광속은 좋은 개념일 뿐더러, 그것이 법이다. 광속에는 접근할 수 없으며, 가속하면 할수록 앞으로 나아가는 에너지가 더 많이 필요하며, 그렇게 빠른 속도로 여행한다는 것 자체가 끔찍한 생각이다. 우주는 '대부분' 텅 빈 공간일 뿐, 광속 비슷한 속도로 여행하다가 뭔가 부딪히기라도 하면 연약한 선체는 고철 덩어리로 폭발해버린다. 게다가 그 고철 덩어리가 원래 목적지 근처로 가려면 수년, 수십 년, 수 세기가 걸린다.

광속보다 빠른 여행은 없다. 그러나 플로우가 있다.

상호의존성단 내의 국가와 무역길드 성 제국에서 광속보다 빠른 여행을 가능하게 하는 '플로우'는 일반인들에게 '대체 시공의 강물'로 알려져 있다. 우주선은 별과 행성의 중력이 플로우와 조화롭게 상호 작용할 때 생성되는 강어귀를 통해 플로우에 진입해 흐름을 타고 다른 별로 여행할 수 있게 된다. 지구를 잃어버렸을 때 인류는 이 플로우를 통한 무역을 발전시키고 상호의존성단 내 행성끼리 서로 생존에 필요한 자원을—행성 단독으로는 거의 어느 곳도 완벽하게 갖추지 못한 자원들—교류함으로써 생존할 수 있었다.

물론 플로우를 이런 식으로 바라보는 것은 불합리한 방식이다. 플로우는 강과 비슷한 점이 전혀 없다. 플로우는 지형적으로 복잡한 방식으로 특정 시공을 가로지르는 다차원 뇌와 같은 메타우주적 구조이며, 비-일차적으로, 부분적으로, 카오스적으로 중력의 영향을 받는다. 플로우에 접근하는 우주선은 전통적인 방식으로 진입하지 않고 그 지점의 시공에 대한 벡터적 성질만을 이용하는데, 이것이 속도와 속력, 에너지에 대한 우주법칙의 한계를 넘기 때문에 관찰자의 눈에는 빛보다 빠르게 비치는 것이다.

이것조차 형편없는 묘사다. 인간의 언어 자체가 통나무 집을 조합하는 이상으로 복잡한 현상을 설명하는 데는 형편없기 때문이다. 플로우를 정확하게 묘사하려면 상호의존성단 내 수십 억의 인류 중 겨우 몇 백 명이나 이해할까 말까 하는 고등수학이 필요하며, 그들조차 유의미한 방식으로 현상을 묘사하기는 더욱 힘들다. 당신은 그중 하나가 아닐 확률이 높다. 기니오스 함장이나 인버 행정 장교 역시 마찬가지였다.

그러나 기니오스와 인버가 분명하게 아는 사실은 있었다. 예기치 않은 순간 우주선이 플로우에서 빠져나오는 현상은 상호의존성단 수 세기 역사를 통틀어 거의 전례가 없는, 거의 불가능한 일이라는 사실이었다. 플로우에 균열이 생기면 우주선은 인간이 거주하는 행성이나 기지에서 몇 광년 떨어진 곳에 좌초한다. 길드 우주선은 몇 달, 몇 년 자급자족이 가능하도록 설계되어 있지만—그래야만 한다. 플로우를 통해 상호의존성단 시스템 사이를 이동하는 데 걸리는 시간은 2주에서 9개월까지 다양하기 때문이다—길드 대형 우주선이 그렇듯 5년, 혹은 10년 생존하는 것과 '영원히' 자급자족하는 것 사이에는 분명한 차이가 있다.

광속보다 빠른 여행은 없기 때문이다. 플로우만 존재하기 때문이다.

그 플로우에서 갑작스럽게 이탈해서 행성 사이 우주에 덩그러니 내버려진다면, 죽은 목숨이다.

"현재 좌표가 필요해." 인버는 자기 조종간에서 말했다.

"찾는 중입니다." 라이카 던이 말했다.

"안테나를 세워." 기니오스가 말했다. "플로우에서 이탈했다면, 출구가 있었다는 이야기야. 입구를 찾아야 해."

"이미 세웠습니다." 버너스가 조종간에서 말했다.

기니오스는 엔지니어링 부서에 통신했다. "하이번 수석, 우주선이 플로우에서 이탈했다. 즉각 엔진을 가동하기 바라며, 초고중력을 상쇄할 수 있는 충분한 푸시 필드가 필요하다. 젤리처럼 납작해지고 싶지 않으면."

"으음." 대답이 돌아왔다.

"빌어먹을." 기니오스는 인버를 돌아보았다. "네 수하야, 올리. 네가 다뤄."

인버는 자기 통신망을 열었다. "하이번, 행정 장교 인버다. 함장의 지시를 이해하는 데 문제가 있나?"

"우린 반란 중인 것 아니었습니까?" 하이번은 엔지니어링 영재였고, 덕분에 길드 안에서 빠르게 승진했다. 하지만 아주, 아주 어렸다.

"방금 우주선이 플로우에서 이탈했다. 하이번. 당장 복귀하는 방법을 찾지 못하면 다 죽은 목숨이야. 그러니 함장의 지시를 따르기 바란다. 알겠나?"

"알겠습니다." 잠시 후 대답이 돌아왔다. "작업 중입니다. 응급 엔진가동 지침 실행중입니다. 5분 뒤 최고 출력. 아, 엔진은 상당히 망가질 겁니다."

"플로우에 돌아가고 나서 고민하자고." 기니오스가 말했다. "가동할 준비가 되면 즉시 알려." 그녀는 통신망을 껐다. "반란 일으키는 타이밍이 안 좋았어." 그녀는 인버에게 말했다.

"좌표 나왔습니다." 던이 말했다. "현재 엔드에서 23광년, 쉬락에서 61광년 떨어진 지점입니다."

"인근에 중력 우물은?"

"없습니다. 가장 가까운 별은 3광년 떨어진 적색왜성입니다. 인근에 다른 건 없습니다."

"중력 우물이 없다면 왜 이탈했지?" 인버가 물었다.

"에바 파노치라면 그 질문에 대답할 수도 있었을 텐데 말이야." 기니오스가 말했다. "자네가 살해하지 않았다면."

"지금은 그 이야기를 할 때가 아닙니다, 함장님."

"찾았습니다!" 버너스가 말했다. "입구입니다. 10만 킬로미터 전방입니다. 단지….”

“단지 뭐?” 기니오스가 물었다.

“우리에게서 멀어지고 있습니다.” 버너스가 말했다. “쪼그라들고 있어요.”

기니오스와 인버는 마주 보았다. 두 사람이 아는 한, 플로우의 입구와 출구의 위치와 크기는 고정불변이었다. 그렇기 때문에 일상적인 부역에 사용할 수 있는 것이다. 플로우의 출입구가 움직이고 줄어든다는 것은 말 그대로 새로운 경험이었다.

나중에 고민하자, 기니오스는 생각했다. “우리에게서 얼마나 빠른 속도로 멀어지고 있지? 얼마나 빨리 줄어들고 있나?”

“시속 1만 킬로미터 속도로 멀어지고 있으며, 초당 10미터 정도로 줄어드는 것 같습니다.” 버너스는 잠시 후 말했다. “속도도, 위축도 지속적인 비율인지는 확실하지 않습니다. 지금 당장 그렇습니다.”

“입구에 대한 데이터를 보내줘.” 인버는 버너스에게 말했다.

“네 부하들에게 밖에서 기다리라고 하지?” 기니오스는 무장한 승무원들을 가리키며 인버에게 말했다. “볼트 스로어가 내 머리를 겨냥하고 있어서 집중하기가 어렵군.”

인버는 승무원들을 올려다 보고 고개를 끄덕였다. 그들은 격벽의 구멍을 통해 다시 나갔다. “가까운 데 대기해.” 인버는 그들의 등에 대고 말했다.

“입구까지 항로를 계산할 수 있나?” 기니오스가 물었다. “완전히 닫히기 전에.”

"잠시만요." 인버는 말했다. 그가 작업하는 동안 함교 안에는 정적이 흘렀다. "네. 하이번이 앞으로 2분 뒤 엔진을 가동시킨다면 간신히 도착할 수 있습니다."

기니오스는 고개를 끄덕이고 엔지니어링 부서에 통신망을 가동했다. "하이번, 엔진은?"

"앞으로 30초."

"푸시 필드는? 빠르게 움직일 수 있나?"

"얼마나 가동하느냐에 달렸습니다. 운항에 모든 출력을 집중하면, 다른 곳의 에너지까지 다 끌어 써야 합니다. 우선 다른 곳의 에너지를 끌어 쓰겠지만, 결국은 푸시 필드에 쓰는 에너지까지 끌어 쓰게 됩니다."

"천천히 죽느니 빨리 죽는 게 나아. 안 그래, 하이번?"

"으음." 대답이 돌아왔다.

"엔진 가동." 인버가 말했다.

"그렇군." 기니오스는 스크린을 두드렸다. "자네가 조종해." 그녀는 인버에게 말했다. "빠져나가자고, 올리."

"문제가 생겼습니다." 버너스가 말했다.

"그렇겠지. 이번에는 뭐지?"

"입구가 더 빨리 멀어지고 있습니다. 크기도 더 빨리 줄어들고 있어요."

"그렇군." 인버가 말했다.

"그래도 들어갈 수 있나?" 기니오스가 물었다.

"아마도. 우주선의 일부는."

"무슨 뜻이지?"

"입구의 크기에 따라, 선체의 입구가 밖에 남을 수도 있다는 뜻입니다. 동체가 있고, 고리 부분이 있지요. 동체는 긴 바늘 모양입니다. 고리는 1킬로 떨어져 있고요. 동체는 통과할 텐데, 고리는 힘들지도 모릅니다."

"그러면 배가 파괴되잖아요." 던이 말했다.

기니오스는 고개를 저었다. "물리적인 장애물을 뚫어야 하는 게 아니야. 입구를 통과하지 못하는 부분은 그냥 뒤에 남는 거야. 레이저로 잘리듯. 고리 부분으로 이어지는 바큇살의 격벽을 봉쇄하면 살아남을 수 있어." 그녀는 인버를 돌아보았다. "버블을 형성할 수 있다면." 버블은 플로우로 진입할 때 '텔 미'호가 출력하는 에너지장에 둘러싸여 부분적으로 작게 형성되는 시공간을 말한다. 기술적으로 플로우 안이란 없다. 플로우로 진입할 때 시공간을 형성하지 않은 우주선은 더 이상 유의미한 방식으로 존재하지 않는다.

"버블은 형성할 수 있습니다." 인버가 말했다.

"확실해?"

"그렇지 않다 해도 그게 중요한 문제는 아니잖습니까."

기니오스는 이 대답에 혼자 투덜거리며 던에게 밀했다. "모든 승무원에게 고리에서 선체로 이동하라는 지시를 내려." 그녀는 인버를 돌아보았다. "입구까지 얼마나 남았지?"

"9분."

"그보다 약간 깁니다." 버너스가 말했다. "입구는 계속 가속하고 있어요."

"시간은 5분밖에 없다고 해." 기니오스는 던에게 말했다. "그 뒤에 고리는 봉쇄한다. 격벽 밖에 있는 사람은 뒤에 남는 거야." 던은 고개를 끄덕이고 방송했다. "숙소에 가둔 사람들은 꺼내주는 거겠지." 그녀는 인버에게 말했다.

"피터를 숙소에 가뒀는데." 인버가 말했다. 보안 책임자였다. 그는 모니터를 보며 운항 경로를 세심하게 수정하고 있었다. "따로 지시할 시간이 없어."

"잘됐군."

"아슬아슬합니다."

"입구까지 가는 게?"

"네. 하지만 고리를 뒤에 남겼을 때 말입니다. 우주선 안에는 200명이 있어요. 식량과 보급품은 대부분 고리에 있습니다. 엔드까지는 아직 한 달 남았습니다. 최상의 경우라도 모두가 살아남지는 못할 겁니다."

"음." 기니오스가 말했다. "나부터 뜯어먹을 계획을 벌써 세우고 있겠군."

"고귀한 희생이겠지요, 함장님."

"농담인지 아닌지 모르겠어, 올리."

"지금은 저도 모르겠습니다."

"이 말을 하기 좋을 때 같은데, 난 원래 자네가 싫었어."

인버는 미소 지었지만, 모니터에서 주의를 흩뜨리지 않았다. "알고 있습니다, 함장님. 그것도 제가 반란에 동의했던 이유 중 하나였지요."

"게다가, 돈."

"게다가 돈. 네." 인버는 동의했다. "이제 일하게 해주시죠."

몇 분 동안 인버는 행정 장교로서의 단점이 무엇이든 간에 기니오스가 경험한 최고의 항해사라는 사실을 증명했다. 입구는 '텔미'에서 직선 경로로 멀어지고 있는 것이 아니라, 플로우와 시공이 만나는 지점에서 미세한 무선 주파수로만 추적할 수 있는, 눈에 보이지 않는 댄서처럼 이리저리 위치를 옮기고 앞뒤로 풀쩍 뛰고 있었다. 버너스가 입구를 추적해서 최신 데이터를 알려주면, 인버는 항로를 수정해 '텔 미'를 입구 가까이 갖다 댔다. 위대한, 아마도 인류 역사상 최고의 우주여행 기술이었다. 상황에도 불구하고 기니오스는 그 광경을 목격하고 있다는 사실이 영광으로 느껴졌다.

"음, 문제가 있습니다." 임시 수석 엔지니어 하이번이 통신선을 통해 알렸다. "엔진이 다른 시스템에서 에너지를 빼앗기 시작하는 시점에 도달했습니다."

"푸시 필드는 필요해." 기니오스가 말했다. "다른 건 전부 희생 가능."

"항행 장비 관련 전력도 필요해." 인버는 고개를 들지 않았다.

"푸시 필드와 항행 장비." 기니오스는 수정했다. "다른 건 전부 희생 가능."

"생명 유지 장치는?" 하이번이 물었다.

"30초 뒤에 입구로 들어가지 않으면 숨을 쉴 수 있는지 없는지는 중요하지 않습니다." 인버는 기니오스에게 말했다.

"푸시 필드와 항행 장비만 남기고 모조리 다 끊어." 기니오스가 말했다.

"알겠습니다." 하이번은 말했다. 즉각 '텔 미' 내부의 공기가 서늘하고 탁하게 느껴지기 시작했다.

"입구는 거의 2킬로미터 전방까지 왔습니다." 버너스가 말했다.

"아슬아슬할 거야." 인버가 동의했다. "앞으로 15초."

"1.8 킬로미터."

"좋아."

"1.5 킬로미터."

"버너스, 입 다물어."

버너스는 입을 다물었다. 기니오스는 일어서 옷 매무새를 가다듬고 행정 장교 옆에 가서 섰다.

인버는 마지막 10초부터 세다가 6에서 카운트다운을 멈추고 시공 버블을 형성한다고 알린 뒤 다시 셋부터 세기 시작했다. 0과 동시에, 인버 뒤에 서 있던 기니오스는 그가 미소 짓고 있다는 것을 알 수 있었다.

"들어왔습니다. 들어왔어요. 배 전체 다."

"정말 훌륭한 솜씨였어, 올리."

"네. 맞습니다. 내 자랑을 하려는 건 아니지만."

"마음껏 해도 돼. 승무원들은 자네 덕분에 살았어.'

"고맙습니다, 함장님." 인버는 말했다. 그는 미소 띤 얼굴로 기니오스를 돌아보았다. 순간 그녀는 부츠에서 꺼낸 다트푸셔 총구를 그의 왼쪽 안구에 들이대고 방아쇠를 당겼다. 다트는 가볍게 '팍' 소리를 내며 눈에 박혔다. 반대쪽 눈에 놀란 빛이 가득 차더니, 인버는 그대로 바닥에 무너졌다.

격실 반대편에 있던 인버의 부하들은 놀라 소리치며 각자 볼트 스로어를 집어들었다. 기니오스는 손을 들었고, 고맙게도 그들은 멈췄다. "그는 죽었다." 그녀는 인버의 스테이션 모니터에 손을 내려놓았다. "그리고 나는 방금 이 배에 탑재된 모든 에어록 장치를 폭파시키는 명령을 입력했다. 이 손이 모니터에서 떨어지는 순간, 너희를 포함해서 이 배에 탄 모든 사람들이 죽는다. 그러니 오늘 누가 죽을지 너희들이 결정해. 올리 인버, 아니면 전부 다. 나를 쏘면 우리 모두 죽어. 10초 안에 무기를 내려놓지 않으면 우리 모두 죽는다. 결정해."

세 사람 모두 볼트 스로어를 내려놓았다. 기니오스는 던에게 손짓했고, 던이 그쪽으로 가서 무기를 회수한 뒤 하나를 버너스에게, 하나는 대장에게 건넸다. 기니오스는 모니터에서 손을 떼고 무기를 받아 들었다. 반란군 중 하나가 숨을 헉 하고 들이쉬었다.

"하, 정말 잘 속는군." 기니오스는 그에게 말하고 볼트 스로어를 '비살상'으로 전환한 뒤 차례로 빠르게 세 사람을 쏘았다. 그들은 의식을 잃고 쓰러졌다.

기니오스는 던과 버너스를 돌아보았다. "축하해, 승진했어." 그녀는 두 사람에게 말했다. "자. 이제 반란군을 진압해야지. 시작하자고."

1부

THE
COLLAPSING EMPIRE

1장

아버지 바트린이 죽기 전 한 주 내내 카르데니아 우-패트릭은 그의 침대 머리맡을 지켰다. 아버지는 자신의 상태가 의료적 한계에 도달해서 고통 완화 외에 더 이상 남은 처치 방법이 없다는 말을 듣고, 집에서, 자신이 좋아하던 침대에서 죽기로 결정했다. 끝이 다가왔다는 사실을 알고 있었던 카르데니아는 다른 지시가 있을 때까지 일정을 완전히 비우고 아버지의 침대 옆에 편안한 의자를 마련하라고 명령했다.

"여기 앉아 있는 것보다 더 좋은 일이 있지 않니?" 바트린은 살아 있는 유일한 자식인 딸이 여느 때처럼 아침에 침대 옆 의자에 앉자 농담을 던졌다.

"지금은 없어요."

"그럴 리가 있니. 네가 화장실에 가려고 여길 나설 때마다 아랫

사람들이 이런저런 일로 네 서명을 받으려고 몰려들 게 뻔한데."

"아뇨." 카르데니아는 말했다. "지금 모든 업무는 집행위원회 소관이에요. 예측 가능한 미래 동안 모든 사안은 현 상태로 유지하기로 되어 있어요."

"내가 죽을 때까지."

"아버지가 죽을 때까지."

바트린은 이 말에 힘없이 웃었다. 지금 그는 매사에 힘이 없었다. "그거야말로 너무나 예측 가능하구나."

"그 생각은 하지 마세요." 카르데니아는 말했다.

"그렇게 말하기는 쉽지." 두 사람은 잠시 조용하고 다정한 침묵을 지켰다. 밖에서 작은 소음이 들리자 바트린은 얼굴을 찡그리고 딸을 돌아보았다. "저건 뭐지?"

카르데니아는 고개를 약간 갸우뚱했다. "노랫소리요?"

"지금 누가 노래를 부르고 있니?"

"밖에 아버지의 건강을 기원하는 군중이 모여 있어요."

바트린은 딸에게 미소 지었다. "정말 그 사람들이 그걸 기원한다고 생각하니?"

카르데니아의 아버지 바트린 우는 공식적으로 아타비오 6세, 상호의존성단 및 무역 길드 제국 황제, 허브 및 연합국 왕, 상호의존성단 교회 수장, 지구의 계승자이자 만물의 아버지였으며, 상호의존성단 설립자이자 인류의 구원자였던 선지자-여황제 라헬라 1세의 정식 계승자로 공언하는 하우스 오브 우의 제87대 황제였다.

"확실해요." 카르데니아는 말했다. 두 사람은 허브의 수도이자 바트린이 가장 좋아하는 주거지인 허브폴의 황제궁 브라이튼에 있었다. 공식적인 황제 집무지는 중력 우물을 지나 수천 클릭 떨어진, 허브 상공의 납작한 우주 정거장 시안에 있었고, 허브폴에서 바라본 시안은 어둠 속의 거대한 반사경처럼 보였다—아니, 허브폴 대부분이 행성 표면에 있다면 그렇게 보일 것이다. 허브의 모든 도시가 그렇듯 허브폴 역시 행성 암반을 폭파한 뒤 깎아 들어가 내부에 건설한 도시였고, 표면 위에는 서비스 돔과 구조물이 듬성듬성 튀어나와 있을 뿐이었다. 돔은 일출을 기다리며 영원한 새벽에 잠겨 있었다. 하지만 한쪽 반면만 태양을 바라보며 공전하는 행성에서 일출이란 있을 수 없고, 정말 해가 떠오른다면 허브 시민들은 팬 위의 감자처럼 비명을 지르며 바싹 구워질 것이다.

아타비오 6세는 시안을 싫어했고, 절대적으로 필요한 기간 이상 그곳에 머무르지 않았다. 그곳에서 죽고 싶은 마음은 더욱 없었다. 브라이튼은 그의 집이었고, 집 밖에는 수천 명 이상의 군중들이 정문 앞에 운집해서 황제를 위해 환호성을 올리고 이따금 국가나 황실 풋볼팀 응원가 '당신의 의견은'을 부르기도 했다. 카르데니아가 알기로 모든 군중들은 브라이튼 황궁 게이트에서 1킬로미터, 즉 황제의 귀에 소음이 들리는 반경 안으로 진입하기 전에 철저하게 신체 수색을 마쳤다. 심지어 돈을 받지 않고 모여든 사람도 있었다.

"돈은 얼마나 썼지?" 바트린이 물었다.

"거의 안 썼어요." 카르데니아가 대답했다.

"내 어머니가 임종했을 때 나는 모여든 3천 명 모두에게 돈을 줬다. 많이 써야 했어."

"아버지는 할머니보다 더 인기가 많으시니까요." 카르데니아는 할머니인 제티안 3세를 만나본 적이 없었지만, 역사에 따르면 발가락이 오그라들도록 무시무시한 인물이었다.

"돌멩이도 내 어머니보다는 인기가 많았을 게다." 바트린은 말했다. "하지만 오해해선 안 돼, 딸아. 상호의존성단의 황제는 그렇게 인기가 많았던 적이 없어. 인기는 업무상 필요조건이 아니야."

"그래도 아버지는 최소한 대부분의 황제보다는 인기가 많으셨어요."

"창밖의 군중 모두에게 돈을 줄 필요가 없는 게 그 때문이지."

"원치 않으시면 물러가게 할게요."

"괜찮아. 요구사항이 있는지 알아보려무나."

바트린은 다시 낮잠에 빠졌다. 카르데니아는 그가 잠든 것을 확인한 뒤 의자에서 일어나 당분간 그녀가 사용하고 있는, 어쨌든 곧 그녀의 사무실이 될 아버지의 개인 사무실로 물러갔다. 아버지의 침실을 나서는데, 황제 주치의 퀴 드리닌이 이끄는 의료진이 몸을 씻기고, 생명 반응을 확인하고, 절대 회복되지 못할 고통스럽고 치료 불가능한 병을 앓는 환자가 최대한 편안할 수 있도록 조치하기 위해서 침대로 향하는 것이 보였다.

개인 사무실에는 최근 임명한 카르데니아의 비서실장 나파 돌그가 있었다. 카르데니아가 사무실의 작은 냉장고로 다가가서 청량음료를 꺼내 들고, 자리에 앉아 음료를 열고, 두 모금 마시고, 아버지의 책상에 음료를 내려놓을 때까지 나파는 조용히 기다렸다.

"컵받침." 나파는 상관에게 말했다.

"정말?" 카르데니아는 대꾸했다.

나파는 가리켰다. "원래 투리누 2세가 사용하던 책상입니다. 650년 된 물건이에요. 쥬느비에브 느동의 아버지가 선물했는데, 쥬느비에브는 이후 황제의 아내가 되어서…."

카르데니아는 한 손을 들었다. "됐어." 그녀는 책상 위로 팔을 뻗어서 작은 가죽 장정 책을 집어 들어 끌어당기고 음료를 그 위에 놓았다. 문득 그녀는 나파의 표정을 확인했다. "이제 뭐?"

"아, 아닙니다." 나파는 말했다. "단지 방금 컵받침으로 사용하신 물건은 라셀린 선언에 대한 차오의 해설서 초판으로써, 거의 천 년이나 된 책이고 가치를 헤아릴 수 없을 정도로 귀하며 그 위에 음료를 올려놓을 생각을 한다는 것 자체가 아마도 최악의 불경이라는 점만 말씀드리겠습니다."

"아, 좀 집어치워." 카르데니아는 음료를 다시 한 모금 마시고 책상 옆 양탄자에 내려놓았다. "됐어? 아니, 설마 이번에는 또 양탄자가 가치를 헤아릴 수 없을 정도로 귀한 건 아니겠지."

"사실…."

"우리 둘만 제외하고 이 방 안의 모든 물건은 아마 수백 살은 됐다, 전부 다 너무나도 유명한 역사적 인물 누군가가 내 조상 누군가에게 보낸 선물이다. 가치를 따질 수 없거나 한 인간이 평생 벌어도 모자랄 만큼 값어치가 나간다는 사실은 분명히 한 걸로 하면 되겠어? 이 방에 이 설명에 들어맞지 않는 물건이 있나?"

나파는 냉장고를 가리켰다. "저건 그냥 냉장고입니다."

카르데니아는 책상 위에서 컵받침을 찾아내 양탄자에 놓은 음료를 집어 들고 그 위에 내려놓았다. "이 컵받침도 아마 400년은 됐고 엔드의 공작에게서 받은 선물이겠지." 그녀는 비서를 돌아보았다. "그렇더라도, 말하지 마."

"그러지요." 나파는 태블릿을 꺼냈다.

"하지만 물론 알고 있겠지."

"집행위원회의 요구사항이 있습니다." 나파는 상관의 마지막 말을 무시했다.

카르데니아는 두 손을 들어 올렸다. "그러시겠지." 집행위원회는 길드 대변인 셋, 의회 의원 셋, 교회 대주교 셋으로 구성되어 있었다. 평소에는 상호의존성단 내의 세 권력 핵심과 황제를 직접 연결하는 통로였다. 현재는 현 황제의 마지막 집권기 동안 통치의 연속성을 유지하는 역할을 맡고 있었다. 카르데니아는 그들 때문에 약간 돌 것 같았다.

"첫째, 아버님의 상황에 대한 그들 표현을 빌리자면, '제국의 공포를 진정시키기 위해' 네트워크에 모습을 보이시랍니다."

"아버지는 빠르게 죽어가고 있어." 카르데니아는 말했다. "그게 진정 효과가 있을지 난 모르겠는데."

"그들은 보다 더 희망적인 메시지를 좋아할 것 같습니다만. 그들이 연설문을 보냈습니다."

"제국을 굳이 안심시켜야 할 이유가 있나. 내 연설이 엔드에 도달할 즈음이면, 아버지는 이미 죽은 지 아홉 달은 지났을 거야. 브레멘조차 2주 떨어져 있어."

"허브와 시안, 시스템 내 연합국가가 있습니다. 그중 가장 멀리 떨어진 곳이 겨우 5광시(light hours) 밖입니다."

"그들은 이미 황제가 죽어간다는 걸 알고 있잖아."

"죽는 게 문제가 아니라, 연속성 문제입니다."

"우 제국은 천 년 동안 계속돼 왔어, 나파. 연속성은 사실 아무도 그렇게 걱정하지 않아."

"그들이 우려하는 건 연속성이 아닙니다. 자기들의 일상이지요. 누가 황제가 되건, 상황은 변하게 되어 있습니다. 시스템 내에는 제국 신민 3억 명이 있습니다, 카르데니아. 당신이 후계자입니다. 제국이 변하지 않는다는 건 그들도 알고 있습니다. 다른 모든 게 변하겠지요."

"네가 이 문제에 대해 집행위원회 편이라는 걸 믿을 수 없어."

"고장난 시계도 하루 두 번은 맞지요."

"연설문 읽어 봤어?"

"네. 끔찍합니다."

"네가 다시 쓰고 있어?"

"이미 고쳤습니다, 네."

"다른 건?"

"그들은 아미트 노하마페탄에 대해 당신의 입장이 바뀌었는지 알고 싶어합니다."

"내 무슨 입장? 만나는 입장, 아니면 결혼하는 입장?"

"그들은 첫 번째가 두 번째로 이어지길 바라고 있는 것 같습니다만."

"난 이미 그를 한 번 만났어. 그렇기 때문에 다시 만나고 싶지 않은 거고. 난 절대 그와 결혼하지 않을 거야."

"집행위원회는 아마도 꺼려하실 것을 짐작했는지, 돌아가신 오빠, 전 황태자께서도 생전에 나다쉬 노하마페탄과 결혼하겠다고 원칙적으로 동의하셨다는 점을 일러드리라고 전했습니다."

"그 오빠보다는 차라리 그 여자와 결혼하겠어."

"그런 말을 하실 것도 짐작했는지, 집행위원회는 그 선택도 아마 모든 관련자가 받아들일 거라고 일러드리랍니다."

"난 그 여자와도 결혼하지 않아." 카르데니아는 말했다. "둘 다 싫어. 끔찍한 사람들이야."

"그 끔찍한 사람들은 상인 길드 내에서 막강한 권력을 지닌 가문이며, 우 가문과 동맹을 맺겠다는 그들의 소망 덕분에 제국은 수 세기 동안 갖지 못했던 상인 길드에 대한 영향력을 갖게 될 겁니다."

"그건 네 말이야, 지금 집행위원회가 하는 말이야?"

"80퍼센트 집행위원회입니다."

"그럼 20퍼센트는 너고?" 카르데니아는 짐짓 놀랍다는 듯한 표정을 지어 보였다.

"그 20퍼센트는 정략결혼이 당신 같은, 곧 황제가 될 사람에게, 천 년의 역사를 지닌 왕국이라는 정당성을 지녔으면서도 길드를 통제하기 위해 우군이 필요한 사람에게 있을 수 있는 일이라고 인지하고 있습니다."

"그럼 지난 천 년 동안 우 황제들은 기본적으로 길드의 이해관계를 위한 꼭두각시였다고 말하는 거군, 안 그래?"

"당신이 내게 이 직책을 맡긴 건 개인적인 우정이나 궁내 정치에 대한 경험은 물론, 제가 우 제국의 역사에 대해 박사 학위를 갖고 있고 당신의 가문에 대해 당신보다 더 잘 알고 있기 때문이라는 점을 상기시켜 드려야겠습니다만." 나파는 말했다. "하지만, 네. 그 점도 맞습니다."

카르데니아는 한숨을 쉬었다. "우리가 길드의 꼭두각시가 될 위험은 없잖아."

나파는 말없이 상관을 바라보았다.

"농담이겠지." 카르데니아는 말했다.

"우 가문도 그 자체가 상인 집안이고, 우주선 건축과 무기에 독점권을 갖고 있습니다." 나파가 말했다. "또한 군 통수권은 길드가 아닌 황제가 물려받습니다. 그러니, 아니요, 길드나 길드를 통제하는 어느 가문도 단기간에 가문이나 제국에 대한 지배력을 잠식하기란 대단히 어려울 겁니다. 그러나 한편 당신의 아버지는 상인 가문들을 통제하는 데 대단히 느슨하셨고, 덕분에 노하마페탄을 비롯한 몇몇 가문은 지난 200년간 전례가 없었을 정도의 권력 핵심을 건설해냈습니다. 물론 독립적인 권력 핵심인 교회를 완전히 제외하고 드리는 말씀입니다. 당신이 약한 황제가 될 전망이기 때문에 이들 세력이 모두 권력을 더 많이 쥐려고 노력할 거라는 점도 예상할 수 있습니다."

"고마워." 카르데니아는 건조하게 말했다.

"개인적인 감정이 있는 건 아닙니다. 당신이 후계자가 될 거라는 사실은 아무도 예상하지 못했습니다."

"그 부분을 말해 봐."

"아무도 당신을 어떻게 생각해야 할지 모릅니다."

"나를 결혼시키고 싶은 집행위원회만 제외하고."

"그들은 기존의 잠재적 동맹관계를 유지하고 싶은 거지요."

"끔찍한 사람과의 동맹이라."

"아주 좋은 사람들은 대체로 권력을 쌓아 올리지 않습니다."

"내가 일종의 이방인이라는 뜻이군."

"당신이 좋은 사람이라는 말은 안 한 것 같습니다만." 나파는
말했다.

◇◇◇

"이 모든 일이 네 문제가 될 계획은 아니었다." 나중에 바트린
은 카르데니아에게 말했다. 그녀는 황제의 침실에 돌아와 의자에
앉아 있었다. 아버지가 잠든 사이 그를 돌보던 의료진은 가까운
대기실로 물러났다. 남은 것은 의료장비에 둘러싸인 두 사람뿐이
었다.

"알아요." 카르데니아가 말했다. 전에도 한 적 있는 대화였지
만, 그녀는 곧 이 이야기를 다시 하게 될 것을 알고 있었다.

"이 모든 일에 대비해 키워진 건 네 오빠였어." 바트린은 말을
이었고, 카르데니아는 그의 느릿느릿한 말에 귀를 기울이며 고개
를 끄덕였다. 오빠 레너드 우는 사실 그녀의 이복형제였다. 그는

황제의 배우자 글레나 코스투의 아들이었고, 카르데니아는 황제와 고대어 교수인 그녀의 어머니 해나 사이의 짧은 관계에서 태어났다. 해나 패트릭은 허브폴 대학 스포드 도서관이 소장한 희귀서적 컬렉션을 안내하다 황제를 처음 만났다. 이후 두 사람은 학문적 교우관계를 지속하고 있었는데, 배우자가 갑작스럽게 세상을 떠난 뒤 황제는 해나 패트릭에게 카시다트 올 부르다를 선물했고 이어 얼마 지나지 않아, 두 사람 다 조금 놀랐지만, 카르데니아도 선사했다.

레너드는 이미 후계자였고, 해나 패트릭은 숙고 끝에 황궁에 영주하느니 차라리 죽는 게 낫다고 결정했다. 그 결과 카르데니아는 풍족했지만 실제 권력의 함정에서 멀리 떨어진 어린 시절을 보낼 수 있었다. 카르데니아는 황제의 후사로 인정받았고, 유명한 아버지를 정기적으로, 그러나 이따금 만났다. 가끔 짓궂은 급우들이 '공주'라고 놀려댈 때도 있었지만, 알고 보니 그녀는 '진짜' 공주였고 황제 경호원은 모욕에 민감했기 때문에 그리 자주, 심하게 놀림받지는 않았다.

카르데니아의 어린 시절과 이른 성인기는 우주에서 가장 강한 인간의 딸에게 가능한 한 최대로 평범했다. 즉 사실상 대단히 평범하다고 할 수는 없었지만, 멀리서 '평범함'을 구경할 수 있는 정도의 거리였다. 그녀는 허브폴 대학에서 현대문학과 교육학 학위를 받았고, 졸업 뒤에는 저소득층을 위한 예술 관련 프로그램과 각종 사업에 전문 후원자로 종사할까 진지하게 생각했다.

그러다 실제 레이싱 전문 드라이버가 참여한 자선 전시 레이싱 도중, 레너드가 매력적인 구식 자동차를 벽에 들이받고 거의 목이 날아갈 정도의 참혹한 사고로 세상을 떠났다. 카르데니아는 사고 영상을 본 적이 없었지만—그는 그녀의 오빠였다. 그런 영상을 왜?—검안서를 읽었는데, 범죄 행위를 의심할 정황은 전혀 없지만 해당 자동차의 각종 안전설비를 감안할 때 치명적인, 특히 목이 날아갈 정도의 사고가 일어날 수 있는 가능성은 대단히 희박했다는 내용이었다.

그녀는 이후 레이스 뒤 자선 경매에서 레너드가 나다쉬 모하마페탄과 약혼을 공식 발표할 예정이었다는 사실을 알게 되었다. 이 두 사건의 우연한 연결은 이후 그녀의 뇌리에 굳게 남았다.

카르데니아는 레너드와 가깝게 지낸 적이 없었지만—그녀가 태어났을 때 레너드는 10대였고, 생활반경도 전혀 겹치지 않았다—그는 그녀를 친절하게 대했다. 어린 아이였을 때는 레너드를 멀리서 바라보며 화려한 여성편력을 막연히 동경하기도 했고, 보다 나이를 먹은 뒤에는 얼마나 많은 제국의 의무가 그녀를 지나쳐 오빠에게 집중되고 있는지 깨달으면서 짐을 대신 져줄 수 있는 존재가 있다는 사실에 속으로 안도하기도 했다. 레너드는 카르데니아라면 불가능했을 정도로 그 의무를 훨씬 즐기는 것 같았다.

그런 그가 사라지자, 제국은 급히 다른 황제 후계자를 필요로 했다.

"듣지 않는구나." 바트린이 말했다.

"죄송해요." 카르데니아가 말했다. "레너드를 생각하고 있었어요. 그가 아직 여기 있다면 좋을 텐데."

"나도 그렇다. 어쩌면 너와는 다른 이유이겠지만."

"오빠가 후계자였다면 난 더 기뻤을 거예요. 많은 사람들이 그랬겠죠."

"그건 확실해, 나의 딸. 그러나 카르데니아, 내 말 들어라. 난 네가 내 뒤를 잇는다는 데 아무 유감이 없다."

"고마워요."

"진심이야. 레너드는 완벽하게 훌륭한 황제가 되었을 거다. 내가 그랬듯, 문자 그대로 황제를 위해 태어난 녀석이었지. 넌 아니야. 하지만 그게 안 좋은 건 아니다."

"난 안 좋다고 생각해요. 내가 뭘 하고 있는지 모르겠어요." 카르데니아는 고백했다.

"자기가 뭘 하는지 아는 사람은 아무도 없어." 바트린이 말했다. "다른 점은 네가 그 점을 알고 있다는 사실뿐이다. 레너드가 지금 네 자리에 있다면, 마찬가지로 아무것도 모르면서 자신만만했을 거다. 내가 그랬듯, 내 어머니와 내 할아버지가 그랬듯, 그가 그 자리에 더없는 적임자인 이유가 그 때문이었어. 어쩌면 네가 가문의 전통을 깨뜨리려는 모양이지."

카르데니아는 이 말에 미소 지었다.

바트린은 거의 눈에 띄지 않을 정도로 고개를 갸우뚱했다. "넌 아직 날 어떻게 생각해야 할지 잘 모르는구나?"

"네." 카르데니아는 인정했다. "이 마지막 몇 달 동안 우리가 서로 더 잘 알게 된 게 기뻐요. 하지만." 그녀는 손바닥을 위로 하고 두 손을 들어 보였다. "나머지는 전부 다."

바트린은 미소 지었다. "네 아버지를 좀 더 잘 알고 싶은데, 정작 우주를 통치할 준비를 하는 데 집중해야 하다니."

"한심하게 들리죠. 하지만 맞아요."

"그건 내 탓이다. 네가 사고로 태어난 건 너도 알고 있겠지. 최소한 내 쪽에서는." 카르데니아는 이 말에 고개를 끄덕였다. "네 어머니를 비롯해서 모든 사람들이 내게 너와 거리를 유지하는 게 좋을 거라고 했다. 난 기꺼이 그 충고를 따랐어."

"알아요. 난 그 때문에 아버지를 원망한 적은 없어요."

"그랬지. 그게 특이하다는 점도 인정하렴." 바트린이 말했다.

"무슨 말씀인지 모르겠어요."

"넌 문자 그대로 공주지만, 공주로 살지 않았어. 네 입장에 처한 사람이라면 아마도 대부분 그게 불만이었을 텐데."

카르데니아는 어깨를 으쓱했다. "난 선택의 여지가 있어서 좋았어요. 여덟 살 때는 조금 불만이었죠. 공주가 뭔지 알 만한 나이가 되니까, 그렇게 살지 않아도 되는 게 좋았어요."

"한데 이제 그렇게 살게 됐으니."

"네." 카르데니아는 동의했다.

"아직 황제가 되는 게 싫구나. 그렇지?"

"네. 제 사촌이나 다른 이에게 물려주시는 게 좋았을 거예요."

"레너드가 일찍 결혼해서 후사를 봤다면, 네 문제는 해결됐겠지. 하지만 그러지 않았어. 어쨌든 레너드가 그 노하마페탄 가문 여자와 결혼해서 후계자를 낳았다면, 그 여자가 섭정이 됐을 거다. 그녀가 견제 없이 일을 하게 두는 건 좋은 생각 같지 않구나."

"아버지는 레너드에게 결혼하라고 압력을 넣으셨잖아요."

"정치다. 넌 아마 그 동생과 결혼하라는 압력을 받고 있겠지."

"네."

"정치적으로 이득이 많아."

"제가 그러기를 바라세요?"

바트린은 한참 기침을 했다. 카르데니아는 물을 잔에 따라 그의 입에 대 주었다. "고맙다. 아니. 나다쉬 노하마페탄은 냉혹하고 잔인한 인간이지만, 레너드도 천사는 아니었지. 그 점에서는 내 어머니와 닮았어. 레너드가 살아 있었다면 나다쉬를 견제했을 거고, 그 도전을 즐겼을 거다. 그 여자도 마찬가지였을 거야. 넌 레너드와 다르고, 아미트 노하마페탄에게는 그 누이만큼 영리하다는 장점이 없지."

"그는 따분해요."

"훨씬 간결한 표현이구나."

"하지만 방금 정치적 이득이 많은 결혼이라고 하셨잖아요."

바트린은 아주 약간 어깨를 으쓱했다. "그렇지, 하지만 그래서 어쩌라고? 넌 곧 황제가 될 텐데."

"그러면 아무도 나한테 이래라저래라 하지 못하겠죠."

"아, 아니." 바트린은 미소 지었다. "모두가 네게 이래라저래라 할 거다. 하지만 넌 굳이 그 말을 듣지 않아도 돼."

◇◇◇

"시간이 얼마나 남았나요?" 카르데니아는 저녁 식사 시간에 퀴드리닌에게 물었다. 보다 정확히 표현하자면, 카르데니아는 끔찍할 정도라기보다 우스꽝스러울 정도로 화려하게 장식된 나머지 다른 개인 주거 공간과 재미있는 대조를 이루는 식당에서 저녁을 먹는 중이었다. 드리닌은 먹는다기보다 보고할 차례를 기다리느라 서 있었다. 식사를 하겠느냐고 그에게 물었지만 너무나 빨리 거절해서, 카르데니아는 자기가 혹시 무슨 궁정의 예법이라도 어긴 게 아닌가 싶을 정도였다.

"하루도 힘들 겁니다." 드리닌은 말했다. "신장 기능이 완전히 정지했는데, 그 부분은 의료진이 대처할 수 있지만 나머지 신체 기능도 곧이어 중단될 겁니다. 폐 기능, 호흡 기능, 기타 신체 기능도 막바지에 와 있습니다. 다량의 약물 처방을 할 수도 있지만 그래 봐야 며칠 생명을 연장할 뿐이라는 걸 아버님도 알고 계십니다. 처방을 중단하기로 결정하셨습니다. 현재는 편안하게 해드리는 것 외에 다른 조치가 없습니다."

"아직 정신은 맑으시던데요." 나파가 말했다. 그녀도 식사를 하고 있지 않았다.

드리닌은 이 말에 고개를 끄덕이고 카르데니아를 향했다. "혈관에 독성이 쌓이고 있는지라 계속되지는 못합니다. 주제넘음을 무릅쓰고 감히 말씀드리지만, 아버님께 하실 중요한 말씀이 있다면 곧 하시는 게 좋을 겁니다."

"고맙습니다, 선생님." 카르데니아는 말했다.

"무슨 말씀을. 공주님은 어떠신지 여쭤봐도 될까요?"

"개인적으로? 의료적으로?"

"둘 다입니다. 몇 주 전에 네트워크를 이식하셨다고 알고 있습니다만. 부작용이 없는지 알고 싶습니다."

포크를 들고 있지 않은 손으로, 카르데니아는 황제 신경계 시드를 이식한 뒷목 두개골 바로 아래를 더듬었다. 약 한 달 동안 시드는 자라 뇌와 접합될 것이다. "이식하고 일주일 뒤에 두통이 있었어요. 지금은 괜찮습니다."

드리닌은 고개를 끄덕였다. "좋습니다. 역사적으로, 두통은 그리 드문 반응이 아닙니다. 다른 부작용이 있다면 제게 알려주십시오. 지금은 완전히 이식됐겠지만, 그래도 모르는 일이니까요."

"고맙습니다, 선생님." 카르데니아는 말했다.

"그럼." 드리닌은 고개를 숙이고 떠나려고 했다.

"드리닌 박사."

드리닌은 멈춰서 돌아보았다. "네?"

"즉위 후에도 당신과 당신의 의료진이 계속 황제를 돌봐준다면 매우 감사하겠습니다."

드리닌은 미소 짓고 깊이 머리를 숙였다. "물론입니다." 그는 말하고 사라졌다.

"모든 황제 보좌진에게 남아달라고 부탁할 필요는 없습니다." 그가 사라진 뒤 나파가 말했다. "그러다가는 첫 한 달이 다 가고 말 겁니다."

카르데니아는 의사가 사라진 곳을 가리켰다. "저 사람은 앞으로 수십 년 동안 내 몸을 검사할 거야. 남아달라고 개인적으로 부탁하는 건 괜찮겠지." 그녀는 비서실장을 바라보았다. "이상해. 네가 같이 식사를 하지 않는다는 게. 태블릿만 들고 그렇게 선 채로, 내게 무슨 말을 해야 할 때만 기다리고 있는 게."

"보좌진은 황제와 함께 식사하지 않습니다."

"황제가 같이 먹자고 하면 먹잖아."

"드시고 계시는 무슨 끔찍한 음식이라도 같이 먹자고 명령하시는 건지?"

"끔찍한 음식이 아니라 시나몬피시 부이야베스야. 그리고 아니, 명령하는 게 아니야. 네가 원하면, 친구 카르데니아와 같이 먹어도 좋다고 말하는 거지."

"고마워, 카르." 나파가 말했다.

"네가 항상 비서 노릇만 하는 건 지금 내게 아무 필요가 없어. 내겐 아직도 친구가 필요하다고. 내 앞에서 긴장하지 않는 친구. 어렸을 때 넌 내가 아는 사람 중에서 내가 공주라는 데 대해 호들갑을 떨지 않았던 유일한 애였어."

"우리 아버지는 공화당원이었으니까." 나파는 친구에게 일깨워주었다. "네 아버지가 어떤 사람이라는 사실 때문에 널 다른 사람들과 다르게 대했다면, 우리 부모님이 날 자식으로 보지 않았을 거야. 지금 내가 널 위해 일한다는 걸 부모님은 아직도 약간 충격으로 생각하셔."

"그러고 보니 내가 황제가 되면 네게 작위를 줄 수 있겠군."

"그러기만 해 봐, 카르." 나파가 말했다. "난 휴가 때 집에 발도 못 들여놓을 거야."

"여남작 괜찮은데."

"이 얘기 계속하면 생선 수프를 머리에 쏟아부을 줄 알아." 나파는 경고했다. 카르데니아는 이 말에 미소 지었다.

◇◇◇

"네가 만든 비디오를 봤다." 바트린은 다시 깨어난 뒤 말했다. 카르데니아는 드리닌의 말이 맞았다는 것을 알 수 있었다. 아버지의 행동은 이제 멍하고 초점이 흐렸다. "네가 나에 대해 말하는 영상 말이다."

"어떻게 생각하셨어요?" 카르데니아는 물었다.

"좋았어. 위원회가 쓴 건 아니지?"

"아니에요." 집행위원회는 나파가 새로 쓴 연설문에 대해 불만을 늘어놓았지만, 카르데니아가 나파의 연설문이 아니면 연설을 하지 않겠다고 하자 입을 다물었다. 카르데니아는 황제를 견제하는 세 정치세력 연합체에 맞서 처음으로 거둔 승리를 만끽했다. 그녀가 제위에 오르고 나면 더 많은 승리를 거둘 거라는 내색은 하지 않았다.

"좋아." 바트린이 말했다. "넌 너다운 황제가 되어야 한다, 딸아. 다른 누군가가 아닌."

"기억할게요."

"명심해라." 바트린은 잠시 눈을 감고 다시 멍해지는 것 같았다. 그러다 다시 눈을 뜨고 그녀를 보았다. "네 황제명은 정했니?"

"내 이름을 그냥 쓰는 게 어떨까 생각했는데요." 카르데니아는 말했다.

"뭐라고? 안 돼." 바트린은 말했다. "네 이름은 사적인 세계에 남겨둬야 한다. 친구와 배우자, 아이들, 연인을 위해서. 그 사적인 이름도 필요해. 그것까지 제국에 바치지 마라."

"내 엄마는 아버지를 무슨 이름으로 부르셨어요?"

"바트린이라고 불렀다. 최소한 그 호칭이 중요하던 동안은. 네 어머니는 어떻게 지내니?"

"잘 지내세요." 3년 전 해나 패트릭은 허브에서 플로우를 통해 10주 떨어진 곳에 위치한 구엘프 기술연구소의 학장직을 승낙했다. 황제의 병세가 악화되고 있다는 소식은 지금쯤 어머니의 귀에도 들어갔을 것이다. 딸이 제위에 올랐다는 소식도 한참 동안 어머니는 모르고 있을 것이다. 카르데니아는 어머니가 그녀의 황위 계승 소식에 양면적인 감정을 갖고 있다는 것을 알고 있었다.

"네 엄마와 결혼할 생각도 해봤다." 바트린이 말했다.

"전에 말씀하셨어요." 카르데니아가 어머니에게서 들은 것은 다른 이야기였지만, 지금은 그 이야기를 꺼낼 때가 아니다.

황제는 고개를 끄덕이고 화제를 바꿨다. "네게 이름을 제안해도 될까? 황제명 말이다."

"네."

"그레이랜드."

카르데니아는 미간을 찡그렸다. "그런 이름은 모르는데요."

"내가 죽으면 찾아보거라. 그런 다음 다시 이야기하자."

"그럴게요."

"좋아, 좋아. 넌 좋은 황제가 될 거다, 카르데니아."

"고맙습니다."

"그래야만 해. 결국 제국은 좋은 황제를 필요로 한다."

카르데니아는 이 말에 뭐라 답해야 할지 알 수 없어서 그냥 고개만 끄덕이고 아버지의 손을 향해 손을 뻗었다. 그는 이 몸짓에 놀란 것 같더니 아주 약하게 손에 힘을 주었다.

"이제 자야겠구나." 그는 말했다. "난 자러 가고, 넌 황제가 되는 거다. 괜찮지?"

"좋아요." 카르데니아는 말했다.

"그래, 좋아." 바트린은 거의 느껴지지도 않을 정도로 가볍게 카르데니아의 손을 쥐었다. "잘 있거라, 카르데니아, 내 딸. 널 사랑해줄 시간을 더 많이 내지 못한 게 미안하구나."

"괜찮아요." 카르데니아는 말했다.

바트린은 미소 지었다. "날 찾아오거라."

"그럴게요."

"좋아." 바트린은 말하고, 의식을 잃었다.

카르데니아는 아버지와 함께 앉아 황제가 되기를 기다렸다.

오래 기다릴 필요는 없었다.

2장

란카란에서 출발해서 엔드로 향하는 '예스 써, 댓츠 마이 베이비' 호에서 항해하던 지난 6주 동안 열심히 쫓아다니던 부사무장과 미친 듯이 뒹굴고 있는데, 이등 항해사 웨이로프 브레니르가 예고 없이 키바 라고스의 선실에 들어섰다. "용무가 있습니다."

"난 지금 약간 바빠." 키바는 말했다. 이제 막 겨우 궤도에 진입한 참이었기 때문에, 웨이로프가 들어왔다고 해서 다시 나와야 한다면 웨이로프 따위 제길(그는 형편없었다). 궤도에 들어서는 건 어렵다. 누구나 섹스를 하게 마련이고, 웨이로프는 통보도 없이 들어왔다. 방에 갑자기 들어와서 이런 장면을 보게 됐다고 해도 그건 그의 잘못이지 그녀의 잘못이 아니다. 부사무장은 약간 신경이 쓰이는 것 같았지만, 키바는 축제를 계속해야 한다는 뜻으로 더 힘을 주었다.

"중요한 일입니다."

"분명히 말하지만, 이것도 중요해."

"세관 담당자가 하버프루트를 하역하지 못하게 합니다." 브레니르는 말했다. 키바의 행동에 충격을 받았는지 화가 났는지 알 수 없었지만, 어떤 감정이든 그는 잘 숨기고 있었다. 대체로 따분해 보이는 표정이었다. "우리가 엔드에 온 목적은 과일을 하역하기 위해서입니다. 과일을 팔지 못하면, 혹은 판매 허가를 얻지 못하면 낭패입니다. 당신은 이 배의 선주 대리인입니다. 당신은 당신 어머니에게 이 여행이 어쩌다 당신 가문의 경제적 파멸을 초래했는지 설명하셔야 할 겁니다. 그게 싫다면 지금 당장 세관 담당자와 이야기하고 있는 블리니카 선장에게 가서 문제를 해결하시는 게 좋을 겁니다. 다 때려치우고 그 하급 선원과 계속 놀아날 수도 있겠지요. 그게 당신의 미래와 이 배의 미래, 당신 가문의 미래에 있어 마찬가지로 가치 있는 활동이라고 생각하신다면."

"아, 젠장." 키바는 말했다. 성감은 완전히 사라졌고, 그녀의 작은 프로젝트였던 부사무장은 상당히 괴로운 기색이었다. "널 해고할 수도 있는 사람한테 하는 말치고는 상당히 거창해, 브레니르."

"어디 해고해보시죠." 브레니르는 말했다. "난 길드에서 종신직을 갖고 있습니다. 자, 가실 겁니까, 말 겁니까?"

"생각 중이야."

"전 가볼게요." 부사무장이 말했다. "아니, 제가 갈 수도 있어요. 갈까요?"

키바는 한숨을 쉬고 사냥감을 바라보았다. "언제 다시 근무지?"

"세 시간 뒤."

"그럼 넌 여기 있어." 키바는 부사무장과 얽혀 있던 몸을 떼고 바깥세상에서 욕먹지 않을 만한 옷가지를 대충 챙겨 입은 뒤 브레니르를 따라 선실을 나섰다.

구조의 손길이 도착할 거라는 희망 없이 우주라는 광대한 무에 좌초할 경우, '예스 써' 호는 내부 생물학적 기능이 망가지기 시작해서 전 승무원이 서로를 향해 말로 다할 수 없는 살육전을 벌이다 종말에 이르기까지 이론적으로 대략 5년 동안 자체 자원으로 정상 기능을 유지할 수 있을 정도의 크기와 설계를 자랑하는 파이버 우주선이었다.

그러나 현실적으로 상호의존성단의 플로우 흐름 내 인류의 기지는 최장일 경우라도 아홉 달 떨어져 있다. 파이버와 테너, 그보다 더 큰 우주선은 일반적으로 1년 동안—만일을 대비하여 추가 3개월 여분 비축—전 승무원을 유지할 수 있는 자원만 보유하며, 나머지 공간과 시스템은 화물, 특히 '예스 써' 호와 같은 경우 선주가 독점권을 가지고 기지에서 기지로 운송하는 농작물을 재배하는 농경자원에 할당된다.

'예스 써' 호의 선주 라고스 가문은 감귤류에 독점권을 가지고 있었다. 뿌리부터 열매까지, 레몬이나 오렌지 같은 전래종부터 가빈, 제스트피스트, 하버프루트 같은 신 아종까지 과(科) 전체가 독점 물품으로 분류되어 있었다. '예스 써' 호가 지금 거래를 위해 엔드에 온 이유는 마지막 종 하버프루트 때문이었다—엔드까지 항해하는 동안 자라나서 수확한 열매를 직접 팔고, 라고스 가문을 대행하여 엔드에서 재배할 수 있는 사업권을 요구하는 현지 농산물 회사와 면허 계약을 맺는 일정이었다.

어쨌거나 그것이 원래 계획이었다. 그런데 어떤 망할 놈의 세관 공무원이 사업을 망치려는 모양이다.

키바는 토미 블리니카 선장과 수석 사무장 가슨 매그넛, 한심한 황실 세관 공무원 한 놈이 기다리는 '예스 써' 호의 회의실로 들어섰다. 키바는 블리니카와 매그넛에게 고갯짓을 하고 그들이 기다리는 테이블에 앉았다. 블리니카는 브레니르에게 물러가라고 지시했고, 블리니르는 등 뒤로 문을 닫고 떠났다.

"좋아, 뭐가 문제지?" 키바는 브레니르가 사라지자 물었다.

"레이디 키바, 나는 엔드의 황실 부세관장 프레탄 바노쉬 검열관으로서." 한심한 공무원 놈이 입을 열었다.

"대단하시군." 키바는 말을 끊었다. "뭐가 문제지?"

"문제는 클로스테로 바이러스입니다." 바노쉬가 말했다. "이 바이러스는…."

"우리 가문은 800년 동안 감귤류에 대한 독점권을 유지해왔어, 바노쉬 씨." 키바는 말했다. "클로스테로 바이러스가 뭔지는 나도 알아. 우리 가문에서 판매하거나 면허 계약을 맺는 작물에 영향을 끼치는 감귤류 클로스테로 바이러스는 이미 200년 전에 해결된 문제야. 우리 작물은 유전공학적으로 저항력을 가지고 있어."

바노쉬는 희미하게 미소 짓고 키바에게 물리적 폴더를 건넸다. 키바는 받아 들었다. "그 시계가 원점으로 돌아갔습니다, 레이디 키바. 아홉 달 전 당신의 자매선 '노 써, 아이 돈 민 메이비' 호가

신종 바이러스에 오염된 그레이프프루트 묘목을 싣고 입항했습니다. 이 바이러스가 귀하의 가문과 면허 계약을 맺은 과수원에 퍼져 작물을 초토화시켰습니다."

"좋아, 그래서?" 키바가 물었다. "그런 일이 있었다 해도 나는 우리 쪽 연구진이 살펴보기 전에는 인정할 수 없고, 그런 뒤 우리 고객에게 보상하고 과수원을 갈아엎으면 돼. 이 배에 싣고 온 하버프루트 작물과는 아무 관계 없는 문제야."

"그렇게 간단하지 않습니다." 바노쉬가 말했다. "바이러스는 몇몇 엔드의 토종 작물에도 교차 전염성이 있고, 그중에는 엔드의 주식인 바누도 포함됩니다. 우리는 전염을 원천 차단하기 위해 전 영토에 격리 조치를 내리지 않을 수 없었습니다. 식료품 가격은 천정부지로 치솟았습니다. 사람들은 기근이 발생할지도 모른다고 걱정하고 있습니다. 엔드의 대공은 이미 폭도와 싸우고 있습니다. 이 점이 상황을 더욱 악화시켰습니다." 바노쉬는 탁자 위로 키바를 향해 몸을 내밀었다. "단도직입적으로 말하자면, 레이디 키바, 이 행성 전체가 소요 사태에 빠지는 데 라고스 가문이 일조한 상황입니다."

키바는 믿기지 않는다는 듯 이 말이 안 통하는 공무원 놈을 응시했다. "설마 우리가 의도적으로 그런 상황을…."

이제 바노쉬가 키바 라고스의 말을 끊을 차례였다. "레이디 키바, 귀 가문이 무엇을 의도했는지가 중요한 것이 아니라, 그런 상황이 발생했다는 것 자체가 문제입니다. 이 경우 귀 가문이 모닥불에 기름을 부어넣었다고 해야겠지요. 법정에서 판결이 날 때까지, 엔드에 대한 귀 가문의 무역권은 보류되었다는 사실을 알려드립니다."

"나는 이 상황에 대해 아무것도 몰라." 키바가 말했다.

"바이러스에 대한 모든 내용이 그 파일에 있습니다."

"빌어먹을 바이러스 말고. 소요 사태니, 기근이니, 나머지 헛소리 말이야. 그걸 다 우리 탓으로 돌릴 수는 없어."

"분명히 말씀드리지만 전부 다 귀 가문 탓으로 돌리는 게 아닙니다, 레이디 키바. 그러나 귀 가문이 이 보류 상태의 원인이 되었다는 사실만큼은 충분히 말씀드릴 수 있습니다."

"이거 일종의 갈취야?" 키바는 물었다.

바노쉬는 눈을 깜빡였다. "뭐라고 하셨습니까?"

"들었잖아. 갈취냐고 물었어. 뇌물을 달라는 건가?"

"뇌물?"

"그래."

"이 대화의 어떤 부분에서 제가 뇌물을 원한다는 인상을 받으셨는지 모르겠습니다만, 레이디 키바."

"아, 점잔 빼지 말고." 키바는 짜증스럽게 말했다. "우린 모두 성인이고, 상거래를 할 때는 얌전 떨지 않아도 돼. 원하는 게 뭔지 말해 봐." 그녀는 매그넛을 엄지손가락으로 가리켰다. 그는 이 대화가 실제로 오가고 있다는 것을 믿을 수 없다는 듯한 표정을 짓고 있었다. "그럼 여기 매그넛이 모든 걸 다 알아서 할 거야."

바노쉬는 매그넛을 돌아보았다. "매그넛 사무장, 황실 세관원에게 자주 뇌물을 주십니까?"

"대답하지 마." 블리니카 선장이 매그넛에게 말했다. 매그넛은 입을 다물라는 명령을 받고 눈에 띄게 안도했다. 블리니카는 바노쉬에게 말했다. "실례했습니다, 검열관. 상황을 봐서 이해할 수 있는 일이지만 선주 대리인께서는 지금 답답한 나머지 실언을 하셨습니다. 황실 세관원에게 뇌물 상납을 시도하는 것은 우리 영업 방침이 아니라는 점을 분명히 하고 싶고, 레이디 키바의 돌출 발언 때문에 우리 중 누구라도 그것이 가능하다고 여긴다고 생각하지 마시길 바랍니다. 그렇지 않습니까, 레이디 키바?"

키바는 선장에게 '지금 장난하냐.'는 뜻의 시선을 한참 보내다가, '장난하는 걸로 보이냐, 멍청아.'는 뜻의 시선을 받은 뒤 시선을 거두고 다시 바노쉬를 바라보았다. "그래, 내가 한심한 농담을 했어. 실례했소."

"코미디 쪽으로 진출하지는 않는 게 좋겠습니다, 레이디 키바." 바노쉬는 말했다.

"대단히 유용한 충고야. 고맙소."

"어쨌거나 레이디 키바, 블리니카 선장, 두 분 다 저로 인해 상품이 격리되고 무역 독점권이 연기된다고 생각하시는 것 같습니다만."

"안 그런가?" 키바가 물었다.

바노쉬는 다시 보일락 말락 미소 지었다. 키바는 그가 다른 방식으로 미소 지을 수 없는 게 아닌가 생각했다. "제 재량이었다면, 레이디 키바, 아마 뇌물을 받고 세 분 다 체포하겠다고 협박해서 더 많은 돈을 뜯어냈을 겁니다."

"그럴 줄 알았지." 키바는 말했다. "이 교활한 빈대 같으니."

바노쉬는 알겠다는 듯 고개를 약간 기울였다. "그러나 이 경우는 제 윗선에서 온 명령입니다. 사실 레이디 키바, 귀선의 하버프루트와 귀선 및 귀 가문에 대한 엔드의 무역 금지 명령은 대공이 직접 내리셨습니다." 바노쉬는 다른 서류를 건넸다. 전통적으로 묵직한 양피지에 써서 접은 뒤 대공의 문장이 찍힌 왁스로 봉한 편지였다. 엔드의 대공이 이 문제를 가볍게 다루지 않는다는 의미였다. "대공께 직접 항의하시는 게 좋을 겁니다." 바노쉬는 말을 이었다.

키바는 편지를 받아 들었다. "음, 완벽하군, 안 그래?"

"그렇습니다." 바노쉬는 말했다. "제가 감히 조언을 드린다면, 레이디 키바."

"뭐지?"

"엔드의 대공은 행성 대부분을 소유하고 있습니다. 뇌물을 줄 생각은 하지 않으시는 게 좋을 겁니다."

◇ ◇ ◇

엔드의 대공과 약속을 잡는 데는 하루가 걸렸다. 엔드폴 항구는 배에서 직접 셔틀이 오가는 것을 허락하지 않았다—"착륙 순간 저격 시도가 있었습니다."—그래서 키바는 먼저 제국이 상당량의 업무를 처리하는 거대한 우주 정거장 황제 스테이션까지 셔틀로 간 뒤 폭도의 공격에 대비해 경계가 삼엄한 우주 엘리베이터를 통해 항구로 가야 했다. 그녀는 항구에서 현지에 사는 가문의 종복을 만났고, 종복은 그녀를 환영하고 차로 안내했다.

"도대체 이건 뭐야?" 그녀는 차를 본 순간 물었다. 차라기보다 작은 탱크 같았다.

"대공 궁전까지 가려면 거친 동네를 지나쳐야 합니다, 레이디 키바."

"너무 눈에 띄지 않나? 환한 조명으로 '나를 쏴라.'라고 깜빡이는 것 같지 않느냐는 말이야."

"레이디 키바, 지금은 움직이는 모든 게 저격 대상입니다." 종복은 승객석 문을 열었다. "마찬가지로 너무 오래 정지해 있는 모든 것도 저격 대상입니다." 그는 안으로 들어가라고 손짓했다. 키바는 알아들었다.

작은 탱크의 승객석 내부는 최소한 그럭저럭 호화로웠다. 키바는 자리에 앉아 안전띠를 매고 좌석에 앉은 다른 두 사람에게 인사했다. 엔드의 가문 임원이었다.

둘 중 한 사람이 키바에게 손을 내밀었다. "레이디 키바, 저는 에이오타 핀, 이곳 엔드의 라고스 사 현지 부사장입니다." 키바는 악수를 했고, 핀은 다른 한 손으로 세 번째 탑승객을 가리켰다. "이쪽은 조난 루, 여기 법률팀 책임자입니다." 루는 고개를 끄덕였다.

"안녕." 키바는 둘 다를 향해 말했다.

"기억하지 못하시겠지만, 전에 귀하를 만난 적이 있습니다." 핀은 키바에게 말했다. "엔드에 부임하기 전, 전 이코이의 모친 사무실에서 일했습니다. 물론 그때 귀하는 아이였지요."

"그렇군. 음, 재미있는 이야기인데, 핀, 지금은 내가 여섯 살 때 당신을 만난 적이 있는지 없는지 아무 관심이 없다는 걸 이해해주었으면 해. 도대체 이 금지 명령이 어떻게 된 건지 알고 싶어."

핀은 미소 지었다. "정녕 그 어머니의 그 따님이군요." 그녀는 말을 이었다. "그분 역시 무뚝뚝하고 단도직입적이었지요."

"그래, 우린 재수없는 가족이야." 키바는 대꾸했다. 차는 출발했다. "자, 설명해."

핀은 루를 향해 고갯짓을 했다. "지금 우리에겐 두 가지 문제가 있습니다, 레이디 키바. 서로 연관되어 있지요. 첫째는 금지 명령입니다. 두 번째는 반란이고요."

키바는 눈썹을 찌푸렸다. "반란이 우리와 무슨 관계가 있다는 거야?"

"정치적으로는 아무 관계가 없습니다. 그저 또 다른 반란일 뿐이지요."

"그저 또 다른? 이 빌어먹을 행성에 반란이 얼마나 자주 있길래 그래?"

"10년에 한두 번." 핀이 말했다. "이 행성의 이름이 '엔드'인 이유가 있습니다, 레이디 키바. 상호의존성단 내에서 가장 외진, 가장 접근하기 어려운 인류 정착지이고, 주민들에게 여행 특권이 없는 유일한 행성이기도 합니다. 수 세기 동안 제국의 반란자나 반체제 인사를 갖다 내버리는 곳이었지요. 그들은 여기 온 뒤에 말썽을 부리기 시작한 게 아닙니다."

이 점을 강조하기라도 하듯, 차 옆면에서 요란하게 쿵 소리가 났다.

"뭐지?" 키바는 운전사에게 물었다.

"탐색전입니다. 걱정하실 것 없습니다."

"저격당하는데 걱정할 게 없어?"

"진심으로 공격하는 거라면, 로켓을 쐈을 겁니다."

키바는 핀을 돌아보았다. "10년에 한 번씩 이 짓을 한다고."

"10년에 한두 번. 네."

"시간을 때울 다른 장난감은 없나? 스포츠팀? 보드 게임?"

"보통 반란군은 외곽 지역에 한정되어 있습니다." 루는 말했다. "고개를 쳐들면, 대공이 군대를 보내고, 몇 달 안에 끝나지요. 이번은 다릅니다."

"이번은 조직적입니다." 핀이 말했다. "배후에 상당한 화력이 있어요."

"그래, 그 점은 내가 직접 확인했어." 키바는 말했다. "한데 우리가 이 일과 무슨 관계가 있는지 아직 못 들은 것 같은데."

"말씀드렸듯이 정치적으로는 아무 관계가 없습니다." 루는 말을 이었다. "그러나 이번 반란에는 돈이 많이 들었습니다. 산업이 위축되면서 세수가 줄어들었어요. 그 돈을 다른 곳에서 벌충해야 합니다."

"우리에게서?"

"우리에게서." 루는 동의했다.

"우리뿐만이 아닙니다." 핀이 고쳐 말했다. "대공은 여기서 활동하는 모든 길드를 쥐어짜고 있습니다. 우선 세율과 관세를 올렸지요. 대공은 제국 법적 상한선까지 밀어 올렸습니다."

"그런데 그것도 충분하지 않으니까." 루가 말했다. "대공이 머리를 굴리기 시작했어요."

"그레이프프루트에 대한 바이러스 보고가 올라오자, 대공은 라고스 가문의 은행 계좌를 동결했습니다." 핀이 말했다. "절차상으로는 바이러스가 토종 작물에 전염되어서 엔드에 미친 손해 산정 판결을 기다리는 동안 제삼자에게 공탁된 것으로 되어 있습니다."

"우리가 그 건에 대해 어떻게 책임이 있다는 거야?" 키바는 물었다.

"없을 수도 있습니다." 루가 말했다. "그건 법정에서 결정되어야겠지요. 그러나 바이러스가 우리 과실로 엔드 생태계에 들어왔다는 것을 대공이 증명할 수 있다면 제국법에 따라 그에 대한 보상과 벌금을 청구할 수 있습니다."

"재판이 진행되는 동안 우리 자금을 이코이나 대공의 손이 미치지 못하는 다른 곳으로 송금할 수 없도록 계좌를 여기 묶은 겁니다." 핀이 말했다.

"하지만 실제로는 동결된 게 아니군, 안 그래?" 키바는 작고 두꺼운 방탄 유리창을 가리켰다. "대공은 그 계좌를 이용해 저 반란군과 싸울 전쟁자금을 조달하고 있어."

루는 가볍게 미소 지었다. 엔드에서는 모두가 그렇게 미소 짓는 모양이었다. "이번에 계엄을 선포하면서, 대공은 은행을 국유화했습니다. 자금 시장의 동요와 투기를 막는다는 것이 공식적인 입장이었습니다. 그러나 길드 은행 임원들 말로는 그가 계좌의 자금을 빼돌리고 있다는군요."

키바는 코웃음을 쳤다. "훌륭하군."

"라고스 가문에 관한 한, 나쁜 계획은 아닙니다." 핀은 인정했다. "그가 반란을 진압한다면, 소송을 길게 끌어 훔친 자금을 반환할 시간을 벌 수 있지요. 몇 년은 걸릴 겁니다."

"전쟁에서 진다 해도 어쨌든 상관없는 일이고요. 아마 죽은 목숨일 테니까." 루가 말했다.

키바는 이 말에 툴툴거리고 창밖을 내다보았다. 엔드의 수도 인버네스가 차창 밖으로 지나치고 있었다. 낙후되고 불행한 풍경, 멀리 몇 군데 불길에서 검은 연기가 솟아오르고 있었다. "그렇게 될까?"

"뭐가 말씀입니까?" 핀은 물었다.

"그가 질까?"

핀과 루는 서로 마주 보았다. "엔드의 대공이 쫓겨나는 건 처음 있던 일은 아닙니다." 핀이 말했다.

"좋지만, 이번 대공은?" 키바는 물었다. "이놈하고 협상하러 가는 게 시간낭비 아니냐고."

"대공 편에서 볼 때 상황이 좋아 보이지는 않습니다." 루는 잠시 후 말했다. "지방에서 탈영 소문이 들려오고 있고, 군 장성들이 부대를 이끌고 적군에 투항한다는 소문도 있습니다. 아마 다음 주 안에 대략 윤곽을 알 수 있을 겁니다."

키바가 위를 가리켰다. "저놈들은? 제국군? 아무리 그래도 대공은 귀족이잖아. 그가 거리에 끌려나와 총살당하는 건 그들 눈에도 그리 좋은 꼴로 보이지 않을 텐데."

"여기는 엔드입니다, 레이디 키바." 루가 말했다. "상호의존성단이 무역 이윤의 일부를 확보하는 한, 나머지는 모두 내부 문제입니다."

"대공의 죽음까지도?"

"엔드의 대공이 쫓겨난 건 처음이 아닙니다." 핀이 되풀이했다.

"궁전에 도착합니다." 운전사가 말했다. "검문소를 통과하려면 몇 분 걸립니다. 부인, 궁정 초대장을 보여주실 수 있겠습니까?"

키바는 초대장을 앞으로 건네고 다시 주의를 부하들에게 돌렸다. "그럼 결국 지금 내가 할 일은 들어가서 저 개자식한테 하버프루트를 팔 수 있도록 해달라고 사정하는 것뿐이군. 허가가 난다 해도 모든 이익은 그 공탁인가 뭔가에 들어가서 내 손에 들어오는 건 한 푼도 없을 거고."

"몇 년 동안은, 네." 핀이 말했다. "최상의 경우라도."

"왜 이런 일이 벌어질 걸 예상하지 못했지?" 키바는 핀에게 물으며 손가락으로 앞 유리창 밖의 삼엄한 경계 태세를 펼친 궁전을 가리켰다. "결국 이놈이 우리 돈으로 반란군을 진압하는 동안 노심초사하면서 기다리는 수밖에 없다는 거 아니야."

"예상은 물론 했습니다." 핀이 말했다. "덕분에 지금 계좌에는 바이러스 보고가 처음 들어오기 시작한 순간 보유하고 있던 잔고의 절반 정도밖에 남아 있지 않습니다."

"나머지는? 뒤뜰에 묻기라도 했나?"

"그렇게 표현할 수도 있겠지요. 라고스 가문은 여러 중개인을 통해 상당량의 부동산을 보유하고 있습니다."

키바는 주위를 손으로 가리켰다. "여기가 아니었으면 좋겠는데. 이 빌어먹을 도시는 온통 불바다야."

"아닙니다. 주로 톰나후리치와 클레어몬트 지방입니다. 주로 클레어몬트. 마침 그곳 백작이 아주 좋은 부동산을 상당수 내놓아서요. 빨리 유동성을 확보하고 싶은 모양이었습니다."

"당연하지. 혁명기에 귀족은 별로 인기가 없기 마련이니까."

"네, 그렇습니다, 레이디 키바."

차는 다시 앞으로 움직이기 시작했다. "대공과 이 회의를 하러 들어가기 전에 두 가지 더 아셔야 할 것이 있습니다." 루가 키바에게 말했다.

"말해 봐."

루는 종이 한 장을 건넸다. "첫째, 요청하신 대로 그 바이러스에 대한 자료를 찾았습니다. 여기 엔드의 과수원에 도착하기 이전 바이러스가 우리 그레이프프루트 묘목에 감염되었다는 증거는 절대 없습니다. 수확분에도, 창고의 과일에도, '노 써' 호가 출항하기 전 배에서 검사한 샘플에도 전혀 없었습니다."

키바는 종이를 받아 들고 들여다보았다. "그럼 공작 행위라는 거군."

"상당히 확신합니다, 네. 법정에서 인정될 정도로 그 점을 증명할 수 있을지는 다른 문제이지요. 여기서 다른 문제가 이어지는데, 대공 옆에는 길드 가문 중 한 곳 출신의 고문이 있습니다. 어느 가문인지 들으시면 별로 탐탁지 않으실 겁니다."

라고스는 고개를 들었다. "젠장, 설마 아니겠지."

"노하마페탄 가문입니다."

◇◇◇

대공의 성은 킨마일리스라는 이름을 갖고 있었는데, 소유자가 과잉을 격조로 착각했다 싶을 정도로 지나치게 호화롭게 꾸며져 있었다. 남들이 나의 부에 감탄하느냐 않느냐 하는 점에는 눈꼽만큼의 관심도 없을 정도로 대를 이어 어마어마한 부자 집안인 키바는 그 벽 안에 들어서자 곧장 경기가 일었다. 죄다 불을 싸질러버려야 해, 그녀는 엔드의 대공 집무실까지 끝없이 이어진 복도를 걸으며 생각했다.

"주의하십시오." 핀은 급사가 키바를 모시러 오자 말했다. "대공은 욕설을 열등한 지능의 징표라고 여깁니다. 그와 있을 때는 가능한 한 피하십시오."

재수 없는 자식. 그녀는 궁전의 다른 곳과 마찬가지로 구역질이 날 정도로 화려하게 장식된 대공의 사무실에 들어서며 생각했다. 키바 라고스가 태어나서 처음으로 입 밖에 낸 말은 '젠장'이라는 집안의 전설이 있었는데, 키바의 어머니이자 라고스 집안의 수장인 후마 라고스 백작의 험한 입버릇으로 미루어볼 때 진실일 가능성이 전적으로 높았다. 솔직히 말해, 아니라면 그게 더 놀라운 일일 것이다. 키바 본인도 욕을 하지 않던 때가 기억나지 않았다. 후계와 거리가 먼 여섯 번째 자식이긴 했지만 라고스 백작의 딸이었기 때문에, 당연히 아무도 그녀에게 감히 욕을 하지 말라고 잔소리를 할 수가 없었다.

한데 지금 이 재수라고는 말아먹은 개자식이.

재수라고는 말아먹은 문제의 개자식은 액체가 든 텀블러를 들고 새둥지 같은 턱수염을 기른 채 자기 사무실 바 앞에 서서 웃고 있었다. 그 옆에 역시 텀블러를 들고 선 채 웃고 있는 것은 다름 아닌 그 일가 특유의 허세 넘치는 단순한 검정색 옷차림을 한 그레니 노하마페탄이었다.

급사는 헛기침을 했고, 대공은 올려다보았다. "레이디 키바 라고스입니다." 급사는 말한 뒤 나갔다.

"레이디 키바." 대공은 바에서 다가오며 말했다. "어서 오시오. 어서 오시오."

"전하." 키바는 무뚝뚝하게 고개를 끄덕여 보였다. 가문 수장의 딸로서, 이 행성에 파견된 가문의 고위 대변인으로서, 라고스는 상대를 단순히 '대공'으로 불러도 예법에 어긋나지 않는 자격이 있었다. 그러나 키바는 여기 아첨하러 온 것이니 일단 조금 숙여주는 것이 좋을 것이다.

"내 고문인 노하마페탄 가문의 그레니 경과 인사하시오."

"우린 이미 구면입니다." 그레니는 대공에게 말했다.

"그러신가?"

"같이 학교에 다녔지요." 그레니가 말했다.

"세상 참 좁군." 대공이 말했다.

"정말 그렇지요." 키바가 말했다.

"그건 그렇고, 앉으시오, 레이디 키바." 대공은 책상 앞 왼쪽에 놓인 의자를 가리켰다. 키바는 의자에 앉았다. 쿠션은 너무 푹신해서 몸이 파묻힐 정도였다. 그레니는 오른쪽 의자에 앉았다. 대공은 가난한 집이라면 쪼개서 집을 지을 수 있을 정도로 커다란 책상 뒤에 놓인 의자 비스무레한 물건에 걸터앉았다. "오늘 만남이 그리 유쾌한 용건이 아니라서 유감이오."

"이해합니다, 전하. 반란군이 현관문을 두드릴 태세로 날뛰면 골치아프지요."

"뭐? 아니야." 대공은 말했다. 그레니의 얼굴에 희미한 미소가 떠오르는 것이 보였다. "아니, 그 이야기가 아니오. 당신 가문이 우리에게 가져온 이 바이러스 때문에 골치가 아프다는 거요."

"그렇지요. 우리가 가져왔다고 확신하십니까, 전하?"

"무슨 뜻인가?"

"여기 우리 조사관들은 우리 창고나 우주선의 샘플에서 바이러스를 전혀 발견하지 못했습니다. 바이러스는 작물이 과수원에 간 뒤에 검출되었습니다."

"그건 처음 듣는 이야기군." 그레니가 말했다.

"그래?" 키바는 그레니를 똑바로 보고 대답했다. "그렇다면 내 대변인들이 보고서를 작성했어." 그녀는 대공을 돌아보았다. "보고서는 무역 금지령 해제 탄원서와 함께 전하의 비서실에 제출했습니다."

"금지령 해제는 현명한 조처가 아니라고 생각합니다." 그레니

64

가 말했다. "당신 대변인과 조사관들을 존중하지만, 키바, 엔드 시민의 안전을 위해 이 건을 철저하게 검사하기 전까지는 당신이 운송하는 다른 작물 역시 마찬가지로 감염되었다고 가정해야 해."

"나도 여기 당신 친구의 말이 옳다고 생각하오." 대공은 키바에게 말했다. "바이러스가 우리 바누에도 전염되었다는 건 들으셨겠지. 전 지역의 작물을 휩쓸어버렸소. 그런 사고가 다시 되풀이되어서는 안 돼. 애당초 바누 흉작이야말로 이 반란이 발생한 이유 중 하나요."

"염려는 이해합니다, 전하. 라고스 가문이 전하를 돕고자 하는 것도 바로 그 때문입니다."

대공은 가늘게 뜬 눈으로 키바를 돌아보았다. "무슨 뜻이지?"

"바이러스 건에 대해 법원 판결이 나올 때까지 라고스의 계좌를 동결했다고 알고 있습니다."

키바는 대공의 시선이 아주 잠시 그레니에게로 향했다가 다시 그녀에게 향하는 것을 보았다. "그랬소. 그것이 우리 입장에서는 신중한 절차였소."

"그 액수를 전하께서 이 반란에 대처할 수 있도록 라고스 가문이 공식적으로 융자해드려도 될는지요? 조건은 기꺼이 아주 후하게 해드리겠습니다."

"그건, 대단히 관대한 제안이군." 대공은 말했다.

"이건 사업입니다." 키바가 말했다. "전하가 권좌에서 밀려난다면 라고스 가문에 좋을 게 없습니다. 이렇게 해드리면 전하가 마음대로 처분할 수 없는 자금에도 손을 대실 수 있겠지요. 돈을 거기 묵혀두면 좋을 게 뭐가 있습니까? 사용하십시오."

"유감인데 그게 그렇게 단순하지 않아서." 그레니가 말했다.

"아니, 단순해." 키바가 말했다. "라고스 가문에게 책임이 있다는 판결이 나온다면 융자로 손해배상금을 대신한다, 나머지 자금과 이자로 징벌적 배상금을 대신한다고 명시하면 되니까."

"법적 절차 문제가 아니라, 사람들 눈에 어떻게 보이느냐가 문제죠." 그레니가 말했다.

"대공이 시민을 보호하기 위해 단호한 조치를 취하고 있다는 게 안 좋게 보일까? 남의 눈에 안 좋게 보일까 봐 노심초사한 나머지 대공이 권좌에서 밀려났다는 것보다?"

그레니는 대공을 돌아보았다. "전하, 이건 뇌물 같습니다만."

"무슨 뇌물?" 키바는 외쳤다.

"음, 바로 그게 문제지, 안 그래?" 그레니는 대꾸했다.

"레이디 키바, 라고스 가문의 이 호의에 대한 대가로 뭘 기대하시오?" 대공은 물었다.

"존경을 담아 다시 말씀드리지만, 전하, 이건 호의가 아닙니다. 재판에서 이긴다면 라고스 가문은 융자금을 돌려받겠습니다. 이건 사업입니다."

"하지만 원하시는 다른 게 있지 않나, 안 그렇소?" 그레니가 물었다.

"물론이지요. 나는 내 빌어먹…." 키바는 마지막 순간 입을 다물었다. "훌륭한 하버프루트를 팔고 싶습니다, 전하. 그 판매액과 면허 수익금은 '예스 써' 호와 함께 본국에 가져가지 않습니다. 여기, 전하와 함께, 융자금의 일부로 남을 겁니다."

"당신들이 싣고 온 바이러스와 함께 남겠지." 그레니가 말했다.

키바는 대공을 돌아보았다. "전하, 제국 우주 정거장에 조사관들이 있습니다. 여느 때처럼 우리 수하물에 대한 검역도 실시할 겁니다. 나는 우리 하버프루트가 깨끗하고 엔드의 생태계에 아무런 해를 끼치지 않는다는 사실을 증명하기 위해 그들에게 각별히 엄격한 검역을 허용하겠습니다."

엔드의 대공은 최소한 생각해 보는 척했지만, 무표정하게 앉아 있는 그레니를 바라보더니 고개를 저었다. "레이디 키바, 귀하의 제안과 염려는 매우 감사하오. 그러나 그런 배려가 필요하다고 생각하지는 않소. 이 반란은 머지않아 진압될 것이오. 그러므로 귀하의 제안은 굳이 필요하지 않소. 귀하의 하버프루트 문제는, 귀하의 보고서를 면밀히 검토할 시간을 가지기까지는 최대한의 주의를 기울이고 싶소. 유감이지만 판결이 나올 때까지는 무역 금지령을 철회할 수 없소. 이해하시리라 믿소."

"당연히 그러시겠지." 키바는 일어섰다.

"뭐라고 하셨소?" 대공도 일어서며 물었다. 그레니도 일어섰다.

"시간 내주셔서 감사합니다, 전하. 이 빌어먹을 미로에서 빠져나갈 수 있도록 급사를 불러주시겠습니까?"

"내가 레이디 키바를 안내해드리죠." 그레니는 능숙하게 대공에게 말했다.

"그러시게." 대공은 두 사람에게 고개를 끄덕이고 바 쪽으로 돌아갔다.

"개자식." 키바는 사무실을 나서자마자 그레니에게 말했다.

"당신을 만나서 나도 반가워." 그레니는 말했다.

"너나 노하마페탄 가문이 이번 바이러스 소동의 배후가 아닌 게 좋을 거야. 만약 그렇다면, 엔드로 되돌아와서라도 네 심장을 꺼내 먹겠어."

"물론 언제든지 방문해도 좋아."

"그럼 배후라는 말이군?"

"바이러스의?"

"그래."

"보다시피 아니지만, 만약 그렇다 해도 내가 그걸 너한테 말할 거라고 생각할 정도로 어리석진 않겠지."

"굳이 되돌아올 비용을 절약하게 해달라고."

"아니, 내가 뭐하러 그러겠어."

"변한 게 없군, 그레니."

"너무 불쾌하게 생각하지 마, 키바." 그레니는 대공 사무실 쪽을 다시 가리켰다. "그 융자 건으로 대공은 거의 마음이 움직일 뻔했어. 그건 영리했다고. 길드 가문이 제국 시스템 방어 명목으로 귀족에게 융자하는 액수는 제국이 직접 보증하니까. 훌륭한 보험이야."

"한데 네가 내 계획을 망쳤잖아."

"지금쯤 그건 익숙해질 때도 됐는데."

키바는 코웃음을 쳤다. "내가 몰랐을 거라고 생각하지 마, 그레니. '같이 학교에 다녔지요.' 좋아하시네."

"네가 했을 법한 소개말보다 훨씬 정치적인 표현이었어. '저 녀석 누나가 다니던 대학 기숙사에 저 녀석이 찾아올 때마다 같이 열심히 뒹굴었지요.'보다는."

"내가 설마 그렇게 말했을까." 키바가 말했다. "욕을 하지 말라는 충고를 들었는데. 그런데 네 망할 누나는 어때?"

"별로 기분이 좋지 않아. 제국 여왕이 될 뻔했는데, 레너드 우가 레이싱 사고에서 머리가 날아가는 바람에 수포로 돌아갔지."

"누나한테는 정말 비극이야."

"본인도 그렇게 생각해. 물론 레너드한테도 안 좋은 일이었고. 황제의 사생아 딸이 후계자가 됐다고 알고 있어. 그러니 내 형이 도전할 거야."

"내가 기억하는 노하마페탄 가문 그대로군. 얼마나 낭만적인 집안인지."

"넌 그때 불평하지 않았지."

키바는 멈춰 서서 그레니를 바라보았다. 그도 멈춰섰다. "그때 나는 멍청이였지. 지금은 아니야."

"라고스 가문에서는 처음이군, 그럼." 그레니가 말했다.

"이 병신 대공한테 붙어서 무슨 수작을 부리고 있는 거야?"

"첫째, 그의 이름은 '병신'이 아니라 퍼드야. 둘째, 내가 그에게 수작을 부리고 있다고 생각하는 게 불쾌해."

"네가 수백만 마크짜리 뇌물을 거부하게 만들었잖아."

"이봐, 내가 뇌물이라고 했지. 내 말이 맞았어."

"더 좋은 제안이 있는 게 아니라면 그만한 돈을 마다할 사람은 아무도 없어."

"그 점에 대해서는 언급할 수 없어, 키바. 특히 너한테는."

"이봐, 그레니. 핵심은 바이러스가 아니야. 우린 빌어먹을 엔드에 있고. 허브로 돌아가려면 아홉 달이 걸리고, 거기서 이코이까지는 다시 석 달이야. 지금 네가 나한테 말하는 건 그때쯤에는 새로운 소식도 아니라고."

그레니는 주변을 둘러보더니 다시 걷기 시작했다. 키바는 따라잡았다. "말해줘. 엔드에서 대체 무슨 계획을 꾸미고 있는지 말해달라고."

"네 첫 번째 오류는, 키바, 내가 여기서 하는 모든 일이 오로지 이 행성과 관계된 일이라고 가정한다는 점이야."

"무슨 말인지 모르겠는데."

"모른다는 거 알아. 이해하라고 한 말도 아니야." 그레니는 다시 멈추더니 가리켰다. "이 복도를 따라가. 두 번째 모퉁이에서 왼쪽으로, 다시 첫 번째에서 오른쪽으로 꺾으면 돼. 네가 들어온 로비가 나올 거야."

키바는 고개를 끄덕였다. "넌 뭘 하든지 끝까지 따라오는 인간이 아니었지. 안 그래, 그레니?"

"놀랄걸." 그는 고개를 숙이고 키바의 뺨에 가볍게 키스했다. "잘 가, 친애하는 키바. 널 다시 볼 거라고 생각하진 않았어. 정말 중요한 인물은 절대 엔드에는 안 오거든. 이번 일 이후로 다시 볼 수 있을 것 같지도 않고. 하지만 난 널 좋아해. 이런 순간이 있었다는 게 기뻐."

"무슨 순간이라는 거야."

그레니는 미소 지었다. "곧 이름을 붙일 수 있을 거야." 그는 멀어졌다.

◇◇◇

"자, 상황을 까놓고 얘기해 봐." '예스 써' 호에 돌아온 키바는 블리니카 선장과 가슨 매그넛에게 말했다.

"우린 여기 엔드에서 면허권과 특허권으로 대략 6천만 마크를 벌어들일 계획이었습니다." 매그넛이 말했다. "그런데 이제 모든 돈이 은행에 묶여 있고 어쩌면 다시 돌려받지 못하는 상황에서 빈손으로 돌아가야 합니다. 그리고 하버프루트 작물에서 예상했던 수익이 2천만 마크, 면허권과 묘목 값이 1천만 마크였습니다. 그것 역시 못 받게 됐습니다. 다른 정거장에서 선적한 이런저런 화물도 대략 1천만 마크가량인데, 이것 역시 내다 팔지 못하니 수익은 제로입니다. 엔드에 수송 대행으로 실은 화물도 100만 마크어치 정도가 있는데, 이건 하역할 수 있었지만 우주의 진공에서 화물창을 연 채로 수 주간 검역을 거쳐야 하게 됐습니다. 배달이 완료되기 전에 우린 떠나야 하고, 배달비는 다음 라고스 우주선이 도착할 때까지 보류 상태가 될 겁니다. 참고로 다음 라고스 우주선 '아이 씽크 위 아 얼론 나우' 호는 20개월 후에 있습니다."

"그렇다면 1억 마크 손해군." 키바가 말했다.

"마지막 세 정거장에서 4천만 마크 수익을 거두었으니, 순 손실은 6천만 마크 정도입니다. 여긴 마지막 기항지고요. 이대로 허브로, 다시 이코이로 돌아갑니다."

키바는 고개를 끄덕였다. 플로우를 이용해서 엔드로 가는 길은 몇 가지 있지만, 돌아가는 길은 단 하나, 엔드에서 허브로 가는 플로우뿐이다. 결국 모든 플로우는 허브로 흘러들어간다. 그러니 엔드와 허브 사이에서 손실을 벌충할 기회가 전혀 없나는 뜻이다.

"좋은 생각이 있으면 뭐든지 말해 봐." 키바가 말했다. "토미?"

"이번 항해의 목적은 하버프루트를 엔드에 도입하는 것이었습니다." 선장이 말했다. "그 외 상호의존성단의 다른 행성과는 이미 하버프루트 교역을 충분히 하고 있으니까요. 우리 작물을 수확해서—이 시점에는 다른 대안이 없습니다—수분을 완전히 제거하고 허브에서 농축액을 파는 방법이 있습니다. 그러나 거기에는 이미 정식 면허권자가 있는 상태입니다. 지금 우리가 들어가서 저가로 농축액을 판매하면 아마 제국 무역위원회에 항의가 들어갈 겁니다."

"선장의 말이 맞습니다." 매그넛이 말했다. "가격을 동일하게 맞춘다 해도 공급과잉이 됩니다. 기껏 몇 백만 마크 벌자고 라고스 가문이 장기적인 수익을 기대할 수 있는 면허권자를 엿먹이는 게 되죠."

"그렇다면 결국 우리는 망했다는 거군."

"요점을 말하자면, 네, 그렇습니다."

키바는 두 손에 머리를 묻고 잠시 앉아 있다가 블리니카를 올려다보았다. "언제 엔드에서 출발하지?"

"저는 제국 정거장에 있는 동안 우주선 정비를 해야 하고, 여기 가슨은 란카란에서 잃은 승무원을 벌충해야 합니다. 일주일 더 있어야 합니다."

"조금 더 오래 있을 수 있나?"

"곤란합니다." 블리니카가 말했다. "현재 우리 선창에 9일 뒤에 다른 우주선이 들어오게 돼 있습니다. 우주 정거장이 화물칸 청소와 재가동을 하는 데는 꼬박 하루가 걸리고요. 7일 뒤에는 비워줘야 합니다."

"그럼 7일이라는 거군."

"뭐 말씀입니까?" 매그넛이 물었다.

"우리를 살려줄 만한 기적을 기다릴 수 있는 여유 말이야. 그 정도는 기대할 수 있잖아?"

3장

기술적으로, 아타비오 6세가 세상을 떠난 그 순간부터 카르데니아는 새 황제가 되었다. 하지만 현실적으로는 아무것도 그렇게 간단하지 않았다.

"공식적으로 애도 기간을 선포하셔야 합니다." 나파 돌그는 이제 자기 집무실이 된 황제 집무실에 있는 카르데니아에게 말했다. 아버지가 죽은 직후였다. 시신은 현재 황제의 침실에서—이제 그녀의 침실이었다—집에서 죽는 호사를 누린 거의 모든 황제의 시신을 운반했던 들것을 통해 옮겨지는 중이었다. 카르데니아는 황제궁 다른 방에 모신 들것을 보고 음침한 관습이라고 생각했다. 언젠가 그녀의 유골 역시 저 들것으로 운반될 것이다. 전통에는 단점도 있는 법이다.

카르데니아는 혼자 웃었다.

"카르데니아?" 나파가 말했다.

"음침한 생각이 들었어." 카르데니아는 말했다.

"잠시 혼자 있게 해줄 수도 있어."

"그래도 아주 잠시라는 거지."

"세습기는 바쁜 시기야." 나파는 최대한 부드럽게 말했다.

"공식 애도 기간은 얼마나 오래 걸리지?"

"전통적으로 닷새."

카르데니아는 고개를 끄덕였다. "상호의존성단의 다른 모든 사람들에게는 닷새. 나한테는 5분을 줘."

"나중에 올게." 나파는 일어섰다.

"아니." 카르데니아는 고개를 저었다. "바쁘게 해줘, 나파."

나파는 카르데니아를 바쁘게 해주었다.

첫째, 공식 애도 선언. 카르데니아는 복도를 지나 아버지의 개인 비서이자(카르데니아가 다른 사람을 임명하지 않는 한 현재 그녀의 개인 비서였다) 명령을 전달하는 역할을 맡게 될 겔 뎅 사무실로 향했다. 카르데니아는 뭔가 공식적인 언어로 명령을 내려야 하지 않나 걱정했지만, 뎅이 이미 선언문을 준비해두었다—놀라운 일은 아니었다. 상호의존성단이 존재했던 동안 많은 황제들이 즉위하고 세상을 떠났으니까.

카르데니아는 세월에 바래고 전통으로 신성해진 선언문을 읽었다. 언어는 딱딱하고 고루했지만, 수정할 만한 정신적인 상태는 아니었다. 그녀는 그냥 동의한다는 뜻으로 고개를 끄덕이고, 서명하기 위해 펜을 집어든 뒤 망설였다.

"무슨 일이십니까, 폐하?" 뎅이 말했다. 카르데니아는 누군가 자신을 공식적으로 '폐하'라고 부른 것은 이번이 처음이라고 두뇌 한구석으로 의식했다.

"어떻게 서명해야 할지 모르겠어." 카르데니아는 말했다. "내 공식 이름조차 아직 정하지 않았어."

"원하신다면 당장은 황제 인장만 찍으셔도 됩니다."

"그렇게 해줘."

뎅은 왁스와 인장을 꺼낸 뒤, 왁스를 녹이고 인장을 찍도록 카르데니아에게 건넸다. 그녀는 황제의 녹색 왁스 위에 인장을 찍고 들어 올렸다. 황제의 제관이 위에 그려진 우 가문의 문장이 모습을 드러냈다. 그녀의 관이었다.

카르데니아는 인장을 뎅에게 돌려주다 그가 울고 있는 것을 깨달았다. "이걸로 공식 황제가 되셨습니다. 이제 당신이 황제이십니다, 폐하."

"얼마나 오래 내 아버지를 섬겼지?" 카르데니아는 물었다.

"39년." 뎅은 말한 뒤 그대로 울음을 터뜨릴 것 같은 표정을 지었다. 카르데니아는 충동적으로 손을 뻗어 그를 끌어안았다. 그녀는 잠시 후 포옹을 풀었다.

"미안해." 그녀는 말했다. "그러지 말았어야 했는데."

"이제 당신이 황제이십니다." 뎅이 말했다. "원하시는 것은 무엇이든지 하실 수 있습니다."

"이제부터 내가 불필요한 친근감은 보이지 않도록 해줘." 카르데니아는 비서 사무실을 떠난 뒤 나파에게 말했다.

"다정하다고 생각했는데요." 나파가 말했다. "불쌍한 노인. 힘든 하루였을 거예요."

"상관이 죽었지."

"네, 하지만 그는 자신이 지위를 잃었다고 생각할 겁니다. 보통 이 시기에는 새 황제의 측근이 힘 있는 자리를 차지하느라 바쁘니까요. 그의 지위는 명목상 대단한 권력이죠."

"내게는 측근이 없잖아." 카르데니아가 말했다. "너 말고."

"걱정 마세요. 자원봉사자가 나타날 겁니다."

"이제 뭘 하지?"

"30분 뒤에 집행위원회를 만나셔야 합니다."

카르데니아는 이 말에 이맛살을 찌푸렸다. "그렇게 빨리 시안에 갈 수는 없어." 황제의 거의 모든 통치기구가 그렇듯 집행위원회는 허브 상공의 거대한 우주 정거장에서 일을 처리했다.

나파는 한쪽 눈썹을 치켜세웠다. "아무 데도 가실 필요 없어요. 이제 황제이십니다. 그들이 올 겁니다. 드리닌 박사가 몇 시간 전에 아버님이 곧 임종하신다고 그들에게 알렸습니다. 위원회는 임종 순간 당신을 위로하러 올 예정이었습니다. 그들이 쓴 표현을 빌리자면 그렇다는 겁니다."

카르데니아는 아홉 명의 위원들이 아버지의 마지막 병상을 기웃거리며 상황이 허락하는 한 최대한 친밀했던 둘만의 시간을 빼앗는 광경을 상상하고 소름 돋는 기분을 억눌렀다. "감사 인사를 잊지 말아야겠어."

나파가 눈썹을 다시 치켜세웠지만 그녀는 아무 말도 하지 않았다. "지금 공식 연회장에 있습니다. 이 건물 반대쪽입니다."

"고마워."

"천만에요. 지금은 뭘 하고 싶으십니까?"

"오줌 싸고 싶어."

나파는 고개를 끄덕이고 카르데니아와 함께 그녀의 거주 공간으로 향했다. "15분 뒤에 오겠습니다."

"여유 시간에 너는 뭘 할 거야?"

"같은 거죠. 공간은 약간 덜 호화롭지만." 카르데니아는 이 대답에 미소 지었고, 나파는 나갔다.

방 안에 들어선 카르데니아는 자신이 처음으로 하는 모든 일들을 머릿속 한구석으로 의식했다. '지금 나는 황제로 이 방에 처음 들어섰다.' 두뇌는 말했다. '황제로서 태블릿을 처음 집어 든다. 황제로서 처음 바지 지퍼를 내린다. 황제로서 처음 변기에 앉는다. 그리고 황제로서 처음 소변을 본다.'

처음이 너무나 많았다.

"그레이랜드 황제에 대해 말해줘." 카르데니아는 변기에 앉으며 태블릿을 향해 말했다.

"그레이랜드 황제는 FI 220년부터 223년까지 제위에 있었습니다." 태블릿은 검색창을 열며 유쾌한 말투로 말했다. 상호의존성 단력은 선지자-황제 라헬라 1세가 제국을 건설한 해에 시작되었는데, 이는 오만한 처사였지만—이미 사용되고 있는 완벽한 달력이 존재했기 때문인데, 이 달력상 상호의존성단은 26세기 말에 건설되었다—카르데니아는 어떤 제국이든 기회가 생길 때마다 이 정도는 다들 하지 않을까 생각했다. "그레이랜드 황제 치하의 주요 사건으로는 램푼 건설, 달라시슬라 실종, 223년 군나르 올라프센에 의한 황제 암살 사건이 있습니다."

"왜 암살당했지?"

"재판에서 군나르 올라프센은 황제가 달라시슬라 시민들을 구출하기 위해 최선을 다하지 않았다고 주장했습니다."

"사실인가?"

"저는 검색 기능입니다. 정치적 사건에 대한 의견은 가지고 있지 않습니다."

카르데니아는 짜증스럽다는 듯 눈을 찌푸렸다. 지당한 지적이야, 얼굴 없는 컴퓨터. 그녀는 생각했다. "달라시슬라는 어떻게 실종됐지?"

"달라시슬라 행성으로 이어지던 플로우 흐름이 222년 사라졌습니다." 태블릿은 말했다.

아, 저런. 카르데니아는 말했다. 초등학교 상호의존성단 역사 시간에 배운 내용이 떠올랐다. 달라시슬라는 우 황가 이전, 상호의존성단의 종교 및 사회적 교리가 반대 세력을 완전히 진압하기 전 시절에 불운을 맞은 초기 정착지 중 하나였다. 그러나 이 초기 정착지들 대부분은 전쟁에 지거나 기근, 혹은 질병으로 사라졌다. 달라시슬라는 플로우를 통해 그곳으로 가는, 혹은 거기서 나오는 길이 느닷없이 사라졌기 때문에 망했다. 그저 지도에서 완전히 사라진 것이다.

카르데니아는 해당 암살 사건에 대한 백과사전 항목을 검색했다. 항목에는 달라시슬라의 우주선 기술자로서 제국 테너 우주선 토운 산딘 호에서 근무하던 올라프센의 사진도 들어 있었다. 토우 산딘 호가 젠두바 공식 방문 귀환길에 플로우를 여행할 때, 그는 황제의 선실이 있던 우주선 고리 부위를 봉쇄하고 우주선을 둘러싼 시공 버블 밖 플로우로 분리해서 내버렸다. 고리 부위는 즉시 존재 자체가 사라졌고, 그레이랜드 황제와 100여 명의 수행원이 죽었다.

"아, 대단히 유쾌한 이야기군." 카르데니아는 혼잣말을 했다. 불만을 품은 부하에게 살해당하라고 기원하는 뜻이 아니었다면, 왜 아버지가 그녀에게 그레이랜드라는 이름을 제안했는지 알 길이 없었다. 약간 당황스러웠다. 항목을 끝까지 읽어보니 그레이랜드는 과학자들이 보고한 데이터에 의거하여 달라시슬라 주민에게 대피를 명령했지만, 달라시슬라 자체 내각을 비롯한 의회, 그리고 길드가 대피 승인을 반대하는 바람에 늦어진 모양이었다. 올라프센은 이 대피 지연에 대한 책임이 황제에게 있다고 보았지만, 사실 책임을 물어야 할 사람들은 따로 있었다.

하지만 황제는 하나뿐이지, 카르데니아는 생각했다. 그 황제가 그의 우주선을 타고 있었던 거군.

"이봐." 나파가 다른 방에서 불렀다. "다 됐어?"

"거의." 카르데니아는 대답했다. 그녀는 용무를 마치고 손을 씻고 욕실에서 나섰다. 나파가 카르데니아의 치수에 맞춘, 대단히 진지해 보이는 제복을 들고 서 있었다.

"그건 뭐지?" 카르데니아는 물었다.

"이제 넌 이 우주에서 가장 강력한 권력자 아홉 명을 만나야 해, 널 제외하고." 나파가 말했다. "조금 차려입는 것도 나쁠 건 없을 거야."

◇◇◇

대단히 진지한 제복은 까칠해서 거슬렸지만, 집행위원회만큼은 아니었다.

카르데니아가 넓은 연회장에 들어서자 아홉 명의 집행위원들이 다가와서 허리를 깊이 숙여 절했다. "폐하." 시안 대주교이자 집행위원회의 명목상 의장인 군다 코르빈이 허리를 숙인 채 말했다. "아버님 폐하의 붕어에 깊은 슬픔과 애도의 마음을 전합니다. 분명 저 너머 선지자의 반열에 오르시리라 믿어 의심치 않습니다."

아버지가 비록 상호의존성단 교회의 공식 수장이기는 했으나 교리에 전혀 관심이 없었다는 사실을 알고 있는 카르데니아는 삐딱한 미소가 삐져나오려는 것을 억눌렀다. "고맙습니다, 주교."

"전체 위원회를 대표하여 폐하와 우 가문, 상호의존성단에 대한 항구한 충성을 맹세합니다."

"우리는 고맙습니다." 카르데니아는 한 해 동안 학습한 대로 황제가 사용하는 '우리'라는 주어와 황제다운 공식적 어법을 처음으로 사용했다. 한동안 더 익숙해져야겠지, 그녀는 생각했다. 카르데니아는 나파를 돌아보았고, 나파는 시선이 마주쳤는데도 눈썹을 치켜세우지 않았다. 틀림없이 나중에 둘만 남으면 그렇게 할 것이다.

위원회는 계속 허리를 깊이 숙이고 있었다. 카르데니아는 어리 둥절해하다가 자신이 고개를 들라고 명령해야 한다는 사실을 깨달았다. "자," 그녀는 약간 당황하며 허리를 펴라고 손짓했다. 그들은 몸을 폈다. 카르데니아는 연회장 한가운데 놓인 긴 탁자를 가리켰다. "저기 앉아서 용건을 들어봅시다."

위원회는 자리에 앉았다. 가장 연장자가 황제의 상석에 가장 가까운 자리를 차지했지만, 대주교만은 예외였다. 그는 카르데니아의 맞은편에 앉았다. 위원들의 옷차림이 눈에 들어왔다. 교회 주교들은 보라색 안감을 댄 붉은 의장이었고, 길드 대리인들은 검정과 금색 공식 제복 차림이었으며, 의회 의원들은 엄숙한 파란색 정장 차림이었다. 카르데니아 자신의 대단히 진지한 제복은 진녹색 에머랄드 단을 두른, 황가의 녹색이었다.

크레용 한 상자 같군, 카르데니아는 생각했다.

"미소 짓고 계시는군요, 폐하." 그녀가 자리에 앉는데 코르빈 대주교가 말했다.

"우리는 아버지를 기억하고 있었습니다. 종종 이 위원회와의 회의에 대해 이야기하셨지요."

"저희에 대해 좋은 말을 하셨기를 바랄 뿐입니다."

아니, 그렇지 않아. "당연하지요."

"폐하, 앞으로 며칠이 중요합니다. 우선 애도 기간을 선포하시고…."

"애도 기간은 이미 선포했습니다. 전통에 따라 닷새로 하기로 했습니다."

"아주 좋습니다." 코르빈은 말이 중간에 끊겼는데도 당황한 기색이 전혀 없었다. "그 기간 동안 폐하께서는 유감이지만 대단히 바쁘실 겁니다." 그녀는 카르데니아 오른쪽에 앉은 허브의 비어 대주교에게 고개를 끄덕여 보였다. 비어 대주교는 가죽 폴더 하나를 꺼내더니 그 안에서 두툼한 종이 뭉치를 카르데니아에게 건넸다. "폐하를 돕기 위해 일정을 만들어봤습니다. 각종 보고, 길드와 의회, 교회와 공식 및 비공식 회의 같은 일정이 들어 있습니다."

카르데니아는 서류를 받아 들었지만 읽지 않고 의자 뒤에 서 있는 나파에게 건넸다. "우리는 고맙습니다."

"이 이양 기간 동안 모든 절차는 순조롭게, 최대한의 주의와 존중을 기울여 진행되도록 노력하겠습니다. 폐하에게 힘든 시기이고, 많은 것이 낯설 것이라는 점은 알고 있습니다. 저희는 폐하께서 이 기간 동안 새로운 역할에 편안히 익숙해질 수 있도록 최선을 다하고자 합니다, 폐하."

새로운 역할에 익숙해지게 하려고, 아니면 길들이려고? "다시 한 번 말하지만, 우리는 감사합니다, 대주교. 당신의 배려와 노고가 있어 든든합니다."

"다른 염려도 있습니다." 길드 대변인 중 하나인 렌 에드멍크가 말했다. 에드멍크 가문은 소와 돼지, 그리고 우유부터 돼지가죽에 이르기까지 그에서 비롯하는 모든 부산품에 대한 독점권을 갖고 있었다. "독점권 이양, 무역로 사용권 등 폐하의 아버님이 길드와 해결하지 못한 여러 사안이 남아 있습니다."

코르빈 대주교가 입술을 가볍게 떠는 것이 카르데니아의 눈에 띄었다. 분명 에드멍크가 자기 차례를 기다리지 않고 입을 연 것 같았다. "그런 사안은 의회를 통해 전달한 뒤 우리가 동의냐 거부냐 의견을 표명하는 것으로 알고 있습니다."

"아버님께서는 이런 사안을 처리하겠다고 확답을 주신 바 있습니다, 폐하."

"의회의 특권을 우회하는 방식으로 말입니까, 에드멍크 경?"

"물론 아닙니다, 폐하." 에드멍크는 잠시 사이를 두고 말했다.

"아니라니 다행입니다. 이 이양기 초기에 의회로 하여금 자신의 역할이 황제의 변덕에 좌우되는 권고 수준에 머무른다는 인상을 주고 싶지는 않습니다." 카르데니아는 왼쪽에 앉은 위원회 고위 의원 우펙샤 라나퉁가를 돌아보았고, 우펙샤는 고맙다는 뜻으로 고개를 끄덕였다. "선제께서는 상호의존성단이 번영할 수 있었던 것은 권력의 균형 때문이라고 믿었습니다. 의회는 법과 정의, 길드는 무역과 융성, 교회는 영성과 공동체. 그 위에 만물의 어머니인 황제는 질서."

"그 점은 알고 있습니다만, 폐하…"

"우 가문도 길드를 갖고 있다는 것을 잊지 마시오." 카르데니아는 에드멍크의 말을 끊었다. 그는 분명 당황한 것 같았다. "때문에 우리는 길드의 이해관계를 무시하지 않습니다. 우리는 교회의 어머니이며 의회의 일원입니다. 우리는 그 모든 집단에 이해관계를 갖고 있으므로 모두에게 공정하려 합니다. 길드 문제는 때가 되면 거론할 것이오, 에드멍크 경. 그러나 우리는 선제가 아닙니다. 선제의 확답은 들은 바 있습니다. 그러나 나는 그 확답을 따를 의무가 없습니다. 이제 황제는 아버지가 아니라 나입니다."

어디, 카르데니아는 생각하고 에드멍크를 똑바로 쳐다보았다. 똑바로 받아보라고.

에드멍크는 고개를 숙여 절했다. "폐하."

"의회와 관련해 또 한 가지 심각한 문제가 있습니다." 라나퉁가는 말했다. "엔드의 반란이 보다 위험한 새 국면으로 접어들었다는 소식을 들었습니다. 엔드의 대공은 모든 것이 통제되고 있다고 장담했지만, 현지에 주둔한 제국 해병대 대장의 판단은 그렇게 낙관적이지 않았습니다. 그는 대공이 2년 내에 실각할 것이라고 예상했습니다. 게다가 이건 아홉 달 전에 보낸 보고였습니다. 지금 그곳 상황이 어떤지는 아무도 모릅니다."

"제국 해병대가 개입했습니까?"

"엔드는 엔드가 알아서 통치하도록 한다는 것이 아버님의, 그리고 선대 여러 황제의 정책이었습니다. 거기 주둔한 해병대는 주로 허가 없이 아무도 그곳을 떠나지 못하도록 감시하는 역할을 맡고 있습니다. 황제의 명을 받들어 제국군이 파견한 유일한 경계병은 클레어몬트 백작의 안전을 보장하는 임무를 맡고 있다고 대장이 알렸습니다."

"그건 누구지?"

"제가 기억합니다, 폐하." 코르빈이 말했다. "소팔라 출신의 하급 귀족 출신인데, 선제께서 작위를 높여주셨습니다. 선제의 대학 시절 친구였다고 알고 있습니다. 플로우를 연구하는 물리학자이지요."

"아버지가 왜 그를 추방했지?"

"선제께서는 레이디 글레나와 혼인하시기 전에 그에게 작위를 내리셨습니다."

음, 노골적인 힌트군. 카르데니아는 생각했다. 대주교는 선제 바트린이 결혼하기 전 이 백작과 애인 관계였다고 밀하고 있는 것이다. 코스투 가문은 가장 강력한 길드 가문 중 하나였으니, 바트린의 혼인은 전형적인 황제 일가의 정략결혼이었다.

그 점을 알고 보니 약간 놀라웠다. 아버지를 알고 지낸 기간 동안 카르데니아에게 그는 심심한 이성애자로밖에 다가오지 않았다. 그러나 '대학'이라고 불리는 시간과 공간에서는 그 어떤 일이든 일어날 수 있고, 분명 이 백작 외에도 황제가 적당한 작위를 주어 아주 먼 곳으로 내쳐버려야 했던 껄끄러운 전 '애인'은 얼마든지 있을 것이다. 해병대가 경계병을 세워 놓은 것도 납득할 수 있었다.

카르데니아는 알겠다는 듯 고개를 끄덕였다. "당장은 선제의 정책을 유지하겠습니다만, 곧 정식 보고를 듣겠습니다."

"제안한 일정표에 그 보고도 들어 있습니다." 코르빈이 말했다. "혼인이라는 주제가 나온 김에…."

"아미트 노하마페탄 이야기를 하고 싶은 거로군." 카르데니아는 지금까지보다 약간 덜 형식적인 말투로 답했다.

"노하마페탄 가문이 워낙 집요해서." 코르빈은 약간 미안하다는 듯한 투로 대답했다.

"우리는 내 오빠가 아니오. 노하마페탄 가문 사람과 혼인하겠다는 확답은 한 적이 없습니다."

"뜻은 알고 있습니다만, 폐하, 노하마페탄 가문은 그 확답이 폐하의 오빠와 나다쉬 사이에 국한된 것이 아니라, 우 가문과 노하마페탄 가문 사이의 약속이었다고 믿고 있습니다. 그 주장에 힘을 싣는 선례도 있습니다. 512년 다비나 공주는 에드멍크 가문의 일원과 약혼했지만 혼인 전에 세상을 떠났습니다. 이후 총린 1세가 된 공주의 남동생은 이미 정해진 혼약이라는 이유로 원래 황가와 혼인하기로 했던 당사자의 사촌과 결혼했습니다."

카르데니아는 나파를 돌아보았다. "다비나 공주는 어떻게 죽었지?"

"자살했습니다, 폐하." 나파는 말했다. 카르데니아는 나파가 이정도 역사는 훤히 알거나 그 자리에서 검색할 수 있다는 것을 알고 있었다. "시안에서 에어록 밖으로 몸을 던졌습니다. 공주는 유서를 통해 혼약이 본인의 의사에 반했다는 뜻을 남겼습니다."

카르데니아는 렌 에드멍크를 돌아보았다. "그렇다고 해서 당신에게 감정을 품을 일은 없다는 점을 알아주십시오, 에드멍크 경."

"감사합니다, 폐하."

"폐하, 아미트 노하마페탄의 구혼도 최소한 숙고해보시라는 의견을 드려도 괜찮을지요?" 코르빈은 끈질겼다. "가문 사이의 혼약에 대한 이론적 해석은 접어두고라도, 노하마페탄 가문은 길드 중 강력한 가문입니다." 코르빈은 에드멍크에게 눈길을 주었다. 에드멍크는 황제를 쳐다보느라 코르빈의 시선을 눈치채지 못했다. "길드 사이의 많은 잠재적 문제와 사안이 이 결합으로 편리하게 해결될 수 있습니다."

카르데니아는 이 말에 어둡게 미소 지었다. "이 결합에 반대하는 가문은 없습니까?"

"없습니다, 폐하." 에드멍크가 말했다.

"음." 카르데니아는 감탄했다. "길드 가문이 만장일치로 동의하는 보기 드문 사안이로군. 천 년 역사상 미증유의 사건이 아닌가."

"이양에 따른 모든 문제의 씨앗을 시급히 해결하는 것이 상호의존성단의 이익에 부합한다는 점에는 모두가 동의하는 것으로 알고 있습니다." 코르빈이 말했다.

이 말이 카르데니아의 비위를 긁었다. "나의 가장 중요한 부분이 자궁이라는 사실에 이 위원회가 만장일치로 동의하는 것 같아 기쁩니다, 대주교."

코르빈은 이 말에 얼굴을 붉혔다. "용서하십시오, 폐하. 천만부당하신 말씀입니다. 그러나 황제는 혹여 자신에게 무슨 일이 생기면 우 황가 안의 수많은 사촌들이 황위를 노리게 된다는 점을 염두에 두셔야 합니다. 폐하께서 오빠 다음으로—정당하게—계승자의 반열에 올랐을 때 그 사촌들 중 많은 사람들이 탐탁지 않게 생각했습니다. 확실한 계승자가 생기면 문제의 여지가 없어집니다."

"내란의 여지가 없어진다는 겁니다." 라나퉁가가 말했다.

"즉위식 전에 내가 세상을 떠날 가능성은 거의 없다는 점은 동의하십니까?" 카르데니아는 위원회에게 물었다.

"그렇다고 봐야겠지요." 코르빈은 미소 지으며 대답했다.

"그러면 이 문제는 그 뒤로 미루는 게 어떨까요." 카르데니아는 코르빈에게 고개를 끄덕였다. "즉위식 날에 노하마페탄 가문에 좋은 자리를 내주세요. 나는 그 뒤에 아미트와 이야기하겠습니다."

"알겠습니다, 폐하."

"'이야기'하겠다고 했습니다. 이 점을 명심하시고 노하마페탄 경에게도 오해 없이 전달되기를 바랍니다."

"알겠습니다, 폐하."

"좋습니다. 다른 건이 또 있습니까?"

"작은 사안 하나가 있습니다." 코르빈이 말했다. 카르데니아는 기다렸다. "황제명을 알고 싶습니다."

"우리는 그레이랜드입니다." 카르데니아는 잠시 사이를 두었다. "그레이랜드 2세."

◇◇

"난 황제를 가리키는 대명사 '우리'가 싫어." 카르데니아는 나파에게 털어놓았다.

집행위원회 회의가 끝난 뒤, 두 사람은 선제로부터 카르데니아, 현 그레이랜드 2세로의 공식적인 통치권 이양 과정을 시작하기 위해 상호의존성단의 핵심인 시안으로 올라갔다. 시안에 도착하자마자 그레이랜드 2세는 각자 나름의 목표와 계획을 품은 고문과 신료, 아첨꾼, 조력자들에게 곧장 둘러싸였다. 한 시간도 채 지나지 않아 카르데니아는 피곤해졌다. 앞으로 평생 이럴 것이다.

"왜 싫으십니까?" 나파가 물었다.

"허세 부리는 것 같잖아."

"당신은 황제입니다." 나파가 지적했다. "우주에서 문자 그대로 허세라곤 전혀 없이 그 표현을 사용할 수 있는 유일한 분인데요."

"내가 무슨 말 하는지 알잖아."

"압니다. 그저 그게 아니라고 생각할 뿐이에요."

"그럼 내가 항상 '우리'를 사용해야 한다는 거군."

"그런 뜻은 아닙니다." 나파가 말했다. "하지만 멋진 권력 이동이라는 점은 인정하셔야 하지 않을까요. '아, 네게 의견이 있다고? 집어치워. 내 투표는 두 표 값어치가 있다고.'"

카르데니아는 이 말에 미소 지었다.

두 사람은 마침내 시안의 광활한 황제궁 사실에 둘만 남겨졌다. 모든 비서와 신료, 고문들은 나파가 문 밖으로 몰아냈다. 오늘 카르데니아가 처리해야 할 업무는 이제 하나밖에 없었고, 그 업무는 이 사실 안의 한 문 뒤에 있었다. 황제만 열고 들어갈 수 있는 문이었다.

카르데니아가 나파에게 이렇게 설명하자, 나파는 미간을 찌푸렸다. "황제만 들어갈 수 있다고요."

"그래."

"다른 사람이 들어가면 어떻게 되나요? 개가 있나요? 레이저가 침입자를 쏘아 재로 만드나요?"

"그렇지는 않을걸."

"하인들은 들어갈 수 있나요? 기술자는? 황제로서 폐하가 직접 청소하나요? 그 안에 작은 진공청소기가 있나요? 직접 청소하라는 지시라도 받으셨는지?"

"이 업무를 진지하게 생각하지 않는군." 카르데니아는 말했다.

"진지하게 생각합니다." 나파는 단언했다. "지시 방식이 의아할 뿐이에요."

두 사람은 문을 바라보았다.

"자?" 나파가 말했다. "해치워버리세요."

"넌 어디 있을 거야?"

"원하신다면 끝날 때까지 여기서 기다리겠습니다."

카르데니아는 고개를 저었다. "얼마나 오래 걸릴지 모르겠어."

"그럼 저는 제 사실에 가 있겠습니다. 궁전 맞은편, 황제궁 관리인이 절 거기로 유배보냈어요."

"바꿔줄게."

"아니, 괜찮습니다." 나파가 말했다. "곁에 아무도 없이 혼자 계실 시간이 필요하잖아요. 절 비롯해서." 그녀는 일어섰다. "그래도 같은 건물입니다. 겨우 열여섯 구역 떨어져 있을 뿐이에요."

"궁전에 열여섯 구역이나 있지는 않을걸."

"크게 스물네 구역으로 분리되어 있습니다."

"음, 네 말이 맞겠지."

"네, 맞습니다." 나파는 말했다. "곧 폐하도 아시게 될 겁니다." 그녀는 절했다. "좋은 밤 보내십시오, 폐하." 그녀는 미소 지으며 방을 나섰다. 카르데니아는 나파가 나가는 모습을 보고 있다가 다시 문으로 주의를 돌렸다.

궁전의 다른 모든 것들이 그렇듯, 문도 화려하게 장식되어 있었다. 카르데니아는 이제 '화려함'에 익숙해져야 한다는 것을 깨달았다. 아무리 그러고 싶다 해도, 모든 것을 불태우고 깔끔한 공간과 선으로 새롭게 출발할 수는 없는 노릇이었다. 그녀는 황제이지만, 황제에게도 한계는 있다.

문에는 손잡이나 출입 패널, 기타 열 수 있다는 사실을 알려주는 장치가 없었다. 카르데니아는 비밀 버튼이 있나 슬그머니 손을 대보았다.

문이 스르르 열렸다.

내 지문을 인식했나? 카르데니아는 어리둥절한 기분으로 들어섰다. 문이 등 뒤에서 다시 닫혔다.

문 안의 방은 넓었다. 황제 사실의 침실만큼 컸다. 이 방 한 칸이 카르데니아가 자란 아파트보다 더 크다는 뜻이었다. 방에는 왼쪽 벽에서 튀어나온 의자 하나밖에는 아무것도 없었다. 카르데니아는 그쪽으로 다가가서 앉았다.

"내가 왔어." 그녀는 누구에게랄 것도 없이 말했다.

방 한가운데 빛의 형상이 나타나더니 그녀를 향해 걸어왔다. 카르데니아는 다가오는 형체를 바라보았다. 천장의 초미세 프로젝터가 만들어내는 형상이었다. 카르데니아는 어떤 물리 법칙을 이용했을까 멍하니 생각했지만, 그 생각도 아주 잠시, 형상은 어느새 그녀 바로 앞에 서 있었다.

"그레이랜드 2세 폐하." 형상은 말한 뒤 절했다.

"내가 누군지 알고 있군." 카르데니아는 황제를 뜻하는 '우리'

를 생략했다.

"알고 있습니다." 형상은 말했다. 성별이나 나이를 짐작할 만한 특징은 없었다. "제 이름은 지위입니다. 폐하는 '기억의 방'에 계십니다. 제가 어떻게 도와드릴 수 있을지 말씀해주십시오."

카르데니아는 자신이 왜 여기 있는지 알고 있었지만 망설였다. "황제 외 다른 사람도 여기 들어올 수 있나?"

"아니요." 지위는 말했다.

"내가 누구를 초대한다면?"

"집중광과 음파 때문에 현 황제 아닌 다른 사람이 문을 넘어 들어오기는 힘들 것입니다."

"그 법칙을 내 명령이 뒤집을 수 없을까?"

"아니요."

"나는 황제다." 내가 지금 기계와 논쟁하고 있나? 카르데니아는 생각했지만, 입 밖에 내지 않았다.

"이 명령은 선지자가 만드셨습니다." 지위는 말했다. "그분의 명령은 거스를 수 없습니다."

이 말에 카르데니아는 물러섰다. "이 방은 초대 황제 재위 시절에 만들어졌지."

"그렇습니다."

"당시 시안은 존재하지 않았어."

"이 방은 시안 건설 후 궁성의 다른 요소들과 함께 허브폴에서 옮겨졌습니다. 나머지 궁성 건물이 그 주위에 지어졌습니다."

황성 주변에 시안의 우주 정거장이 건설되는 광경이 카르데니아의 머릿속에 떠올랐다. 너무 어처구니없어서 우스꽝스러울 정도였다. "그럼 네 나이는 천 살이군." 그녀는 지위에게 말했다.

"제가 저장하고 있는 정보는 상호의존성단 창시로 거슬러 올라갑니다." 지위가 말했다. "정보를 물리적으로 저장한 기계와 이 방의 구조적 요소, 지금 보고 계시는 형상은 정기적으로 업데이트됩니다."

"이 방에는 황제 외에 누구도 들어올 수 없다고 하지 않았나."

"자동화된 유지보수입니다, 폐하." 지위가 말했다. 목소리에는 희미한 유머가 담긴 것 같았다. 처음에는 바보가 된 것 같은 기분이 들다가 이내 궁금해졌다.

"넌 살아 있나, 지위?" 카르데니아는 물었다.

"아니요." 지위가 말했다. "이 방에서 만나시는 것 중에 폐하 외에 살아 있는 것은 없습니다."

"그렇겠지." 카르데니아는 약간 실망스럽게 답했다.

"이 대화는 끝까지 온 것으로 보입니다." 지위가 말했다. "달리 도와드릴 것이 있을까요?"

"있어." 카르데니아는 말했다. "내 아버지와 이야기하고 싶어." 지위는 고개를 끄덕이고 사라졌다. 형상이 희미해지는 과정에서 다른 형상이 겹쳐지며 방 한가운데에 드러났다.

카르데니아의 아버지 바트린, 고 아타비오 6세였다. 그가 나타나서 딸을 바라보며 미소 짓더니 다가왔다.

'기억의 방'은 상호의존성단이 창시되고 얼마 지나지 않아 선지자-황제 라헬라 1세가 황위에 오른 뒤에 건설되었다. 모든 황제의 신체에 장착된 개인 센서 네트워크는 황제가 본 모든 장면, 듣고 말하는 모든 소리뿐만 아니라, 그가 감지하거나 발현한 기타 모든 감각, 행동, 감정, 생각, 욕망까지 기록한다.

'기억의 방' 안에는 상호의존성단 최초의 황제 선지자 라헬라 1세 본인부터 역대 황제의 모든 생각과 기억이 저장되어 있다. 카르데니아가 원한다면, 어떤 황제든 불러내서 황제 자신에 대해서, 재위 중 있었던 일에 대해서, 그 시대에 대해서 무엇이든 물을 수 있었다. 답변은 메모리에서, 생각과 기억에서, 수십 년 동안 이 방을 위해 빠뜨리지 않고 기록한 내면에 기반하여 해당 황제를 재구성한 컴퓨터 모델링을 통해 나온다.

이 정보의 종착지는 단 하나, 이 '기억의 방'이다. 관객은 단 한 명, 현 황제다.

카르데니아는 무의식적으로 네트워크 시드가 이식되어 몸속에서 자라고 있는 뒷목을 다시 만졌다. 언젠가 내가 황제로서 행한 모든 것들도 이 방에 저장되겠지, 그녀는 생각했다. 내 아이들과 그 아이들에게 보여주기 위해. 모든 황제는 내가 어떤 사람이었는지 역사책보다 더 잘 알게 되겠지.

그녀는 지금 바로 앞에 서 있는 아버지의 형상을 보고 몸을 떨었다.

형상은 감지했다. "날 만난 것이 반갑지 않으냐?" 그는 물었다.

"난 아버지를 겨우 몇 시간 전에 봤어요." 카르데니아는 의자에서 일어서며 아버지의 형상을 살펴보았다. 너무나 완벽해서 손을 대 만질 수도 있을 것 같았지만, 그녀는 그렇게 하지 않았다. "그

때 아버지는 죽어 있었어요."

"지금도 마찬가지야." 아타비오 6세는 말했다. "내 의식은 사라졌다. 나머지는 모두 저장돼 있어."

"그럼 지금 의식이 있는 상태는 아니죠?"

"아니야. 하지만 의식이 있는 존재처럼 네게 응답할 수 있다. 뭐든지 물어봐도 돼. 내가 말해주마."

"날 어떻게 생각하세요?" 카르데니아는 불쑥 물었다.

"난 언제나 널 훌륭한 젊은 숙녀라고 생각했다. 영리하고. 내 말에 귀를 기울이고. 네가 아주 좋은 황제가 될 거라고는 생각하지 않아."

"왜죠?"

"지금 상호의존성단에는 좋은 황제가 필요 없으니까. 성단에 좋은 황제가 필요했던 적은 없지만, 중요한 일이 없을 때는 좋은 황제도 견뎌낼 수 있어. 지금은 그런 시기가 아니다."

"오늘 난 집행위원회에 별로 좋은 황제가 아니었어요." 자신의 입에서 나오는 말이 너무나 방어적으로 들렸다.

"내가 죽은 직후였고, 집행위원회와 황제의 첫 회의였으니, 위원회는 분명 아주 삼가고 공손한 태도를 보였을 게다. 그리고 자기들이 네게서 원하는 걸 모조리 얻어내기 위해서, 네가 어느 정도 길이의 목줄을 가장 편안하게 생각하는지 확인했을 거야. 곧 그 목줄을 잡아당길 게다."

"아버지와 이렇게 솔직하게 이야기하는 게 좋은지 모르겠어요." 카르데니아는 잠시 사이를 둔 뒤 말했다.

"원한다면 내 생전에 하던 대로 대화체를 조정할 수 있다."

"생전에는 제게 거짓말을 하셨다는 거군요."

"누구에게나 하던 정도였지."

"위안이 되네요."

"생전에 나는 여느 사람과 마찬가지로 자아를 지닌 인간이었어. 내 욕망과 의도를 가진. 여기서 나는 오로지 기억으로 널, 현 황제를 돕기 위해 존재한다. 아첨해야 할 자아도 없고, 명령을 받는다면 네 자아에게 아첨할 수는 있겠지. 하지만 권하고 싶지는 않아. 내가 덜 유용해진다."

"절 사랑하셨어요?"

"네게 사랑이라는 말이 뭘 뜻하는지에 따라 다르겠지."

"자아로 가득 찬, 회피하는 대답처럼 들리는데요."

"난 널 좋아했다. 계승자로 필요하게 되기 전에는 성가신 존재이기도 했어. 네가 계승자가 된 뒤에는, 네가 날 미워하지 않아서 안도했다. 그랬다 해도 네 탓은 아니었어."

"돌아가실 때, 절 더 사랑할 시간이 있었다면 좋았을 거라고 하셨어요."

아타비오 6세는 고개를 끄덕였다. "내가 했을 법한 말이구나. 그 순간에는 진심이었을 거다."

"기억을 못하시는군요."

"아직은. 내 마지막 순간은 아직 업로드가 되지 않았어."

카르데니아는 화제를 돌렸다. "권하신 대로 황명을 그레이랜드 2세로 정했어요."

"그래. 그 정보는 우리 데이터베이스에 있어. 잘했다."

"그녀에 대해 찾아봤어요."

"그래, 네게 그러라고 할 생각이었다."

"돌아가시기 전에 그렇게 말씀하셨어요. 왜 그 이름을 권하신 거예요?"

"그 이름이 앞으로 네게 일어날 일을, 그 일이 네게 요구할 역할을 진지하게 받아들이도록 자극하지 않을까 해서다." 아타비오 6세는 말했다. "엔드의 클레어몬트 백작에 대해 알고 있니?"

"알아요." 카르데니아는 말했다. "아버지의 옛 연인이죠."

아타비오 6세는 미소 지었다. "아니, 그렇지 않아. 친구다. 아주 좋은 친구이고 과학자지. 아무도 모르는, 아무도 알려고 하지 않는 정보를 내게 가져온 친구. 궁정의, 정부의, 심지어 상호의존 성단 내 과학자 집단의 어리석음과 멀리 떨어진 곳에서 자기 일과 연구를 계속해야 했던 친구. 그는 30년 이상 데이터를 수집해왔어. 앞으로 일어날 일에 대해 어느 누구보다 많은 것을 알고 있다. 네가 대비해야 할 일. 지금은 네가 전혀 대비되어 있지 않은 일. 네가 앞으로 과연 헤쳐나갈 만한 힘이 있을까 걱정스러운 일."

카르데니아는 아타비오 6세의 형상을 응시했다. 형상은 얼굴에 유쾌한, 방심한 미소를 작게 띤 채 거기 서 있었다.

"그래서?" 카르데니아는 마침내 물었다. "그 일이 뭐죠?"

4장

"이중에 상호의존성단이 무엇인지 아는 사람?" 마르스 클레어
몬트는 천문관 연단에서 물었다.

천문관 청중들 중에 여덟 살 학생 몇몇이 손을 들었다. 마르스
는 그중 가장 대답하고 싶어 어쩔 줄 몰라 보이는 학생을 찾아 좌
중을 둘러보았다. 그는 두 번째 줄에 앉은 손을 가리켰다. "좋아?
거기?"

"화장실에 가고 싶어요." 아이가 말했다. 아이 뒤에 앉아 있던
성인 보호자가 눈을 굴리며 일어서서 아이의 손을 잡고 화장실을
향해 걷기 시작했다. 마르스는 다른 아이를 지목했다.

"우리가 살고 있는 국가 시스템입니다." 여자아이가 말했다.

"맞아." 마르스는 말했다. 그는 태블릿의 버튼을 눌러 조명을
어둡게 하고 프리젠테이션을 시작했다. "우리가 살고 있는 국가

시스템이지. 그런데 이 말이 정확히 무엇을 의미할까?"

미처 말을 계속하기 전, 요격기 두 대가 지나가는 소리가 천문관이 소속된 대학 과학센터에 메아리쳤다. 청중은 약간 동요했다. 아이들은 소음에 깜짝 놀랐고, 보호자들은 아무 일 없다고 아이들을 달랬다.

마르스는 아무 일 없을 거라는 데 회의적이었다. 과학센터가 소속된 오폴 대학은 수도와 전투 현장에서 멀리 떨어져 있었다. 그러나 지난 주 대공과 왕당파 군대에 결정적으로 패색이 짙어졌고, 이제 멀리 떨어진 지역에서도 반란군이 들고 일어났다. 혁명과 함께 폭력이 횡행했다.

오늘 버스가 아이들을 가득 싣고 과학센터에 나타났을 때 마르스는 놀랐다. 모든 학교는 대학처럼 휴교 중일 거라고 생각했기 때문이었다. 그때 아이들을 데려온 성인들의 표정이 눈에 띄었다. 그들은 아이들에게 할 수 있는 한, 최대한 오랫동안, 평범한 경험을 시켜주려고 이를 악물고 있었다.

마르스는 네트워크에 이미 등록되어 있지 않은 자료를 가지러 학교에 왔지만 마침 오늘 아침 출근한 유일한 비 관리직 직원으로서 그들을 실망시키고 싶지 않았다. 그는 방문객들을 모두 천문관으로 인솔해서 학내 가이드의 일반적인 상호의존성단에 대한 정식 소개 문구를 애써 기억해냈다.

"괜찮습니다." 그는 아이들에게 말했다. "비행기는 그냥 지나간 거예요. 비행 루트에 학교가 마침 있었던 겁니다. 그게 다예요. 대학은 안전합니다." 이것도 아마 사실이 아닐 것이다. 오폴 대학에는 약에 취해 동조할 사회운동을 찾아 헤매는 학생들부터, 무슨 문제건 반사적으로 대공에 대해 반체제적 입장을 취하며 종신 재직권을 누리는 교수들에 이르기까지 반란군 동조자들이 상당수 있었다. 학생이건 교수건 그들 대부분은 아마 지금 이 순간 지하 방공호에 있을 것이다. 개인적으로 단호하게 비정치적인 입장을 견지하는 마르스는, 비록 그런 입장 덕분에 유리한 점도 많았지만, 그들을 탓하지 않았다.

어쨌거나 대학이 반란군이나 대공의 군대에 점령될 수도 있다고 여덟 살 난 아이들을 겁에 질리게 할 필요는 없었다. 지금 마르스가 해야 할 일은 아이들이 주의를 다른 데로 돌리는 것이었다. 오늘이 아이들이 한동안 마지막으로 갖게 될, 비교적 평범한 날일 수도 있다. 최대한 이 날을 누리는 게 좋다.

마르스는 태블릿에 다시 손을 갖다 댔고, 평화롭게 딸랑거리는 음악과 함께 프로젝터에서 별자리가 뿜어 나와 천문관 강연석 위 빈 공간에 나타났다. 겨우 5초 전만 해도 불안해하던 여덟 살 난 아이들은 이 광경에 환호성을 올렸다. 어른들도 마찬가지였다.

"지금 보고 있는 것은 상호의존성단이 차지하고 있는 공간에 존재하는 모든 별입니다." 마르스가 말했다. "허브에서 엔드까지, 우리가 살고 있는 주변의 모든 별들이 여기 다 있습니다. 우리가 어느 별인지 맞혀볼 사람?"

아이들은 손가락으로 제각기 서로 다른 빛을 가리켰다. 마르스는 태블릿에서 별 중 하나를 건드렸다. 영사된 이미지가 그중 한 별을 집중해서 확대하기 시작했고, 다섯 개 행성이 소속된 태양계가 모습을 드러냈다. 두 개는 지구형, 세 개는 거대 가스 행성이었다. "이 별이 우리입니다. 우리 태양에서 두 번째로 가까운 행성이지요. 이건 엔드, 상호의존성단 그 어느 곳보다 멀리 떨어진 곳에 위치해 있기 때문에 엔드라고 불립니다."

마르스는 다시 전체 별자리 이미지로 돌아갔다. "자, 이 모든 별은 상호의존성단이 통치영역으로 주장하는 공간 안에 있지만, 그 모든 별에 인간이 살 수 있는 시스템이 있지는 않습니다. 사실 이 5천 개 이상의 별 중에서 인간이 살고 있는 별은 겨우 마흔일곱 개뿐입니다." 그는 아이들이 볼 수 있도록 상호의존성단의 행성 지도에 좀 더 밝은 조명을 비추었다. 시스템들은 이 우주에서 서로 특별히 가까운 거리에 위치하지 않았다. 모래사장 안의 다이아몬드처럼 임의적으로 흩어져 있었다.

"시스템들은 왜 이렇게 멀리 떨어져 있어요?" 이제 곧 이어갈 내용에 맞춰 한 아이가 물었다.

"좋은 질문이에요!" 마르스는 말했다. "모든 인류의 시스템이 옹기종기 모여 있어야 여행하기 쉽겠지만, 시스템은 공간이 아닌 플로우로 서로 연결되어 있습니다."

인류가 거주하는 시스템들에서 여러 개의 선이 뻗어 나와 다른 시스템과 서로 연결되었다. 아이들에게서 알겠다는 듯한 두런거림이 다시 일었다.

"플로우는 공간을 가로지르는 아주 짧은 지름길 같은 겁니다." 마르스는 말했다. "일반적으로, 인간이 한 태양계에서 다른 태양계로 이동하려면 몇 년, 심지어 몇 세기가 걸립니다. 서로 가장 가까운 시스템도 몇 광년 떨어져 있고, 일반적인 드라이브로 여행하면 이 비교적 짧은 거리를 이동하는 데도 20년, 혹은 30년이 걸리지요. 인류의 가장 진보한 우주선 테너조차 이 여행을 할 수가 없습니다. 하지만 플로우를 이용하면 몇 주, 길어야 몇 달 안에 시스템 사이를 오갈 수 있어요. 그런데 여기서 중요한 점, 따라서 우리는 플로우 가까이에 있는 시스템에만 갈 수 있습니다."

그는 행성 열 개가 딸린 다른 시스템에 초점을 맞추고 확대했다. "이 행성이 뭔지 아는 사람?" 대답이 없었다. "이건 허브라고 합니다. 상호의존성단의 수도이지요. 왜 그런지 맞혀볼 사람?"

"황제가 사는 곳이니까?"

"음, 맞아요. 하지만 황제가 거기 사는 이유가 있는데, 바로 이겁니다." 마르스는 태블릿을 두드렸다. 허브 행성은 세계 위 공간에서 소용돌이치는 무수한 선으로 둘러 싸여 있었다. "허브는 상호의존성단의 모든 플로우가 합쳐지는 지점입니다. 상호의존성단의 거의 모든 시스템에 곧장 갈 수 있는 유일한 지점이지요. 그래서 허브는 무역과 여행에서 가장 중요한 설비입니다. 허브를 통해 여행할 수 없다면, 상호의존성단의 어떤 시스템 사이를 오가는 데 몇 년이나 걸릴 수도 있어요. 그 때문에 이 행성이 '허브'라고 불리는 겁니다. 말하자면 우리 우주의 중심이라고 할 수 있겠지요."

"행성 사이에 플로우를 만들 수는 없나요?" 한 어른이 질문을 던졌다. 강연에 너무 몰입해서 어린이들을 위한 질문 시간이라는 걸 잊어버린 것 같았다.

"그러고 싶지만, 그럴 수가 없습니다." 마르스는 어쨌든 대답했다. "플로우는 인간이 통제할 수 있는 존재가 아니고, 솔직히 말하자면, 아직 완전히 이해하지도 못한 상태입니다. 플로우는 우주의 자연현상 같은 겁니다. 우리는 플로우에 접근할 수 있지만, 플로우를 타고 흘러가는 것 외에 달리 아무것도 할 수가 없습니다. 사실 이것이야말로 상호의존성단의 대단히 특이한 점이라고 할 수 있지요."

마르스는 다시 원거리로 빠져나와 행성 지도를 지우고 상호의존성단 47개 시스템을 표시한 격자형 지도를 불러냈다. 적색왜성부터 태양 같은 황색 항성에 이르는 온갖 별에 하나부터 10여 개에 달하는 행성들이 속해 있었다. 크기는 정확하지 않았고, 행성들은 시스템 안의 궤도를 따라 우스꽝스러울 정도로 빨리 돌았다. 아이들 몇몇이 웃었다.

"인간은 이 모든 항성 시스템에 살고 있지만, 이 시스템 안의 대부분 행성들이 인류가 살기 적합하지 않은 종류입니다." 마르스는 다시 허브를 확대했다. "예를 들어 허브에는 공기가 없고 앞뒤가 바뀌지 않습니다. 이 말은 행성의 한 면이 언제나 태양을 향하고 있어서 어마어마하게 뜨겁고, 반면 다른 면은 항상 반대쪽을 향하고 있어서 얼어붙어 있다는 뜻이지요. 허브의 인간은 살아남기 위해 지하에서 살아야 합니다."

그는 다시 전체 별자리로 돌아가서 다른 시스템을 확대했다. "이건 모로브 시스템인데, 이 시스템에는 거대 가스 행성밖에 없습니다. 착륙할 땅조차 없는 거대 행성들이지요. 인간은 이런 별에서 살 수 없습니다. 행성에는 달도 있지만, 대부분 인간이 살기에 적합하지 않아요. 그래서 인간은 라그랑지 포인트라고 불리는 지점에 위치한 우주 정거장에서 살거나, 환경을 안정시킨 다른 곳에서 삽니다. 즉 현재 대부분의 인간은 이렇게 살고 있죠. 암반으로 형성된 행성의 지하, 혹은 대형 우주 정거장. 상호의존성단에서 인간이 행성 표면에 살고 있는 곳은 단 한 군데뿐입니다."

마르스는 전체 별자리로 돌아가서 다시 엔드에 초점을 맞추고 확대했다. 흰 구름이 뒤덮인 청록색 구슬 같은 행성이 화면에 나타났다. "바로 우리입니다. 엔드지요."

"지구는요?" 아이들 중 하나가 물었다. 언제나 누군가 이 질문을 한다.

"좋은 질문이에요!" 마르스는 말했다. "지구는 인류가 원래 유래한 행성이고, 엔드처럼 행성 표면에서 인간이 걸어다닐 수 있었습니다. 그러나 지구는 상호의존성단 안에 소속되어 있지 않아요. 천 년 전 지구와 성단을 잇는 유일한 플로우가 사라지면서 교류가 끊겼습니다."

"어떻게 그런 일이 생겼나요?" 다시 어른이었다. 다른 어른들이 즉각 쉿 소리를 내서 질문을 막았다. 마르스는 미소 지었다.

"복잡합니다." 그는 말했다. "기술적인 개념을 피하고 최대한 알기 쉽게 설명하자면, 항성 시스템을 포함해서 우주의 모든 것은 끊임없이 움직이는데 때로 그 움직임이 플로우에 영향을 준다고 할 수 있겠습니다. 기본적으로 지구가 움직였고, 우리도 움직였고, 플로우가 비켜가버렸다고 할 수 있겠지요."

"다시 그런 일이 일어날 수 있나요?"

"무슨 소리!" 질문을 던진 사람에게 누군가 경고하듯 말했다.

"아니, 그냥 궁금하다고요." 질문을 던진 사람이 말했다.

"괜찮습니다." 마르스는 한 손을 들어 보였다. "사실 같은 일이 다시 일어났습니다. 700년 전, 우리는 달라시슬라라는 시스템과 교류가 끊겼습니다. 각지의 플로우 시스템 지도가 지금처럼 상세하게 만들어져 있지 않던 시절입니다. 달라시슬라에 처음 인류가 정착했을 때 이미 플로우 흐름은 무너지고 있었던 것으로 생각되며, 완전히 닫히기까지 200년이 걸렸습니다. 이후 상호의존성단의 나머지 플로우 흐름은 지난 수백 년 동안 견고했고 거의 변하지 않았습니다."

이 말에 질문자는 만족한 것 같았다. 마르스는 자신이 진짜 질문에 대답하지 않았다는 사실을 그가 눈치채지 못해서 기뻤다.

천문관의 순간적인 정적을 깨고 멀리서 낮게 쿵 하는 굉음이 울렸다. 청중 중의 어른 한 사람이 헉 하고 숨을 들이쉬다 멈췄다.

"오늘 강연 시간은 다 된 것 같군요." 마르스는 말했다. "모두 와주셔서 감사드리고, 다시 방문하시길 바랍니다. 우리는 언제든지 여러분을 환영합니다." 불과 몇 킬로미터 떨어진 곳에서 누군가 다른 누군가에게 폭탄을 쏘지 않는 시절에 다시. 그는 천문관 불을 켜고 아이들에게 작별 인사로 손을 흔들었고, 어른들이 아이들을 줄지어 데리고 나갔다. 어른 한 명이 돌아보더니 입 모양으로 '고맙다'고 인사했다. 마르스는 미소 짓고 다시 손을 흔들었다.

"전쟁이 한창인데 견학이라니." 누군가 새로 온 사람이 천문관 뒤쪽에서 말했다. "귀족적인 정신이야. 멍청하지만, 고귀해."

마르스는 올려다보았다. 누군지 확인하고 그는 다시 미소 지었다. "뭐, 공식적으로 우린 귀족이잖아, 안 그래, 누이?"

경찰 정복 차림의 브레나 클레어몬트가 마주 미소 짓더니 동생을 향해 걸어오기 시작했다. "엔드에서 귀족이라는 건 쓰레기 무더기에서 가장 부자라는 말과 똑같아. 별 의미가 없다는 뜻이지. 특히 대공이 망하고 반란군이 그의 재산을 해방시키려고 혈안이 돼 있는 지금 같은 때는. 다른 귀족들의 재산도 비슷하게 해방될 거라고 해도 그리 터무니없는 예상은 아닐걸."

"내 재산은 대학원생 기숙사에 있는 책 무더기뿐이야." 마르스는 말했다. "실망할걸."

"넌 이제 교수야. 대학원생 기숙사는 비워줘야지."

"난 기숙사 지도교수야. 렌트비를 절약해야지."

"백작의 아들이 렌트 걱정을 해?" 브레나가 말했다.

"우린 그렇게 대단한 귀족이 아니야, 그건 맞아."

멀리 어딘가에서 다시 쿵 소리가 들렸다. 아까처럼 먼 것 같지는 않았다.

"지금 겁먹지 않으려고 아주 노력하고 있어." 마르스는 말했다.

"나도 그 생각을 했어." 브레나가 말했다. "아니, 사실 말하지 않으려고 했는데. 어쨌든 눈에 띄더군."

"모든 사람이 혈관 안에 얼음이 흐르는 건 아니잖아."

"내 혈관에는 얼음이 없어. 그저 저 폭발이 얼마나 멀리 떨어져 있는지 아니까, 지금은 그 걱정을 하지 않는 거지."

"얼마나 먼 곳인데?"

"5킬로미터 정도. 부두에서 대공의 병력이 반란군 한 분대를 산산조각 난 화물 컨테이너 밑에 파묻으려는 중이야. 하지만 뜻대로 되지 않을걸. 대부분의 반란군은 전략적 요충지를 점거하기 위해 이동해서 이미 거기서 멀리 떨어져 있어. 너와 나는 어쨌거나 반대 방향으로 갈 거야."

"우리가?"

"그래. 아버지가 널 데려오라고 날 보냈어."

"왜?"

"첫째, 전쟁이 한창이니까. 그리고 난 이 폭격이 가까이 다가오지 않을 거라고 생각하지만, 오늘 해 떨어질 때까지 네 대학원 기숙사를 포함해서 대학이 화염에 휩싸이지 않을 거라는 보장이 없으니까."

"그렇게 심각하군." 마르스가 말했다.

"그래. 넌 기억하지 못할지도 모르지만, 우리 집은 황제 해병대가 보초를 서고 있어. 반란군이 1킬로미터 이내까지 다가오면 그 순간 우주에서 흔적도 없이 사라질 거야. 그러니 지금 이 행성 표면에서 가장 안전한 곳이지."

"아버지가 그걸 대공에게 말했나?"

"흠, 그 이야기를 하는 건 아마 빠뜨리지 않았을까?"

마르스는 이 대답에 다시 미소 지었다.

"둘째, 아버지가 네게 보여줄 게 있대."

"뭐?"

"데이터."

"좀 덜 모호하게 말해주면 좋겠는데, 브렌."

"네가 알 거라고, 남들이 듣는 곳에서는 말할 수 없는 거라고 하셨어."

"아." 마르스는 말했다.

"그래."

다시 쿵.

"이번은 더 가까운 거 같은데." 마르스가 말했다.

"그렇지 않아. 하지만 우린 출발해야 해. 시간을 더 끌었다가는 누가 우리 비행선을 저격하겠다는 생각을 품을지도 모르잖아."

◇◇

사실 비행 도중 누군가 여러 번 비행선을 저격했다.

"더 빨리 가." 마르스는 누이에게 재촉했다.

"도시 지붕 위를 스치듯이 낮게 날면서 굴뚝에 부딪히지 않도록 잘 조종할 자신 있으면 그때 입 열어." 그녀는 대꾸했다.

누이를 더 이상 귀찮게 하는 대신, 마르스는 오폴 시의 거리 위를 빠르게 스쳐가는 비행선 밖을 내다보았다. 어딘가로 피난하려는지 자기 차로 물건을 실어 나르는 사람들이 언뜻 보일 뿐, 대부분의 주거지역은 멀쩡했다. 그러나 주도로에는 자동차가 가득 차 있었고, 몇몇 길은 정체로 움직이지 않았다.

쉽게 일어나지 않는 일이었다. 마르스는 몇몇 운전자가 겁에 질렸거나 정부가 자기 자동차를 못 움직이게 하는 무슨 수를 쓸 거라고 생각한 나머지 자동항법 모드를 끄고 그들이 직접 조종간을 잡은 게 아닌가 생각했다. 그 결과 미숙한 수동 운전자들 몇몇이 도로 흐름을 망쳐놓는 바람에 모두가 오도 가도 못하는 신세가 된 것이다.

그리고 이따금 도시의 전략적 거점을 점거 혹은 해방시키기 위해 도로를 줄지어 걷는 군인들과 사이사이로 철갑 차량이 보였다.

"좋게 끝나지 않을 거야." 마르스는 누이에게 말했다.

"언제 그런 적 있었나?" 그녀는 오폴 시를 가로질러 넓게 흐르는 워타 강 쪽으로 선회하며 물었다. 그녀는 더 이상 상대가 저격하지 못하도록 양쪽 강 기슭과 충분히 거리를 두기 위해 강 한복판 쪽으로 기수를 돌렸다. 마르스는 엄밀하게 말해서 브레나가 지금 불법 비행을 하고 있지 않나 생각했다―개인 비행선은 자동항법장치를 사용하고 다른 비행기와 문제가 생기지 않도록 도시 안의 특정 항로를 따라가야 한다. 워타 강 한복판은 그런 항로가 아니었다. 물론 오늘 시내 경찰들은 다른 걱정거리가 많을 것이다.

어느새 오폴은 등 뒤에 있었고, 땅은 굽이치는 구릉으로 이어졌다. 워타 강은 봉우리 사이를 구불구불 흘렀고, 교외와 시골 마을이 경사면에 옹기종기 자리 잡고 있었다. 워터 강은 작은 지류로 나뉘어 다른 산지로 이어졌다. 브레나는 강을 따라갔고, 몇 분 안에 저택에 도착했다.

"집." 기술적으로는 클레어몬트 궁이었다. 아버지가 거의 40년 전 백작 작위를 얻은 지역의 이름을 따라 저택의 이름을 지었고, 가족의 성도 마찬가지였다. 이전에도 백작이 있었지만, 마르스는 당시 태어나지도 않았기 때문에 만나본 적도 없었다. 그는 황제의 궁에서 직책을 맡으면서 작위를 반납하는 데 동의했다. 마르스가 들은 이야기대로라면 그다지 열심히 설득할 것까지도 없었다. 유배용 행성에서 귀족으로 사느니 황제 궁의 명목상 직책이 낫다. 전 백작이 너무 빨리 떠난 나머지 집에는 가구가 대부분 남아 있었고, 애완동물 두 마리도 있었다. 고양이들은 먹을 것만 잘 주니 새 입주인들과 완벽하게 잘 지냈다. 아버지가 말해주었다.

"자." 브레나는 격납고 근처 착륙장에서 내렸다. "아버지를 기다리게 하지 말자."

아버지 제이미스 클레어몬트 백작은 사무실에서 벽면 모니터를 통해 혁명을 구경하고 있었다. 그는 두 사람이 들어서는 것을 보고 모니터를 가리켰다. "이 헛짓거리를 좀 봐." 그는 말했다.

"혁명의 시대에 오신 것을 환영합니다." 브레나가 말했다.

제이미스는 코웃음을 쳤다. "이건 혁명이 아니야. 아마 수입 관세 할인을 원하는 상인 길드가 '혁명군'의 뒷돈을 대고 있을 게다. 아니면 그 비슷한 일이겠지. 대공은 허락하지 않았거나, 그 비슷하게 응대했을 거고. 그래서 '혁명군'은 대공을 끌어내리고 관세를 줄여줄 정체 모호한 다른 귀족을 그 자리에 세울 거다. 황제는 재가할 거야. 엔드에 무슨 일이 생기건 아무도 상관하지 않으니까. 어차피 20년 뒤에 다시 똑같이 벌어질 일이라고 생각하니까."

"안 그런가요?"

"이번에는 아니야." 제이미스는 책상으로 가서 태블릿을 꺼내 마르스에게 건넸다. "마침내 얻었다. 결정적인 증거. 예측 모델을 완성하기 위해 필요했던 마지막 한 조각 데이터."

마르스는 태블릿을 받아 들고 연구 결과를 훑어보기 시작했다. "이건 언제 일어났습니까?"

"6주 전. '텔 미'호라는 배가 플로우 이상현상을 경험하고, 일시적 플로우 장애를 기록했는데 내 모델에 부합해. 관찰했고, 기록했고, 입증됐고, 추적했어. 모든 것이 들어맞아. 이 장애의 모든 것이 정확히 우리가 찾고 있던 거야. 우리가 플로우에 대해 의심했던 모든 것을 입증하고 있어."

마르스는 읽고 소화하려면 몇 시간은 걸릴 기록을 훑어보는 것을 중단하고 아버지를 바라보았다. "확신하시는군요."

"확신하지 않는데 너한테 말할 거라고 생각하냐?" 제이미스는 말했다. "이 가설에 대해 내가 그토록 조심스러웠다는 것 모르니? 이 가설이 틀렸다는 것을 입증하기 위해 할 수 있는 모든 걸 다 하지 않았을 것 같니? 이 가설이 정확하다는 것을 내가 입증하고 싶어했다고 생각하니?"

마르스는 고개를 저었다. "아니요, 아버지."

"오해하지 마라, 마르스. 네가 읽어봐줬으면 좋겠다. 내가 빠뜨린 게 있으면 네가 말해주어야 해. 내가 간과한 게 있다면 뭐든지. 분명 내 안의 과학자는 플로우의 물리법칙을 이해하는 이 거대한 도약을 마침내 해낼 수 있어서 흥분하고 있지만."

"…한 인간으로서는 차라리 틀리기를 바라신다." 마르스가 아버지의 말을 대신 맺었다.

"맞아." 제이미스가 말했다. "그래, 나는 그러길 원한다."

마르스가 기억할 수 있는 아주 오래전부터 아버지는 이것을 '가문의 비밀'이라고 불렀다. 지난 40년간 엔드에 도착했던 모든 우주선의 항행 일지 관찰. 공식적으로 제국에서의 제이미스, 클레어몬트 백작의 역할은 엔드 주재 제국 수석 감사관이었다. 그는 모든 우주선이 제국에서 수년 전, 혹은 수십 년 전 미리 허가한 공식 항행로에서 벗어나지 못하도록—무역 관세와 기타 부과되는 세금을 피하려는 목적으로—데이터를 검토했다. 백작은 시스템마다 하나씩 주재하면서 돈이 머무를 곳에 제대로 머무르는지 감시하는 제국의 수석 감사관 수십 명 중 하나였다. 무엇보다 우선 황제의 금고, 두 번째는 길드의 금고, 다음으로 그 아래 모든 사람들이었다.

사실상 클레어몬트 백작은 이런 헛짓거리에 티끌만큼의 관심도 없었다. 그는 제국 수석 감사관 역할을 잘 수행했지만, 그냥 무시해 넘기기에 너무 지나친 부정 이득은 처벌받는다는 경고와 함께 대체로 아랫사람들에게 일을 떠넘겼다. 그러나 그가 엔드에 온 것은, 혹은 그의 친구 아타비오 6세가 그를 엔드에 보낸 것은 그 때문이 아니었다. 우주선의 항로에 불일치가 없는지 데이터를 검토하는 것이 그의 목적이었지만, 무역에 관한 것은 아니었다. 그는 허브폴 대학 학부생 시절 주창한, 상호의존성단을 규정하는 플로우 흐름은 '파장의 공명을 통한 견고함'에 도움받는 것이 아니라는 자신의 가설을 입증하는 데이터를 찾고 있었다—'파장의 공명을 통한 견고함'이란 상호의존성단 내 플로우 흐름의 유별난 밀도와 상호작용이 플로우 내에 안정적인 파형을 만들어내서 흐름이 수천 년 동안 변함없이 열려 있도록 도움을 준다는 이론이었다.

제이미스는 이론 뒤의 수학을 검토해서 다른 사람들이 의심한 바 없고 의심한다 해도 믿고 싶어하지 않는 가설을 내세웠다. '파장의 공명을 통한 견고함'이란 데이터를 적당히 갖다 맞춘 헛소리이며, 지구와 달라시슬라로 이어지는 플로우 흐름의 폐쇄야말로 현대 플로우 흐름 이론이 주장하는 대로 예외적 현상이 아니라 전조라는 것이었다. 그는 이 주장을 친구 바트린, 갓 황위에 오른 아타비오 6세에게 말하고 데이터를 보여주며 이번 세기 안에 다른 플로우의 폐쇄가 발생할 수 있다고 경고했다.

바트린은 데이터가 타당할 수 있다는 가능성을 보았다. 무역과 상호의존성단의 안정에 위협이 될 수 있다는 점, 교회는 이 주장을 신성모독으로 받아들일 거라는 점도 꿰뚫어보았다. 그래서 그는 친구 제이미스에게 두 가지 조처를 취했다. 우선 백작으로 봉해 입을 다물게 했다. 그런 다음 전체 상호의존성단에서 가장 외딴 엔드로 보내서 자기 가설의 정당성을 입증하거나 오류를 증명하기 위해 필요한 데이터를 구할 수 있는 일자리를 주고, 이 연구에 대해 그 외의 어느 누구에게도 말하지 말라는 명령을 내렸다.

제이미스는 이 명령을 따랐다. 대체로. 첫째로 그는 아내 귀스에게 말했고, 쌍둥이 남매 마르스와 브레나가 충분히 크자마자 아이들에게도 말했다. 그는 황제가 신경 쓰지 않으리라 보았다. 귀스는 젊은 나이에 비극적으로 세상을 떠나면서 비밀도 무덤으로 가지고 갔다. 브레나는 원래 비밀을 잘 지키는 성격이라 문제가 없었다. 마르스는 플로우 연구에 대한 관심과 적성을 보여주어서 제이미스가 자신의 연구를 확인하는 역할을 맡겼기 때문에 역시 비밀을 지킬 수밖에 없었다.

이제 그 오랜 침묵 속의 연구가, 끈질긴 데이터 수집과 해석이 드디어 결실을 맺은 것이다. 클레어몬트 백작은 인류 역사상 플로우 발견 자체를 제외하고 가장 중요한 발견을 입증해냈다. 이 연구를 다른 과학자들에게 알릴 수만 있다면, 아마도 줄 수 있는 모든 상을 삽으로 퍼줄 것이다.

물론 그러려면 그때까지 상호의존성단이 존재해야 한다.

"그럼 사실이군요." 브레나가 아버지와 동생에게 말했다. "플로우가 무너지고 있는 게."

"플로우는 플로우일 뿐이야." 제이미스가 말했다. "플로우에는 아무 변화도 없다. 반면 플로우에 대한 인류의 접근성은 확실히 멀어지고 있어. 상호의존성단의 개발을 가능하게 했던 플로우 흐름의 독특한 안정성이 종말을 맞고 있는 거야. 하나둘, 플로우는 닫힐 거다. 하나둘, 상호의존성단 시스템은 고립될 거야. 아주 오랫동안, 어쩌면 영원히."

"시간은 얼마나 남았죠?" 브레나가 물었다.

"10년." 마르스가 말했다. "기껏해야." 그는 아버지를 돌아보았다. "아버지의 모델이 완벽하게 정확하다면, 그보다 빨리. 모든 플로우 흐름이 사라질 때까지 아마 7, 8년 정도가 더 정확할 거야. 대부분이 그 이전에 없어질 거고."

제이미스는 아들을 돌아보았다. "그래서 네가 가야 한다."

"잠깐, 뭐라고요?" 마르스는 말했다.

"네가 가야 한다." 제이미스는 되풀이했다.

"어디로요?"

"허브지, 당연히. 네가 데이터를 황제에게 전해야 해."

"아버지가 정기적으로 황제에게 보고를 하고 계시는 줄 알았는데요." 브레나가 아버지에게 말했다.

"물론이지. 암호화해서 매달 출항하는 우주선을 통해 보냈다."

"그럼 이 데이터도 그렇게 보내시지요." 마르스가 말했다.

제이미스는 고개를 저었다. "이해를 못하는구나. 내가 데이터를 연구하고 모델을 다듬는 동안 황제에게 꾸준히 보고하는 것과, 모델이 입증되었고, 그것이 사실이고, 상호의존성단의 존속에 위협이라는 사실이 밝혀지는 건 완전히 별개의 문제야. 황제에게 이 점을 차근차근 설명할 수 있는 사람이 필요하다. 다른 모든 사람에게도 설명해야 할 거고. 과학자부터 정치가에 이르기까지 각자의 목적으로 이론에 흠을 내려는 사람들과 논쟁도 해야 할 거다. 누군가 가야 해."

"동의합니다." 마르스가 말했다. "아버지가 가셔야지요."

제이미스는 뭐라 말하려고 입을 벌렸지만, 비서 덩 사보스가 방 안으로 고개를 들이밀었다. "폐하, 그레니 노하마페탄 경이 방문했습니다. 대공의 명을 받았다고 하십니다."

"데려와." 제이미스는 말하고 아이들을 보았다.

"우리는 비켜드릴까요?" 브레나가 물었다.

"아니, 있는 게 좋겠다." 제이미스는 혁명 소식을 쏟아내는 모니터를 가리켰다. 모니터는 저절로 꺼졌다. 제이미스는 책상 앞에 앉아 아이들에게도 앉으라고 권했다. 그들은 앉았다.

검은 복장의 그레니 노하마페탄이 방에 들어섰고, 마르스는 이 귀족이 아버지에게 인사하기 위해 다가가는 모습을 바라보았다. 그레니와 클레어몬트 남매는 동갑이었지만, 남매는 그와 그리 자주 교류하지 않았다. 그레니는 자기 집안 업무 때문에 겨우 몇 년 전 엔드에 왔다. 대공의 저택에서 열린 의전에서 한두 번 만났고 공식적으로 한 번 소개받은 적은 있었다. 그레니는 상대를 알고 지내서 정치적인 이득이 있는지 얼른 두 사람을 가늠했고, '그렇지 않다'는 판단이 섰는지 그때부터 정중하게 무시했다. 마르스는 아직도 이때 일에 은근히 감정을 품고 있었다. 브레나는 이것을 재미있다고 생각했다.

"클레어몬트 백작." 제이미스가 말했다. "만나서 반갑습니다." 그는 마르스와 브레나에게 손짓했고, 두 사람은 일어섰다. "제 아이들은 기억하시겠지요."

"물론입니다, 마르스 경, 레이디 브레나." 그레니는 두 사람에게 차례로 목례를 했고, 두 사람도 마찬가지로 목례한 뒤 다시 자리에 앉았다. 형식적인 인사를 끝내자, 그레니는 다시 아버지에게 주의를 돌렸다. "클레어몬트 경, 대공은 민감한 문제로 저를 보내셨습니다. 단둘이서 이야기를 나눌 수 있을까요."

"자식들은 내게 최우선의 자문이며, 나는 그들에게 비밀이 없습니다. 자식들이 있는 자리라 해도 단둘만 이야기하는 것과 마찬가지로 비밀이 보장된다고 생각해도 좋습니다."

그레니는 잠시 사이를 두었다. 마르스는 그가 둘만 이야기하겠다고 다시 청할 거라고 생각했다. 그레니는 브레나를 돌아보았고,

그녀는 얼굴에 비딱한 미소를 지어 보였다. 마침내 그는 고개를 끄덕였다. "네, 좋습니다."

"무슨 용무로 오셨는지, 그레니 경?"

"분명 알고 계시겠지만, 대공은 반란군에게 심각한 위협을 받고 있습니다."

브레나는 코웃음을 쳤다. "대공좌를 잃어버릴 위험에 처해 있다는 뜻이겠지요, 경." 그녀가 말했다.

"대공은 따님보다 낙관적입니다." 그레니는 제이미스에게 말했다. "그럼에도 불구하고 위협은 실재하며 대공은 현재 전략적 이점을 강화할 방법을 도모하는 중입니다."

"예를 들어?"

"무기 말입니다, 경."

"내겐 이전 백작이 여기 남긴 골동품 볼트 스로어가 있소이다." 제이미스가 말했다. "브레나도 언제나 총기를 소지하는 것으로 알고 있고. 그 외에 우리에게는 무기가 없는 걸로 알고 있습니다만."

"대공은 백작에게 무기가 없다는 것을 알고 계십니다, 경. 하지만 돈을 갖고 계시지 않습니까."

"그렇지도 않소. 클레어몬트 백작이라는 작위에는 임대할 수 있는 부동산이 거의 딸려오지 않았고, 소규모 및 보다 대규모 독점 사업권도 전혀 받은 바 없습니다. 대체로 명목상 작위요. 난 수석 감사관으로 급여를 받고 있으며 궁에서 유지비가 내려오는 것이 전부입니다. 최근 부동산을 얼마간 팔았지만, 큰돈이 아닙니다."

그레니는 웃었다. "경의 돈을 말씀드리는 것이 아닙니다. 황제의 돈 말입니다. 대공이 필요로 하는 무기를 사기 위해 황제의 자금을 사용하고 싶습니다."

제이미스의 표정은 급격하게 어두워졌다. "자세히 설명해보십시오."

"대공은 모든 제국의 세금과 물자가 시안의 재무부로 발송되기 전에 수석 감사관으로서 당신의 사무실을 거쳐 간다는 것을 알고 계십니다."

"내 사무실은 세금을 발송하지 않습니다. 그건 제국은행 여기 엔드 지점장의 소관입니다."

"물론입니다. 한 지점장에게도 이미 말씀드렸지만, 그분은 기꺼이 이 일에 대공을 지원하겠다고 하셨습니다. 또한 한 지점장은 제국의 세금이나 물자가 시안으로 발송될 때 통상적인 운송 경로를 벗어나는 모든 경우에 대해서 경의 재가를 받아야 한다고 알려주셨습니다."

"그건 맞지만, 대단히 단순하게 요약한 말이오. 제국에서 허가한 프로젝트에 대해, 예를 들어 건설이나 기반산업 같은 일에 대해 세금이나 물자의 직접 사용을 허가할 권한이 내게 있습니다. 돈을 보냈다가 다시 받는 것보다 시간이 절약되니까요."

"네. 기록을 참조하시면, 2년 전 이 반란이 최초로 일어났을 때, 대공이 봉기를 진압할 무기 구매 자금을 요청했고, 제국 의회가 승인한 사실을 확인하실 수 있을 겁니다."

"그 무기 구매 자금이 승인되고 무기 구매와 발송도 끝났다는 것을 확인하기 위해 기록을 참조할 필요는 없소, 그레니 경."

"그러시다면 그 무기를 운송하던 우주선 '텔 미' 호가 플로우에서 빠져나오는 순간 해적의 습격을 받고 약탈당했다는 사실도 알고 계시겠지요. 선장과 승무원은 공격을 물리치기 위해 용감하게 싸웠지만, 결국 행정 장교와 선주 대리인을 비롯해 많은 승무원이 죽었고, 화물은 빼앗겼습니다. '텔 미' 호는 너덜너덜해져서 간신히 입항했지요."

"그 배에 대해서는 알고 있소." 제이미스는 말했다.

"문제는 그 무기가 지금 현재 해적의 손에 있다는 겁니다. 해적들은 무기를 반란군에게 팔 생각이었지만, 잘 설득하면 대공에게 팔 수도 있습니다."

"그건 대공 재무 관리인이 할 일이지요." 마르스가 지적했다.

"슬프게도, 마르스 경, 2년 동안 싸우다보니 대공의 재정은 고갈되었고 또한 세금과 물자를 징수하는 것도 더욱 어려워졌습니다. 대공은 도움이 필요합니다."

"대공은 도움을 얻었습니다." 브레나가 말했다. "의회가 무기 구매를 허가하지 않았습니까. 그러나 플로우 입구에서 행성에 이르는 우주 공간을 순찰하는 것은 대공의 책임입니다. 해적이 거기서 활동했다면, 그건 대공이 자기 책임을 다하지 못해서입니다."

그레니는 다시 백작에게 주의를 돌렸다. "대공은 이번 자금 사용 허가 요청이 상례가 아니라는 것을 잘 알고 계십니다. 대공의 논리는, 저도 타당하다고 생각합니다만, 그 무기를 대공에게 보내는 것이 의회의 의도였으니 무기를 재구매하는 추가 자금을 허가하는 것 또한 의회의 의도를 따르는 것이라는 점입니다."

"대공께선 그 논리가 타당하다고 생각하시는지 몰라도 내게는 그렇게 보이지 않는군." 제이미스가 말했다. "여기 제국 수비대에도 상황에 개입하지 말라는 지시가 내려온 것으로 알고 있소."

이 말에 그레니는 고개를 끄덕였다. "지금 현재 제국군의 보호를 받고 있는 유일한 귀족은 클레어몬트 경뿐이라는 것을 대공도 잘 알고 계십니다. 대공은 그 점을 흥미롭게 생각하십니다."

"흥미로울 건 전혀 없소, 그레니 경. 알고 계시듯이 상호의존성단의 모든 자금은 내 사무실을 거쳐 가지. 황제는 돈을 귀하게 여기시오. 예기치 못했던 상황에 돈이 다른 곳으로 빠져나가는 것을 황제가 달가워하지 않으시리라고 생각하는 것도 그 때문입니다. 나 역시 탐탁지 않게 여기시겠지요."

"대공은 그 점도 궁극적으로 대비하고 계십니다."

"마음이 넓으시군." 제이미스는 말했다. "그 일로 교도소에 가게 될 것은 그가 아니라는 점을 생각할 때 말이야."

"왜 이러십니까, 클레어몬트 경. 대공도 머리를 쓸 줄 아십니다. 우리는 허브와 시안에서 아홉 달 떨어져 있다는 것을 기억하십시오. 그 아홉 달 동안, 대공은 반란군을 진압하고 차용한 모든 자금에 이자를 붙여 상환할 수 있습니다. 게다가 한 은행장과 클레어몬트 경이 상호의존성단의 최선의 이익에 따라 행동했다고 황제께 증언도 하실 겁니다. 한편으로 충성에 대한 보상도 하겠다고 말씀하십니다."

제이미스는 이 말에 웃었다. "돈을 얻어내려는 상대에게 뇌물을 바치다니 얄궂은 상황 아닌가, 그레니 경."

"대공은 돈이 충성에 대한 유일한 대가는 아니라고 믿는 분이십니다."

"한 은행장은 이 논리를 납득했고."

"그렇습니다, 경."

"종합하자면." 제이미스는 말했다. "대공이 이미 구매했다가 본인의 부주의로 잃어버린 무기를 되살 수 있도록 내가 제국의 자금을 대공의 계좌에 불법 이체하기를 바란다, 당신이 이미 매수한 사람은 직접 이체할 수 없기 때문이다. 또한 제국에 대한 여러 건의 범죄를 저지르는 대가로, 향후 결정되는 대로 애매모호한 소위 보상을 해주겠지만, 그것은 실제 돈이 아니다. 맞습니까?"

"저라면 그런 식으로 표현하지 않겠습니다만." 그레니가 말했다. "대공도 마찬가지입니다."

"당연히 그런 식으로 표현하고 싶지 않으시겠지. 하지만 어쨌든 내게 바라는 것은 그것 아니오."

"그렇다면 대공을 돕지 못하겠다는 뜻이로군요." 그레니 노하마페탄이 말했다.

"그렇게 말하지 않았소." 제이미스는 말했다. 마르스는 아주 놀랐다. 누이를 흘끗 돌아보았지만, 표정을 읽을 수가 없었다. "대공을 도울 수도 있어. 하지만 당신이나 내가, 혹은 이 문제에 관한 한 대공도, 그 외 다른 어떠한 말로 포장하는 것은 원하지 않습니다."

제이미스는 만남이 끝났다는 뜻으로 일어섰다. 마르스와 브레나도 일어섰다. 노하마페탄은 알아듣고 절했다. "그럼 저는 대공에게 뭐라고 전해야 할까요?"

"일주일 안에 대답을 드리겠다고 하시오." 제이미스가 말했다.

"뜻은 알겠습니다만, 일주일은 매우 긴 시간입니다."

"일이 잘못될 경우 내가 감옥에서 보내야 할 50년에 비하면 아무것도 아니지요, 그레니 경." 제이미스는 말했다. "황제가 날 그냥 죽여버리지 않는다면 말이오."

"대공에게 닷새 안에 대답을 들을 수 있다고 전해도 될지요? 닷새라면 분명 대공도 받아들이실 겁니다."

제이미스는 잠시 생각하는 것 같았다. "좋습니다, 그레니 경. 닷새로 하지요."

"고맙습니다." 그는 절했다. "대공이 직접 만나뵙겠다고 하시면, 앞으로 며칠 동안 어디 계신다고 말씀드리는 게 좋을지요?"

"난 여기 있을 거요." 제이미스가 말했다. "늘 그렇듯이. 과거에도 마찬가지였고."

그레니는 절하고 돌아서서 나갔다. 마르스는 브레나가 따라가서 그의 등 뒤로 사무실 문을 닫을 때까지 기다렸다가 말했다.

"설마 정말 수락하시려는 건 아니겠지요." 그는 아버지에게 말했다.

"안 될 거 있냐?" 제이미스는 물었다.

마르스는 아연실색했다.

"시간을 버시는 거군요." 브레나가 돌아와서 말했다.

"맞다." 제이미스는 동의했다.

"뭘 할 시간을 버는 겁니까?"

"이 문제가 더 이상 중요하지 않게 될 때까지." 제이미스는 마르스가 아직 들고 있는 태블릿을 가리켰다. "나는 플로우가 폐쇄되는 예측 모델을 만들었다, 아들아. 몇 년 후면 플로우는 모두 사라질 거야. 그러나 그중 일부는 이미 붕괴하기 시작했다." 그는 태블릿을 두드렸다. "가장 먼저 없어지는 것 중 하나가 바로 여기서 허브로 가는 플로우다. 모델상으로는 이미 붕괴가 시작됐어."

"완전히 없어질 때까지 얼마나 걸릴까요?" 브레나가 물었다.

"1년. 한데 입구부터 붕괴하고 있다. 최선의 시나리오는 한 달 뒤. 최악은 일주일 뒤. 그 뒤에는 접근 불가능할 거야. 여기 엔드에 있는 우주선은 여기 머물러야 한다. 영원히." 제이미스는 아들을 바라보았다. "네가 지금 가야 하는 또 다른 이유가 바로 이거다. 지금 가지 않으면 영원히 갈 수가 없어."

"아버지가 가셔야 합니다." 마르스는 아버지에게 다시 말했다.

제이미스는 고개를 저었다. "대공은 곧 실각할 거야. 대공이 몰락하기 전 혹시 엔드를 떠나려고 하지 않는지 모든 현직 귀족들이 감시당하고 있다. 게다가 난 그레니 노하마페탄에게 돈에 대한 확답을 줘야 해. 이 저택 밖으로 한 발짝만 나가도 아마 도주하는 거라고 생각할 게다. 그들은 날 감시하고 있어. 하지만 넌 아니다."

"말이 돼, 마르스." 브레나가 말했다. "이 플로우 문제를 아버지만큼 잘 설명할 수 있는 유일한 사람이 바로 너야. 네게는 아무도 신경을 쓰지 않을 거고."

"특히 내가 브레나를 후계자로 임명했으니 말이다." 제이미스가 말했다.

"네?" 마르스가 말했다.

"아니, 뭐라고요?" 브레나도 물었다.

"플로우가 붕괴한다는 사실을 확인하자마자 브레나를 공식적으로 내 후계자로 지명했다." 제이미스는 아들에게 말했다. "상속을 받지 못하니 네겐 엔드를 떠날 공공연한 이유가 생긴 셈이야. 이런 시국이지만 아무도 문제 삼지 않을 거다."

"난 백작 같은 거 되기 싫어요." 브레나가 항의했다. "제국 감사관은 더욱 싫고요."

"걱정 마라." 제이미스가 말했다. "감사할 문제는 곧 아무것도 없어질 거다."

"그건, 별로 기분이 안 좋아지는 말씀인데요."

제이미스는 딸을 향해 미소 짓고 다시 아들을 보았다. "최근 토지를 얼마간 처분했다. 우주선에 승선할 여비와 허브에 도착한 뒤 정착할 자금은 충분히 될 게야."

"얼마나 됩니까?" 마르스가 물었다.

"8천만 마크."

"맙소사!"

"그래." 제이미스는 동의했다. "그 노하마페탄이란 자에게 재산 문제에 대해 거짓말을 했다. 문제는 마르스, 이제 네겐 엔드를 떠날 방법과 동기와 기회가 생겼어. 떠나라. 지금 바로. 황제에게 우리가 아는 걸 전해. 운이 좋다면 대비할 시간이 있을 게다."

"뭘 대비합니까?"

"제국의 붕괴." 제이미스는 말했다. "그리고 이어질 암흑기에."

5장

키바 라고스에게 기적이 내리지는 않았지만, 이후 한 주 동안 그다음으로 좋은 게 생겼다. 바로 시부렌 돈허였다.

"그는 우리 판매권을 가진 사업자입니다." 가슨 매그넛이 말했다. 지금 '예스 써' 호가 정박해 있는 제국 정류장 선창을 서성거리고 있는 거만한 인상의 남자를 가리키는 말이었다. 그는 차곡차곡 쌓인 상자 옆에 서 있었는데, 상자 안의 하버프루트는 무르익기 직전에 달해 있었다. 선창 전체에 짙은 꽃향기가 가득했다. 며칠 지나면 빠른 속도로 시큼하게 변해 그 냄새가 코를 찌를 것이다. 매그넛과 키바는 정류장 측에서 선창을 현재 사용하는 업체에 내주는 여분의 사무실 안에 있었다. 그들은 불쌍한 판매권자를 내려다보는 중이었다.

"좋아." 키바는 말했다. "그래서 어쩌라고?"

"자신과 가족의 승선권을 사고 싶답니다. '예스 써' 호에."

"엔드를 떠난다고? 어디로?"

"그건 나중에 정한다는데요."

키바는 이 말에 코웃음을 쳤다. "상호의존성단 내에 인구가 포화상태에 달하지 않은 곳이 있는 것도 아니고. 새 정착지를 개발하거나 새 도시를 건설하지 않은 게 수십 년이야."

"저도 그렇게 말했습니다. 그런데 그는 그건 자기가 알아서 할 문제라는군요."

키바는 남자를 다시 내려다보았다. "우린 여객선이 아니잖아, 가슨."

"물론 그렇죠." 매그넛은 동의했다. "하지만 그렇다고 해서 달리 해가 될 것도 없습니다. 지금 승무원은 정원 미달 상태이고, 여기 엔드에서 제가 원하는 만큼 새 승무원이 구해지지도 않지 않습니까. 다른 방법이 없다면, 저 남자와 가족을 관리직 명목으로 태우고 이 특별 대우에 합당한 돈을 지불하게 하면 됩니다."

"왜 승무원을 구하는 데 문제가 있지?"

매그넛은 어깨를 으쓱했다. "전쟁 중이니까요."

키바는 지적했다. "저 친구는 떠나고 싶다잖아."

"같지 않습니다. 그는 영원히 떠나고 싶어서 가족을 다 데리고 가려는 겁니다. 여기 가족이 있는 사람들은 모두 지금 가족과 같이 있고 싶어해요. 전투가 한창인 지역을 벗어나려고 표면 아래서 어마어마한 인구 이동이 벌어집니다. 남쪽은 난민 사태입니다. 솔직히 하버프루트 판매가 금지되지 않았더라도 별로 많이 팔지 못했을 겁니다. 지금 현재로서는 거의 시장이 없는 상태니까요."

"그래도 면허권과 이익금은 챙겼을 거 아니야." 키바는 말했다. 문득 그녀는 입을 다물고 선창에 서 있는 남자를 다시 보았다. "저 자 이름이 뭐라고?" 그녀는 매그넛에게 물었다.

"시부렌 돈허."

"우리 쪽에서 볼 때 좋은 판매권자였나?"

"가장 성공적인 판매권자 중 하나입니다. 그가 승선을 부탁하는 이유 중 하나도 그 때문이고요. 우리가 자기한테 빚을 지고 있다고 생각하는 것 같습니다."

"흐음." 키바는 말했다. "그럼 여기 데려와 봐."

매그넛은 고개를 끄덕이고 시부렌을 데리러 나갔다.

가까이서 보니 시부렌 돈허는 약간 푸석푸석한 얼굴의 중년 남성이었고, 워낙 빠르게 거만과 불안 사이를 왔다 갔다 하는 표정을 보니 스스로 의식하고 하는 행동은 아닌 것 같았다. 지난 며칠 동안 자신이 이 반란을 무사히 넘길 수 있다고 철석같이 믿고 있다가 갑자기 그게 아니라는 사실을 깨달은 사람의 표정이었다.

"레이디 키바." 돈허는 말했다. 그는 가슨 매그넛이 방금 그를 데리러 나가느라 일어선 자리를 쳐다보았다. 서로 동등한 사이의 만남이니만큼, 상대가 자리를 권할 것이라고 생각했던 것 같았다.

"엔드를 떠나고 싶다고." 키바는 자리를 권하지 않고 물었다. 자리에 앉지 않고 방구석에 선 매그넛은 이 의도적인 결례를 보고 한쪽 눈썹을 아주 약간 치켜세웠다.

"그렇습니다."

키바는 매그넛 쪽으로 턱짓을 했다. "여기 가슨 말로는 당신이 우리의 가장 성공적인 판매권자 중 하나라는데."

돈허는 미소 짓고 고개를 끄덕였다. "저는 당신 가문을 위해 좋은 실적을 올려드렸습니다, 레이디 키바."

"'좋다'라고 함은?"

"이번 회기에 라고스 가문은 제 회사에서 400만 마크를 벌어들였습니다. 어, 현재 엔드의 대공과 겪고 계시는 불쾌한 문제가 해결된다면, 벌어들이게 되실 겁니다."

"400만 마크." 키바는 말했다. "나쁘지 않군. 나쁘지 않아."

"감사합니다."

"한데 내가 왜 그 물주를 없애야 하지?"

돈허는 눈을 깜빡였다. "네?"

"당신은 내 가장 큰 물주 중의 하나야. 당신이 엔드를 떠난다면 그 돈이 마르게 돼. 논리적으로 본다면 난 당신에게 과수원과 공장에 돌아가서 일이나 계속하라고 말해야 하지 않나."

"음… 전쟁 중입니다만."

"그래서? 여기 내 직원들 말로는 당신네 등신들은 이 짓거리를 정기적으로 한다면서? 몇 달 뒤엔 모두 해결되고 일상으로 돌아갈 것 아닌가."

"이번에는 다릅니다. 이번은 달라요. 대공은 곧 실각할 겁니다. 그를 돕는다고 알려진 사람들은 표적이 되어 살해당하고 있습니다. 그들과 가족들 모두."

"그리고 당신은 대공과 아주 절친한 친구 사이겠지?"

"저는 궁에 자주 방문합니다. 제 아내도 특히 대공 부인과 가까운 사이이고요. 우리 저택에도 종종 초대했습니다."

키바는 눈을 가늘게 떴다. "한데 당신은 귀족이 아니지?"

"아닙니다." 돈허는 어깨를 으쓱했다. "올해 제게 작위를 내린다는 이야기가 있긴 했습니다. 제 아내와 저는 대공의 병원 자선 사업에 상당한 돈을 기부했으니까요. 하지만 이제 이런 이야기는 아무 의미 없습니다."

"음." 키바는 겁에 질린 이 계급 상승욕에 불타는 상인을 아래위로 훑어보고 결정을 내렸다. "400만 마크."

"네?"

"당신은 내게 단순히 승선권을 요구하는 게 아니야, 돈허. 라고스 가문과 맺은 판매권 협약도 무효화해달라고 요구하고 있는 거야. 이 행성에서의 우리 수익을 포기하라고. 좋아. 400만 마크로 하지."

"회사 업무는 부사장이 계속한다는 계약을 맺었습니다만." 돈허는 말을 더듬었다.

키바는 말을 잘랐다. "우리는 당신과 계약했어, 돈허."

"제 회사와 하셨지요."

"더 이상 당신 회사가 아니잖아." 키바는 그의 말을 다시 잘랐다. "당신은 이 행성에서 탈출하려고 해. 그 부사장이란 자가 누군지는 몰라도 우리는 그와 계약을 맺지 않았어. 그자가 손전등과 지도를 쥐고 제 똥구멍이나 제대로 찾을 수 있을 정도로 유능한지 아닌지 아무것도 몰라. 우리, 라고스 가문은 당신 회사를 다시 조사해야 해. 이 부사장이란 자가 함께 사업을 할 만한 인물인지 검증해야 한다고. 그렇지 않으면 사업권을 회수해야 할 테고, 필연적으로 쓸데없는 법적인 문제가 생기고 그자가 우리한테 소송을 걸 테고, 우리는 그 때문에 돈을 추가로 잃게 되겠지."

"레이디 키바, 장담합니다만…."

"당신은 내게 아무것도 장담 못해, 돈허. 더 이상. 당신은 이미 게임을 떠났어. 지금은 내게 문자 그대로 아무 효용가치가 없다고. 여기서 유일한 보증은 돈이야. 많은 돈. 이 경우 400만 마크. 현금. 궤짝에 잔뜩 담아서. 그게 조건이야."

누군가의 얼굴에서 피가 빠져나가는 광경을 바라본다는 것은 흥미로운 경험이었다. 키바는 책에서 읽은 적이 있었지만, 지금까지 실제로 본 적은 없었다. 돈허의 얼굴은 불그스레 식은땀을 흘리다가 끈적끈적 창백해졌다. "제게 그만한 돈이 있는지 모르겠습니다만."

"아, 있을 거라고 확신해." 키바는 대꾸했다. "당신은 엔드를 떠나 다시 돌아오지 않을 계획이야. 판매권도, 전망도 없는 다른 곳에서 새출발을 해야겠지. 새 전망을 일궈낼 때까지 당신과 당신 가족이 살아남을 유일한 방법은 당장 쓸 수 있는 막대한 현금이야." 그녀는 말을 멈추고 돈허를 바라보았다. "지금 아마 개인 데이터 금고에 1천만에서 1천500만 마크 정도는 갖고 계실 텐데. 어쩌면 그 데이터 금고는 지금 그 조끼 주머니에 있을지도 모르지. 내가 틀렸나?"

돈허는 아무 대답도 하지 않았다.

키바는 고개를 끄덕였다. "그럼 업무로 돌아가자고. 당신의 판매권 계약을 무효화하는 대가로 400만 마크."

"알겠습니다, 레이디 키바." 돈허는 이 금액이 최종 액수라고 생각했는지 고개를 숙였다.

"아직 안 끝났어." 키바는 말했다. "일행은 몇 명이나 되지?"

"저, 제 아내, 아이들. 아내의 어머니. 하인 둘."

"아이들은 몇 명?"

"셋. 딸 둘, 아들 하나."

"단란한 가족이군. 승선 두당 50만 마크."

키바는 돈허의 얼굴에 핏기가 다시 오르는 것을 지켜보았다. "그건 터무니없어!" 그는 마침내 내뱉었다.

"아마도." 키바는 인정했다. "하지만 상관없어. 당신 가족은 허브까지 여행하는 아홉 달 내내 우리와 같이 있어야 하잖아. 우리 우주선의 아홉 달치 식량, 산소, 공간을 사용하는 거야."

"그게 다시 400만 마크라니!"

"산수 실력 대단하군, 돈허."

"그런 돈은 없소."

"그러시든가."

"조정을 해봅시다."

키바는 웃었다. "미안한데, 지금 이게 협상이라고 생각하나? 아니야. 당신은 이 행성을 떠나고 싶어. 이건 내 요금이야. 금액이 마음에 들지 않으면, 다른 데를 알아봐. '텔 미' 호가 곧 떠난다고 알고 있어."

"사실 그 우주선은 억류되었습니다. 대공이 함장을 구속했어요. 그녀가 해적들을 우주선에 태우고 무기를 실었다고 생각하는 것 같습니다."

"그런가."

"사실 원래 그 계약은 반란을 주동했다 실패한 행정 장교의 음모였다고 합니다. 어쨌든 함장도 해적과의 계약을 이어가기로 했지만. 돈이 더 되니까요. 아마도."

"음." 키바는 돈허를 다시 돌아보았다. "그럼 당신으로서는 선택지가 하나 줄어들었군."

"레이디 키바, 승선권으로 300만 마크를 드리겠습니다. 말씀하신 400만 마크까지 합하면 제 전재산의 절반이 넘습니다."

"그럼 하인은 남겨두고 가는 수밖에." 키바는 말했다. "하나 데리고 가는 대신 장모를 뒤에 남기는 수도 있겠고."

돈허의 얼굴에서 다시 핏기가 가셨다.

"아니, 정말 장모를 남기려는 생각이셨나!" 키바는 빈정거렸다. "장모를 버리다니! 이 쓰레기 같은 놈."

"그런 생각은 아닙니다." 돈허는 약하게 중얼거렸다.

"충고 하나 할까, 돈허. 그런 얼굴을 해서는 이 우주선에 있는 누구와도 협상은 못해. 빚더미에 올라 앉게 될 거야. 자, 그럼 700만 마크. 갖고 갈 물건은 없나? 짐은?"

"허락하신다면."

"당연히 허락하지. 킬로당 1천 마크. 화물 공간을 할당하는 등록비로 미리 50만 마크를 받겠어. 사용하지 않는 공간에 대한 요금은 이후 환불하지."

돈허는 이제 말대답을 하지 않는 것이 좋다는 사실을 깨달은 모양이었다. "알겠습니다."

키바는 매그넛을 가리켰다. "여기를 떠나기 전에 가슨에게 지불하든가, 약속을 잡아. 전액 다. 우리는 닷새 뒤에 출발한다. 가슨이 정확한 시각을 알려줄 거야. 출항 열두 시간 전까지 당신과 당신 가족이 승선하지 않으면, 모두 여기 남고 돈은 우리가 갖는다. 알겠나?"

"알겠습니다."

"그럼 끝났어. 선창으로 돌아가서 가슨을 기다려."

돈허는 인사하고 사무실을 나갔다. 매그넛은 그의 등 뒤로 문을 닫았다. "훌륭한 솜씨였습니다." 그는 돈허가 선창으로 돌아가자 키바에게 말했다.

키바는 코웃음을 쳤다. "오늘 우리가 여기서 무엇을 알게 됐지, 가슨?"

"시부렌 돈허는 정말 이 행성을 떠나고 싶다?"

"그는 750만 마크를 지불할 정도로 간절하게 이 행성을 떠나고 싶다는 사실." 키바는 말했다. "더한 금액은 아닐지라도 그만한 액수를 기꺼이 지불할 사람들이 분명 더 있을 거라는 사실."

"피난민을 싣자는 말씀이십니까?"

"피난민? 아니. 망명자? 맞아."

"차이점이 있습니까?"

"대충 계산해서 두당 50만 마크 정도."

"그럼 이제 우린 여객선을 운항하는 셈이군요."

키바는 히죽 웃고 하버프루트 궤짝 옆에 다시 외롭게 서 있는 돈허를 가리켰다. "우린 방금 저 멍청이에게서 750만 마크를 벌어들였어. 이 항해에서 발생한 전체 손실액의 12.5퍼센트를 삭감한 셈이야. 저런 놈 몇 명만 더 확보하면 손실을 완전히 벌충하는 것도 가능해. 그 정도면 멍청이 몇 놈 몇 달 참는 것도 나쁘지 않지."

매그넛은 고갯짓으로 돈허를 가리켰다. "저 친구는 심지어 가족과 하인을 위한 여행 허가 서류도 갖고 있었습니다. 우주선에 타고 싶어하는 사람들 모두가 그런 서류를 만들 만한 돈은 없을 겁니다. 허가가 난다 해도 대부분의 관청이 문을 닫았기 때문에 서류를 얻는 것이 불가능할 겁니다."

"그게 우리 문제야?"

"허브에 도착해서 하선할 때… 여행 허가 서류가 없다면 망명자지요. 우리는 불법 입국자를 태웠으니 벌금을 물 겁니다. 그러니, 네, 우리 문제죠."

"그들에게 여행 허가가 없다는 걸 우리가 알았느냐, 이 점을 저쪽이 증명할 수 있어야 벌금을 무는 것 아닌가?"

"비슷하죠." 매그넛이 말했다. "조금 복잡합니다만."

"하지만 기본적으로." 키바가 말했다. "여행 허가서가 있는데 그게 위조라는 게 판명났다, 하지만 우리는 알아볼 수가 없었다, 그러면 라고스 가문은 아마 그 벌금을 면제받을 수 있을걸."

"맞습니다."

키바는 결정적인 표현은 절대 쓰지 말라는 뜻으로 눈썹을 치켜세웠다. 단시간에 그럭저럭 통할 만한 위조 여행 허가서를 만들 수 있는 곳을 알아보되 아주 어마어마한 수수료를 청구하도록 하고, 라고스 가문은 '중개자 요금'으로 받아내며, 위조 서류가 라고스 가문이 주선한 것으로 판명된다 해도 키바나 한발 더 나아가 라고스 가문은 절대 연루시키지 않고 매그넛 본인 선에서 책임을 져야 한다는 뜻을 모두 내포한 눈짓이었다.

매그넛은 아주 잘 알아들었다는 뜻으로 무겁게 한숨을 쉬고 퉁명스럽게 고개를 끄덕여 보였다.

"그럼 우리가 망명자를 태운다고 소문을 내. 우주선에 탑승하고 싶다면 서두르라고. 현금도 가져오는 게 좋을걸."

◇ ◇ ◇

많은 망명자들이 우주선에 타고 싶어했다. 그리고 다들 기꺼이 현금을 가져왔다.

물론 그들 모두가 시부렌 돈허처럼 예상치 못한 막대한 이윤을 가져다주지는 않았다. 모두가 식객과 가족을 데려갈 생각도 아니었다. 그러나 인원은 차곡차곡 쌓였다. 혼자 망명하려는 사람들, 부부, 가끔 가족 서넛, 모두 두당 50만 마크의 탑승비에 화물비, 여행 허가 서류비를 지불했고, 피난민이 라고스 판매처이거나 동업자인 경우 추가 비용까지 감당했다. 매그넛에게 뒷조사를 해서 특별 대접을 하라고 명령했기 때문에, 상당수가 이런 경우였다.

이틀 만에 여행의 적자는 고작 500만 마크로 줄어들었다. "난 천재가 아닐까." 그녀는 '예스 써' 호에 돌아가서 블리니카 함장에게 말했다.

"전쟁으로 한몫 벌려는 기회주의자든가요."

"내가 군인들에게 뭘 파는 건 아니잖아." 키바는 아차 싶어 입을 다물었다가 가벼운 냉소로 떨쳐내려 했다. "전투 지역을 벗어나려는 사람들에게 서비스를 제공하고 있는 거라고. 사실 이건 인도주의적인 사업이야. 난 사람들을 구하고 있다고."

"두당 50만 마크로요."

"내 가슴에서 동정심이 철철 흘러넘친다고 한 적은 없어."

"뭐라고 하시든가요."

"잘하면 이 여행에서 이윤을 남길 수도 있겠어." 키바는 지적했다. "당신도 그걸 반대하지는 않잖아."

"그럼요." 블리니카는 인정했다. "손실이 소액으로 줄어드는 정도라 해도 상황을 감안할 때 우리에게는 큰 이익입니다. 저는 함장직을 잃지 않을 것이고, 당신은 어머니와 라고스 가문 앞에서 체면을 잃지 않겠지요. 하시는 일은 경제적으로 매우 훌륭한 판단입니다."

"하지만."

"그런 단서 없습니다. 당신이 옳아요. 전쟁이 부자에게 유리하다는 점을 지적하는 것뿐입니다. 떠날 수 있는 사람은 떠나겠지요. 그럴 수 없는 사람은 고통받을 것이고."

키바는 잠시 침묵을 지켰다. "양심 따위가 있다니, 꺼져, 토미."

"알겠습니다."

키바의 태블릿이 울렸다. 가슨 매그넛이었다. "손님이 찾아왔습니다." 그는 키바가 응답하자 말했다. "누구지?"

"그레니 노하마페탄 경이라는 분입니다. 당신을 안다는데요."

"아, 젠장." 키바는 말했다. "그 똥덩어리가 또 원하는 게 뭐지?"

"아마 망명 계획 때문에 그러는 것 같습니다만. 그 문제에 관해 이런저런 질문을 하더군요."

"그래서 뭐라고 했어?"

"직접 물어보시라고 했습니다. 오만한 태도로 계급으로 눌러보려고 하기에 상호의존성단 무역 법규를 읊어줬더니 결국 짜증나서 포기하더군요. 자기 종자를 돌아보고 '예스 써' 호에 가는 셔틀을 구하라고 명령했습니다. 곧 거기 도착할 겁니다."

"알겠어." 키바는 통신을 끊었다. 그녀는 함장을 돌아보았다. "우주 변호사 노릇을 할 수 있나?"

블리니카는 미소 지었다. "물론이죠."

"좋아. 가자고."

◇◇◇

"레이디 키바." 셔틀 정거장이 닫히고 공기를 다시 채우자 그레니 노하마페탄이 말했다. "다시 만나서 반갑군."

"그래?" 키바는 말했다.

"당신이 아는 한, 맞아." 그레니는 함장을 향해 고개를 끄덕였

138

다. "블리니카 함장이겠지."

"맞습니다." 블리니카는 고개 숙여 절했다.

그레니는 답례로 고개를 까딱하고 키바를 향했다. "둘만 이야기 할 게 있어."

"뭐에 대해서?"

"그쪽이 난민으로 돈을 벌고 있는 일에 대해서."

"이야기할 거 없는데."

"대공은 불만이 많아."

"함장." 키바는 블리니카에게 말했다.

"경, 상호의존성단은 전시 난민의 권리에 대해 분명한 입장을 갖고 있으며 여유가 있는 우주선과 그 승무원은 그들에게 원조를 제공할 권리가 있습니다. 이는 선지자 본인이 내린 상호의존성단 의 핵심 권리 중 하나입니다."

그레니는 이 말에 딱딱한 미소를 지었다. "승선권에 대해 두당 50만 마크를 받는다는 사실만 아니라면, 함장, 대단히 훌륭한 정 신이겠지."

"사실 함장과 나는 보다 형편이 못한 사람들의 곤경에 대해 이 야기를 나눴어."

"네가?" 그레니는 믿기지 않는다는 듯 말했다.

"첫째, 집어치워. 둘째, 맞아." 키바는 블리니카를 다시 돌아보 았다. "안 그런가?"

"그런 이야기를 했습니다, 네."

"엔드를 떠나는 데 두당 50만 마크를 받는 것이 곤경에 처한 가난한 사람에 대한 염려에서 나온 원조라는 이야기군."

"어쩌면. 당신은 믿기 힘들겠지만, 그레니, 원래 넌 잘난 척 재수 없는 놈이었으니까."

"당신이 그걸 사랑스럽다고 생각하던 때도 있지 않았나, 레이디 키바." 그레니는 함장에게 주의를 돌렸다. "난민에 관한 법률에도 불구하고, 상호의존성단 내에서 엔드는 특별한 지위를 갖고 있다는 사실을 알고 계실 거요. 여기 사는 많은 사람들은 마음대로 떠나지 못해. 그들은 이유가 있어서 엔드에 있는 거요."

"우리 수석 사무장은 엔드와 그 시민의 특별한 성격에 대해 아주 잘 알고 있습니다." 블리니카가 말했다. "우리는 여행 허가가 나지 않은 사람을 태우지 않습니다."

"그 점을 확인해봐도 좋겠나." 그레니가 말했다.

"그럼요." 블리니카가 말했다. "여기 엔드의 제국 세관이 원하시는 정보를 분명 제공해드릴 겁니다."

"대공은 당신 승객들을 직접 확인하고 싶어하시오."

블리니카는 고개를 저었다. "죄송합니다만, 경, 상호의존성단 법규상 그 정보는 배에서 직접 요구할 것이 아니라 세관을 통한 요청의 형태로 들어와야 합니다."

"대공에 대한 호의를 보여주실 수 없겠나."

"내 함장에게 상호의존성단 법률을 어기라는 거야?" 키바가 말했다.

"대공의 이익과 상호의존성단 법률은 상당 부분 서로 겹치는 점이 많아."

"너희 대공이 우리 화물을 반입 금지시키는 바람에 나도 이번에 아주 잘 알게 됐지. 하지만 이 경우에는 그런 거 없어, 안 그런가, 함장?"

"없습니다." 블리니카가 말했다.

"그럼." 키바는 그레니를 똑바로 쳐다보았다.

"여기 온 김에 우주선을 좀 둘러보고 싶은데." 그레니는 잠시 사이를 두고 말했다.

"관광을 하시겠다?" 키바는 말했다.

"괜찮다면."

"출발 시각까지 사흘밖에 남지 않아서 네 변덕 맞추는 일 외에도 할 일이 너무나 많아."

"없잖아."

"단둘이 얘기하고 싶다는 걸 이런 식으로 둘러 표현하나보지?"

그레니는 들통났군, 하는 식으로 두 손을 들어 보였다.

키바는 고개를 끄덕이고 블리니카를 돌아보았다. "생산 구역으로 데려간다. 혹시 제국 법률에 대해 다시 자문할 일이 있으면 전화하겠어."

블리니카는 고개를 끄덕이고 나갔다.

"따라와, 얼른 끝내자고." 키바는 그레니에게 따라오라고 손짓했다.

셔틀 베이는 '예스 써' 호 동체의 후미 쪽에 있었다. 여러 구획으로 나뉜 긴 바늘 모양의 동체에는 따로 두 개의 고리가 붙어 있었고 이 안에 농업과 가공 모듈이 있었다. 각 고리의 회전으로 생

성되는 기본 중력은 0.5G였고, 푸시 필드가 있어서 내부 유효중력
을 1G 까지 끌어올릴 수 있었다. 생산 및 기타 목적으로 사용되는
각각의 모듈은 용도에 따라 중력을 다양하게 조절 가능했다.

농업 모듈 안에 들어선 그레니도 이 점을 느꼈다. "여기 들어오
니 몸이 가볍군."

키바는 고개를 끄덕였다. "하버프루트는 .8G에서 가장 잘 자라
지. 그래서 이 모듈도 거기 맞추고 있어."

"엔드는 1G가 약간 넘어. 면허권을 판 사람들에게도 그 이야기
를 할 생각이었나?"

"그 중력에서 못 자라는 건 아니야." 키바는 말했다. "어떻든 잘
자라. 여기서 사용하는 수경법이 아니라 실제 하버프루트 덤불에
서 키울 거고." 그녀는 성장 배양액에서 뻗어나온 과일과 조명으
로 빽빽하게 찬 선반을 가리켰다. "엔드에는 토지가 있어. 빌어먹
을 대공 때문에 다 소용없게 됐지만."

"냉정하게 말해, 필수 농작물을 쓸어버린 바이러스를 퍼뜨린 건
라고스 가문이야."

"냉정하게 말해, 우린 그 일과 아무 관계 없고 너도 알고 있으니
그만 집어치워."

"그리웠어, 키바. 너와 네 휘황찬란한 욕설이."

"그럴 리는 없지만, 어쨌든 고마워."

그레니는 하버프루트를 가리켰다. "그럼 이제 이건 어떻게 할
거야?"

"다음 모듈로 따라오면 알게 될 거야."

다음 고리 모듈은 작업 모듈이었다. 효율성을 위해 1.1G로 맞춰져 있었다.

"주스를 만드는군." 그레니는 둘러보며 말했다.

키바는 고개를 끄덕였다. "압착, 농축, 나머지로 페이스트, 그딴 일들. 우리가 이걸로 직접 할 수 있는 일은 별로 없어. 우리가 우리 면허권자와 경쟁한다는 건 말이 안 되지. 생각도 해봤는데, 면허권자만 열 받게 할 거야. 허브로 돌아가면 제국 정부에 추가로 판매할 수 있는지 알아봐야지. 정부가 빈곤층과 기타 등등에 대한 식량 지원의 일환으로 배급하고, 우리는 세금 감면을 받고."

"그럼 이번 여행은 그럭저럭 성공이라는 이야기군."

"알 수 없어. 제국 정부가 이걸 식량 지원 프로그램에 포함시켜주지 않으면, 전부 다 우리가 짊어져야 해."

"영리한 라고스 회계원들이라면 손실을 만회할 방법을 분명 찾을 거야. 네가 엔드를 떠나려는 사람들에게서 갈취하고 있는 돈과 합치면, 심지어 이윤까지 남길 수 있지 않을까."

"그게 나쁜 일이라는 것처럼 말하는군."

"그럴 리가. 돈을 벌지 않는 게 무슨 길드 가문이야. 그게 그들의 존재 이유인데. 너도 그렇고, 나도 그렇고."

"한데 아직 네 요점은 못 들었어." 키바는 말했다.

"내 할 말은 이거야. 대공은 네가 행성에서 데리고 떠날지도 모르는 몇몇 사람에 대해 염려하고 있어."

"좋아. 그래서?"

"여러 가지 이유로 대공의 이해관계에 얽힌 사람들."

"다시 한 번 말하지만 그래서?"

"그러니, 그 특정 인물들이 네게 승선을 요청한다면, 대공에게 알려주었으면 해."

키바는 이 말에 웃었다. "농담하는 거겠지, 그레니. 애당초 내가 하버프루트 페이스트나 만들고 돈 많은 놈들을 화물로 실어나르는 신세가 된 게 대공 때문인데."

"귀족 대 귀족으로서 호의를 보여달라는 대공의 부탁이야."

"샷건에 총알이나 박아 입에 물라고 해."

그레니는 고개를 끄덕였다. "그렇게 말할 줄 알았어. 그러니 뇌물을 제공해도 좋다는 허가를 받았지."

"뭘 위해서?"

"특정 인물이 네 우주선에 승선권을 사려고 하면 알려달라고. 만약 그런 일이 생기면 그 인물이 어디 있는지도 알려주고."

"우리 승선권은 아주 비싸." 키바가 말했다.

"대공은 승선권만큼의 보상금을 기꺼이 제공할 거야."

"승선권만큼. 하. 그가 정말 내 협조를 원하면, 최소한 두당 200만 마크부터 시작이야."

"너무 많다고 생각하지 않나?"

"대공은 내게 최소한 6천만 마크의 손실을 입혔어. 그러니, 아니, 전혀 많다고 생각하지 않아."

"두당 100만 마크."

"이봐, 그레니. 내가 네게서 원하는 게 있을 것 같나."

"대공은 네 우주선의 출발을 까다롭게 할 수 있어."

"'텔 미' 호처럼 내 함장을 체포라도 할 건가."

"들었군."

"우주는 좁은 곳이야. 우리는 이미 허가를 받았어, 그레니. 우리 출발은 이미 승인이 났다고. 대공은 쫓겨나서 사형당하지 않도록 고민하는 일만 해도 이미 신경 쓸 일이 차고 넘쳐."

"두당 150만 마크."

"250만 마크로 하지. 지금부터 네가 흥정하려고 할 때마다 가격은 올라가."

"대공은 돈을 쌓아놓고 사는 사람이 아니야."

"그가 갈취한 내 돈에서 '대출'하면 될 거 아니야, 개자식아."

"그것도 나쁜 생각은 아니군."

"꺼져. 날 열 받게 했으니 이제 300만 마크야."

그레니는 애원하듯 두 손을 들어 보였다. "키바, 알았어. 그대로 하지."

"두당 300만."

"좋아."

"날 엿 먹이지 않는다는 걸 확신할 수 있도록 1천만 마크도 공탁해."

"제국 우주 정거장에 돌아가는 즉시 그렇게 하지."

"찾는 게 누군데?"

"클레어몬트 백작과 그의 자식들."

"아이들?"

"아이들? 아니, 둘 다 서른 살이야. 쌍둥이. 하나는 남자, 하나는 여자."

"그들을 왜 원하는데?"

"300만 마크 주면 알려주지."

"개소리 말고."

"그건 중요하지 않아. 혹시 그들 중 누가 이 행성을 떠나려고 한다면 그 사실을 우리가 아는 게 중요해."

"그들이 우리에게 연락하면, 그때는 어떻게 해?"

"그럼 내게 연락해. 우리가 제국 우주 정거장에서 '예스 써' 호에 승선하기 직전에 데려갈 테니까."

"그럼 네가 다 알아서 하는 거군."

"맞아."

"그들을 잡아다 우물에 빠뜨리거나 하려는 거지?"

"네가 그 걱정을 할 필요는 없을 것 같은데."

"난 개자식인지는 몰라도, 그레니, 실제 살인에 대한 공범이 되기는 싫어."

"우린 누굴 죽일 계획은 없어. 그들이 떠나지 못하도록 하려는 것뿐이야."

"다른 사람은? 두당 300만 마크를 내놓으신다는데야."

"없어. 하지만 네 윤리적 기반의 융통성은 참으로 존경스럽다."

"네가 직접 말했잖아. 돈을 벌지 않는 게 무슨 길드 가문이야."

그레니가 '예스 써' 호를 떠난 뒤, 키바는 가슨 매그넛에게 연락했다. "당신이 해줄 일이 있어."

"지금은 챙길 일이 많습니다." 매그넛의 이 말은 '꺼져, 난 바빠.'와 똑같은 뜻이라는 것을 키바는 알고 있었다.

"그래, 알아. 하지만 이건 해야 하는 일이야."

"뭡니까?"

"누굴 시켜서 클레어몬트 백작이 누군지, 대공이 왜 그에 대해 신경을 쓰는지 조용히, 정말 조용히 알아봐. 백작의 아이들도."

"알겠습니다. 언제까지?"

"즉시."

"알겠습니다."

"그리고 그 참에 그레니 노하마페탄이 도대체 왜 이 행성에 와 있는지, 대공과 그의 관계는 어떤 건지도 알아보고."

"자문이라는 건 알고 있잖습니까."

"맞아. 지난 사흘 동안 대공과 관계된 문제에 두 번이나 그를 마주쳤다는 것도 알아. 당신은 그게 우연이라고 생각할지 모르겠지만, 난 아냐."

"역시 신속하게?"

"그래."

"돈이 들 겁니다."

"써."

"얼마나?"

"필요한 만큼. 승선권을 원하는 다음 승객한테 뜯어내."

"알겠습니다."

키바는 버튼을 눌러 통화를 끝내고 태블릿으로 셔틀 베이 바로 밖에 있는 '예스 써' 호 외부 카메라를 불러냈다. 그레니 노하마페탄의 셔틀이 저 멀리 제국 우주 정거장을 향해 물러나고 있었다.

"도대체 무슨 수작이야, 개자식이." 키바는 혼잣말로 커다랗게 중얼거렸다. "네 가문은 도대체 뭘 꾸미고 있는 거지?" 그레니가 무슨 짓을 하고 있든, 분명 그것은 노하마페탄 가문의 더 큰 계획 중의 일부일 게 분명했다. 그리고 그 자식들이 무슨 계획을 꾸미고 있든, 분명 그것은 라고스 가문을 포함해서 다른 누구에게도 도움이 되지 않을 일이 분명했다. 우 황가에도 마찬가지였다. 생각해보면 상호의존성단 전체에도.

키바는 이제 점처럼 멀리 떨어진 셔틀을 바라보며 그냥 '예스 써' 호의 방어 체계에 미사일 발사 명령을 내릴까 생각해보았다. 그래, 물론 설명할 일이 많을 것이다. 그래, 법적으로 분명 살인이다. 그래, 아마 라고스 가문과 노하마페탄 가문 사이에 전쟁이 발발할 것이고, 강력한 라고스 가문조차 결국은 패배할 것이다.

하지만, 바로 지금 이 순간만은, 기분이 몹시 좋을 것이다.

키바는 마지못해 태블릿을 내려놓고 남는 시간으로 다른 일을 해야겠다고 결정했다. 스스로도 인정했지만, 이후 후회하게 될 결심이었다.

6장

즉위복은 무거웠고, 향유에는 한 세기는 묵은 것 같은 냄새가 났으며, 왕관은 이마를 누르고 따갑게 쓸었다. 그녀는 땀을 흘리고 있었다. 즉위 성찬식은 거의 한 시간이나 걸렸고, 게다가 간밤에 생리가 시작되었기 때문에 쇠로 된 주먹이 자궁을 붙잡고 쥐어짜는 기분이었다.

물론 그레이랜드 2세의 즉위일은 순조롭게 흘러가고 있었다.

시안의 대성당은—이제 카르데니아의 대성당이었다. 황제에 오른 것은 물론 이제 상호의존성단 교회의 수장, 명목상으로는 시안과 허브의 추기경으로서 자신의 대성당을 갖고 있어야 했기 때문이었다—초기 제국 스타일의 돌과 유리로 지은 거대한 공간이었다. 카르데니아는 우주 정거장 내부에 지어진 거대한 돌 구조물의 부조화에 대해 생각에 잠겼지만, 얼른 상념을 거두었다. 언덕과

강물, 숲, 혼잡한 느낌을 주지 않도록 교묘하게 한데 모아 놓은 행정용 건물, 주거 구역, 상업 구역 등 시안 풍경 전체의 부조화를 생각하다보면 정신 나간 사람처럼 킬킬거리게 될지도 모르기 때문이었다.

시안의 대성당 신도석은 수천 석이나 되었고, 오늘 좌중은 꽉차 있었다. 모든 상호의존성단 국가와 길드 가문, 유명인사, 상호의존성단 교회 추기경의 대리인들이 경건하게 지켜보는 가운데, 대주교 군다 코르빈이 단조로운 성찬식을 이끌어가고 있었다. 코르빈의 왼쪽 귓구멍 안에 박힌 스피커 장치가 눈에 띄는 것을 보니, 대주교조차 행사 절차 전체를 다 외고 있지는 못한 것 같았다. 이 점이 카르데니아의 마음을 약간 가볍게 해주었고, 모든 것이 조금은 인간적으로 보였다.

카르데니아 자신은 귀 안에 스피커 장치를 달지 않았지만, 이 행사에서 그녀의 역할은 묘하게 제한적이었다. 그저 걷다가 앉는 일뿐이었다. 그녀는 비교적 단순한 황제의 녹색 제복 차림으로 시안 대성당의 회중석을 따라 행진한 뒤, 십자형 주랑에 멈춰 서서 코르빈이 예배의 시작을 알리는 기도를 올리고 카르데니아에게 —그레이랜드 2세에게—성단소로 올라오라고 권할 때까지 기다렸다. 중앙에 황제의 인장이 모자이크로 박혀 있었고 무릎을 꿇는 의자가 마련되어 있었다. 카르데니아는 무릎을 꿇고, 고개를 조아리고, 코르빈과 그 조수들이 그녀 위에 뭔가를 계속 내려놓는 동안 가만히 기다렸다.

처음은 냄새 때문에 구역질이 날 뻔한, 아까 언급한 향유였다.

그다음은 예식용 진홍색 망토와 메달이 달린 금색 끈 장식이었다. 끈 장식은 상호의존성단 교회의 상징이었고, 불사조가 그려진 메달은 선지자의 개인적인 상징이었다. 이와 함께 카르데니아가 시안과 허브의 추기경, 즉 상호의존성단 교회의 수장이 되었음을 선포했다.

다음은 황제에게서 독립된 기관이라는 것을 상징하는 뜻으로 (이론적으로 그랬지만 실제로 늘 그렇지는 않았다) 시안의 황제 궁 반대편에 위치한 의회에 입장할 수 있다는 것을 상징하는, 보다 작은 금 체인이었다. 황제가 항상 시안의 의회 의원 중 하나라는 사실만 봐도 이 독립성은 어느 정도 허구라는 것을 알 수 있었다. 이 직책은 일반적으로 명목상의 명예직으로 간주되었지만 사실상 황제는 다른 의원들과 동일한 투표권을 갖고 있었다. 황제는 의회가 선호하는 법률을 포함하여(싫어하는 법에 대해서 의회는 그냥 거부권을 행사했다) 입법 문제에 투표하지 않는 것이 전통이었다. 그러나 이따금 황제도 한 표를 행사할 때가 있었고, 그러면 의회가 발칵 뒤집히곤 했다.

열쇠 다음에는 인장이 찍힌 반지였다. 반지는 작은 돌멩이 크기로 카르데니아가 우 가문의 수장 역할로 올라섰다는 것을 상징했다. 이 역할은 황제로서의 역할과 형식적으로 분리된 자리였다. 우 가문은 황가이지만, 동시에 우주선 건조와 군용 무기 및 군수업에 독점권을 지닌 길드 가문이기도 했다. 우 가문이 바로 그 독점권 때문에 황가의 지위를 가진다고 쉽게 말할 수도 있었다. 황제로서 카르데니아는 일상적인 가문 독점 사업에 적극적으로 개입하지 않았다. 이 업무를 수행하는 사촌 위원들은 그녀의 개입을 불쾌하게 생각할 것이다. 그럼에도 불구하고 우 가문의 인장을 왼손에 끼고 오른손에 황제의 인장을 끼는 사람은 그녀였다.

다음은 우 가문의 반지보다 더 큰 황제의 인장과, 주먹만 한 에메랄드가 끝에 박힌 공식 홀, 각각 교회와 의회, 황가를 상징하는 루비와 다이아몬드, 에메랄드로 장식된 관이었다. 관은 너무나 무거웠고, 카르데니아가 머리에 쓰자마자 피부에 쓸려 아팠다. 홀과 왕관, 인장은 보다 규모가 작은 지위, 즉 허브와 연합국의 여왕이라는 사실을 상징했다. 카르데니아는 또한 여러 상호의존성단 행성에 백작과 남작 직위도 여러 개 갖게 되었다. 직접 무슨 관계를 가질 이유가 거의 없는 직책들이었다.

단계마다 코르빈은 뭐라 장중하게 공식적으로 읊었고, 카르데니아의 몸에 물건을 내려놓을 때마다 더 길게 말했으며, 그런 뒤 더 한참 뭐라고 한 다음 기도나 작은 설교, 혹은 둘 다로 끝맺었다. 예식이 얼마 지나지 않아 카르데니아는 땀을 비 오듯 흘리며 생리통으로 쥐어짜는 듯 아픈 배를 움켜쥔 채 그냥 서류 같은 걸 쓰고 끝내면 안 되나 속으로 생각했다.

코르빈은 돌아서서 카르데니아를 똑바로 쳐다보았고, 드디어 거기 무릎을 꿇고 앉는 것 외의 다른 지시를 내렸다.

"그레이랜드 2세, 상호의존성단 국가와 무역 길드 성 제국의 황제, 허브와 연합국의 여왕, 상호의존성단 교회의 수장, 지구와 만물의 어머니의 계승자, 우 가문의 88대 황제, 이제 일어서서 당신의 제위를 선포하십시오." 코르빈은 말하고 옆으로 비켜섰다.

카르데니아는 숨을 들이쉬고 홀로 잠시 중심을 잡으며 일어섰다. 홀이 뭔가 실용적인 용도로 사용된 처음이자 마지막 기회였다. 예식이 끝나면, 모든 대관식 예복은 (고맙게도) 벗겨져서 누군지 몰라도 다음 황제의 다음 대관식을 기약하며 다시 저장고로 들어갈 것이다. 그러나 지금은 전부 다 그녀의 몸을 무겁게 누르고 있었다.

이건 전혀 상징적인 게 아니잖아, 그녀는 생각했다.

그녀는 돌아서서 귀족들과 귀빈, 대표자들을 마주했다. 코르빈을 제외한 집행위원회는 신도석 가장 앞줄에 앉아 있었다. 그들 뒤에는 우 가문의 대표자들이 앉아 있었고, 그중에는 어머니 쪽을 대표하는 삼촌 브랜든 패트릭과 사촌 모이라와 저스틴이 너무나 어울리지 않는 모습으로 참석해 있었다. 해너 패트릭은 딸의 즉위 소식을 몇 주 동안 모르고 있을 것이고, 본인이 황제의 직위 중 하나이던 타쿠아렘보 남작으로 봉해졌다는 소식과 같이 전해 들을 것이다. 어머니는 이 작위에 짜증을 내는 한편으로는 만족스러워할 것이다.

몇 줄 뒤에 나파 돌그가 공화당인 가족들과 같이 앉아 있었다. 카르데니아는 그들이 일반적으로 황제의 통치에 반대하는 입장임에도 불구하고 그녀와 그들의 딸을 응원하러 와준 데 감동했다. 나파의 줄과 우 가문의 줄에 가까운 줄 사이에는 여러 길드 가문의 수장들, 모두 귀족들이 앉아 있었다.

그리고 세 번째 줄에는 아미트와 나다쉬 노하마페탄이 있었다. 둘 다 장기 프로젝트, 혹은 고깃덩어리 바라보듯 카르데니아에게 시선을 집중하고 있었다.

둘 다겠지, 카르데니아는 생각했다.

등 뒤에서 코르빈 대주교가 계속하라는 신호로 조용히 헛기침을 했다.

"나, 카르데니아 우-패트릭은 교회와 제국의 이 상징들을 권리로 받고, 그레이랜드 2세, 황제, 여왕, 교회의 수장, 지구와 만물의 어머니의 계승자가 되겠습니다. 선지자가 기틀을 잡은 상호의존성단의 교의가 모든 이에게 평화와 번영을 계속 가져다주기를."

"황제 만세." 신도석 앞줄에서 누군가 선창하자 거대한 환호가 이어졌다. 생리통과 땀에도 불구하고, 카르데니아는 그 순간을 즐길 수 있었다.

음악이 울려퍼졌다. 예배당에 더 많은 신도석을 배치하기 위해 오목한 공간에 교묘하게 숨겨져 있던 챔버 오케스트라가, 하이젤리악이 3세기에 쓴 '선지자의 행진'을 연주했다. 오케스트라의 음악은 스피커를 통해 흘러나왔다. 대관식 관객들은 계속 환호하며 일어섰고, 첫 발을 떼어 성단소를 내려선 그레이랜드 2세가 십자형 주랑을 거쳐 가장자리 복도로 향하니 조수들이 기다리고 있다가 작은 사무실로 안내했다. 거기서 그녀는 왕관과 홀, 기타 온갖 쓸데없는 장식물을 내려놓았고, 황제 경호원들이 문을 지켜섰다.

"잘 진행된 것 같습니다, 폐하." 나파가 말했다.

각종 물건들을 내려놓으며, 카르데니아는 혼란스러운 눈으로 올려다보았다. "방금 널 객석에서 봤는데."

"방금 제가 객석에 있었으니까요."

"어떻게 이렇게 빨리 온 거야?"

"제 임무니까요." 나파는 말했다. 마술처럼 클립보드가 나타났다. "기분은 어떠십니까?"

"다시는 이 짓을 안 해도 된다고 말해줘."

"황제가 대관식 두 번을 치르는 건 극히 드문 일이니, 네, 맞습니다. 다시는 안 하셔도 됩니다."

"이제 집에 가도 된다고 말해줘."

"황제는 시안 그 자체를 소유하고 있으니, 엄밀하게 말해서 지금 집에 계십니다."

"끔찍한 생각이군."

"보다 재미없게 말씀드리자면, 아니요, 아직 못 가십니다. 10분 뒤에 여기 도차이가 보여드리는 공식 예복으로 갈아입고⋯." 나파는 조수 쪽을 턱짓으로 가리켰다. 그는 과연 아주 공식적으로 보이는 예복을 준비하고 있었다. "알현 발코니로 가서서 황제를 보기 위해 현재 대성당 정원을 망가뜨리고 있는 수만 명의 인파에게 손을 흔드셔야 합니다. 5분 동안 거기 계셨다가 궁전으로 돌아가서 1분 간격을 두고 5분씩 총 한 시간 동안, 다시 2분 간격을 두고 10분씩 총 한 시간 동안 손님을 접견하셔야 합니다. 그런 다음 즉위 축하연에 도착하시면 짤막한 연설을 하시고⋯."

카르데니아는 목구멍에서 한숨 소리를 냈다.

"⋯연설문은 이미 제가 준비해놓았고 어차피 중요한 내용이 아니라 아무도 듣진 않을 테니 걱정 마십시오. 그런 뒤에는 축하연이 진행되는 세 시간 동안 가만히 서서 손님을 맞으며 모든 사람과 악수를 하시고 사진과 비디오를 찍으셔야 하는데, 아마 지금 상상하시는 것과 똑같은 고역이겠죠. 그 자리가 끝나야 쉬면서 뭘 드실 수 있는데, 지금 도차이가 새 예복으로 갈아입으시는 걸 돕는 동안 같이 준비한 단백질 바를 드시는 걸 권합니다. 물도 좀 드시고요."

"화장실에 갈 수 있나?"

"여기 화장실이 있습니다. 왼쪽 문입니다. 지금 필요하신 건 그 안에 다 있습니다."

"고마워. 내가 여전히 인간이란 걸 누군가 기억해줘서 고맙군."

"물론이지요. 1분 내로 여유 있게 처리하십시오."

카르데니아는 다시 한숨을 쉬고 화장실로 향했다.

7분 뒤 카르데니아의 대관식 예복은 보관소로 들어갔고, 새로 갈아입은 복장은 놀랄 정도로 편안했다. 경호원들은 알현 발코니가 기다리는 대성당 전망대로 올라가는 엘리베이터에서 그녀를 겹겹이 둘러쌌다. 카르데니아는 주위를 둘러본 후 궁전 건물 바깥에서 다시는 혼자 엘리베이터를 탈 일이 없을 거라는 사실을 깨달았다.

엘리베이터 문이 열렸고, 다시 나파가 서 있었다. 그녀의 뒤로 오목하게 팬 알현 발코니가 있었다.

"그러지 마." 카르데니아가 말했다. "섬뜩해."

"진정하세요. 반대쪽에서 엘리베이터를 탔습니다. 거기도 경호원들이 있습니다."

"내 세계에 온 걸 환영해."

"온 지 좀 됐습니다. 눈치채셨어야 했는데요."

웃으며 엘리베이터를 나서던 카르데니아는 알현 발코니가 폭발하는 순간 엘리베이터 안에 다시 처박혔다. 그녀는 엘리베이터 뒷벽에 세게 부딪히기도 전에 의식을 잃었다.

◇◇◇

"상호의존성단을 서로 연결하는 플로우 흐름이 네 제위 동안 붕괴될 가능성이 높다." 카르데니아의 아버지 아타비오 6세, 아니, 그의 컴퓨터 투사 영상이 꿈속에서 카르데니아에게 말했다.

카르데니아는 자신이 꿈을 꾸고 있다는 것을 의식하고 있었다. 이 꿈은, 최소한 이 순간은, 기억의 방에서 나누었던 첫 대화의 반복이라는 것도 의식하고 있었다. 자신이 언제, 어떻게 잠들었는지는 몰랐고, 꿈이라는 것을 인지할 정도로 깨어 있는 뇌의 일부분은 그 사실을 생각하지 않으려고 강하게 억제하고 있었다. 그냥이 대화를 이어나가자. 안전하다. 뇌의 일부는 이렇게 말하는 것 같았다. 그래서 카르데니아는 계속 꿈을 꾸며 대본을 읽듯이 자신의 대사를 다시 읊었다.

"어떻게 해서요?" 카르데니아는 물었다.

"나는 과학자가 아니다." 아타비오 6세는 말했다. "하지만 클레어몬트 백작은 과학자지. 그는 30년 동안 데이터를 수집해왔어. 이따금 내게 최신 소식을 전한다. 그가 수집한 데이터는 플로우의 안정성이 환상이고, 아주 긴 시간 단위에서 보면 모든 것이 변하며, 우리는 곧 변화의 시기에 돌입한다는 사실을 시사하고 있어.
이미 변화는 천천히 시작되고 있고, 곧 아주 빠르게 진행될 거라
는 게 그의 생각이다. 전에도 그런 일이 있었다."

"달라시슬라. 그레이랜드 1세가 황제였을 때."

아타비오 6세는 고개를 끄덕였다. "그래. 그녀도 내가 그랬듯
정보를 받았다. 이제 네가 접하게 될 정보."

"정보가 있었는데, 왜 행동에 옮기지 않았을까요? 달라시슬라
로 이어지는 플로우가 곧 붕괴한다는 것을 미리 알았다면, 왜 뭔
가 조치를 취하지 않았을까요?"

"내가 말해줄 수도 있지만, 네가 직접 그녀에게 물어보거라."

카르데니아는 이 말에 눈을 깜빡였다. "그녀도 여기 있나요?"

"물론이지."

"플로우에서 사라졌잖아요. 그녀가 존재할 줄은 몰랐어요."

"마지막 여행을 떠나기 전에 업데이트했어. 마지막 며칠을 제외
하고 모든 의식이 여기 다 있다."

이 말에 카르데니아는 섬뜩했다. 한편으로는 앞뒤가 맞았다. 한
편으로는 한 인간의 존재가… 불완전하게 존재한다는 사실이 묘
하게 느껴졌다. "지위, 그레이랜드 1세를 불러줘."

빛이 반짝이더니 키가 크고 풍만한 여자가 나타나서 카르데니
아에게 다가왔다.

"당신이 그레이랜드 1세군요." 카르데니아는 물었다.

"맞아." 여자는 말했다.

"당신에게 무슨 일이 일어났는지 아나요? 어떻게 죽었는지?"

"그 정보도 알고 있다."

"그 사실에 대해 어떤 기분이 들어요?" 모두 지엽적인 질문이었지만, 카르데니아는 알아야 했다.

"아무 기분도 들지 않아. 나는 한 인간을 재구성한 컴퓨터 시뮬레이션이다. 그렇지만 내가 아는 정보로 미루어 판단할 때, 실제 그레이랜드 1세라면 대단히 열 받았을 것 같구나."

이 말에 카르데니아는 미소 지었다. 그녀는 다시 본론으로 돌아갔다. "당신은 달라시슬라로 이어지는 플로우 흐름이 붕괴하고 있다는 걸 알고 있었어요."

"과학자들에게서 플로우가 붕괴 위기에 처해 있다는 모델을 보고받았다. 맞아. 그 데이터와 내 이해를 종합할 때, 나는 그 일이 가능하다, 실현 가능성이 높다고 봤어."

"하지만 당신은 달라시슬라 시스템을 대피시키지 않았어요."

"그래."

"왜였죠?"

"정치." 그레이랜드는 말했다. "달라시슬라 시스템에 거주하는 2천만 명의 사람들을 대피시키려면 상호의존성단 차원에서 어마어마한 계획과 자본이 필요했다. 그럴 의지가 없었어."

"의회가 2천만 명의 목숨을 살리고 싶어하지 않았나요?"

"그들은 이걸 인간을 살리는 문제로 바라보지 않았어. 약한 황제라고 생각했던 인간이 권력 균형을 의회에서 빼앗기 위해 위기를 스스로 만들어내고 있다고 보았지. 한편으로 어마어마한 비용을 들여 많은 우주선을 대피 작업에 징발해야 했으니 무역과 경제에 대한 위협이라고 봤어."

"붕괴의 가능성을 입증하는 데이터는 어쩌고요?"

"그들은 다른 플로우 물리학자들로 위원회를 구성해서 연구 결과에 흠을 잡고 정치적으로 아무 조치도 취하기 힘들도록 의심을 심어놓았다. 심지어 달라시슬라 대표단조차 대피를 시작하라는 내 권고에 반대표를 던졌으니. 결국 채택된 대책은 향후 연구가 더 필요하다는 권고안이었어. 하지만 그 향후 연구에 대한 예산이 편성되지 않았으니, 결국 나온 건 아무것도 없었다."

"그래서…." 그래서 아무것도 안 하셨나요? 카르데니아는 말하려다가 입을 다물었다. 무례한 질문이었고, 그레이랜드 황제는 곧장 방어적인 태도를 보일 것이다. 그러다 카르데니아는 자신이 아무 감정도 없는 컴퓨터와 대화하고 있다는 사실을 떠올렸다. "그래서 아무것도 안 하셨군요."

"현지 대공에게 자문 위원을 보내고, 군과 현지 제국 공무원들에게 떠나고자 하는 달라시슬라 주민들을 긴급 원조하라고 지시했다."

"그들은 그렇게 했나요?"

"모른다. 내가 자문위원을 보낸 뒤 거의 곧장 플로우가 붕괴했으니까."

"그럼 2천만 명의 시민들이 정치와 관료체계 탓에 죽었군요."

"그렇다. 물론 그 즉시 죽지는 않았겠지. 그러나 상호의존성단의 시스템들은 의도적으로 필수불가결한 요소를 서로에게 의지하도록 설계되어 있다. 한 시스템과 그 지배 가문, 독점 기업을 따

160

로 떼어놓으면, 다른 수십 개 시스템은 살아남겠지. 그러나 그 하나의 시스템은 그럴 수가 없어. 시간이 흐르면 붕괴한다. 원래 인류가 살아갈 수 없는 환경의 행성과 달에 건설된 거주지와 전초기지는 지원이 없으면 망가지고, 시간이 흐르면 점점 더 고치기 힘들어진다. 농장과 식량 생산 공장이 붕괴하기 시작하겠지. 물리적 공장의 붕괴와 더불어 궁극적으로 그 무엇도 고립된 시스템에 사는 인간을 구할 수 없다는 사실을 깨닫게 되면, 사회 네트워크도 당연히 망가지겠지. 플로우 흐름의 붕괴에 이어지는 물리적 붕괴와 사회적 붕괴 사이에서, 시스템의 죽음은 불가피하다."

"얼마나 오래 걸릴까요?"

"달라시슬라 붕괴가 현실화됐을 때, 나는 카이파라 시스템의 무선 통신 관측소에 달라시슬라에서 나오는 전파를 집중 관찰하라고 지시했다. 카이파라는 17년 광년 거리, 물리적으로 달라시슬라에 가장 가까운 시스템이었지. 그들이 뭔가 듣기 전에 난 죽었다."

"하지만 그들은 뭔가 들었겠죠."

"아주 잠깐. 내 시대의 시스템 내부 통신은 대부분 데이터 집중 전송 방식이었기때문에, 무작위로 전파를 엿듣기가 힘들었을 거다. 무선 망원경에 전파를 엿들으라고 지시했을 때, 나는 달라시슬라에서 광대역 송신기로 카이파라 쪽에 교신을 보내는 사람이 있기를 바라는 마음이었어. 내가 이해하는 한, 누군가 그렇게 했다. 붕괴 2년 후, 약 한 달간."

"교신 내용은 뭐였나요?"

"기본적으로, 내전, 살인, 폭력, 생명 유지 시스템과 식량 생산 공장 파괴, 개인 숭배 종교집단. 내 아들이자 후계자인 브루노 3세가 조사한 기밀 보고서가 있다."

"기밀?" 카르데니아는 아타비오 6세를 돌아보았다. "아직도 기밀인가요?"

"내가 기밀을 해제하지 않았으니." 아타비오가 말했다.

"왜요? 플로우가 붕괴할 위험에 처했다고 믿으셨잖아요."

"그레이랜드 시대에 존재했던 문제는 우리 시대, 내 시대에도 존재하기 때문이라고 말해야겠지. 의회는 여전히 문제 제기 자체를 자기들을 주변화하려는 정치적 음모라고 볼 거고. 아무도 무역이나 길드 가문의 특권에 훼방을 놓고 싶어하지 않아. 또한 이번 경우는 달라시슬라처럼 하나의 시스템에 국한된 문제가 아니다. 시스템 전체의 문제야. 도망갈 곳이 없다. 달라시슬라에서 일어났던 일이 모든 곳에서 일어날 거다. 내가 전적으로 확신하게 될 때까지, 그 골칫덩어리의 상자는 열고 싶지 않았다."

이 지점에서 카르데니아는 꿈속의 대본에서 벗어났다. "너무나 어리석어요." 그녀는 아타비오 6세와 그레이랜드 1세에게 말했다. "지금까지 하던 대로 계속하면 파멸이잖아요. 붕괴가 현실로 다가온다는 걸 안다면 상호의존성단을 개혁해야죠. 가문의 독점을 끝내야죠. 모든 시스템이 각자 붕괴에 대비할 수 있도록 도와야죠."

"그렇게는 되지 않을 거다." 아타비오 6세가 말했다.

"어떻게 알아요."

"난 당연히 안다. 내가 황제니까. 황제였으니까."

카르데니아는 그레이랜드 1세를 돌아보았다. "당신은 붕괴를 직접 목격했어요. 재임 중에 반응이 있었을 텐데요."

"나는 암살당했어." 그레이랜드 1세는 대답했다. "실종된 달라시슬라 시스템에 대한 오락물이 잠시 유행했지만, 사람들은 잊어버리기로 작정했다. 다른 플로우 흐름은 안정된 것 같았고, 달라시슬라에 대한 생각을 계속하는 것이 불편했으니까."

"그 누구도 상호의존성단의 종말을 원하지는 않아. 우 가문을 포함해서. 너무나 많은 돈과 권력이 달려 있다." 아타비오 6세가 말했다.

"인류의 생존은 중요하지 않고요?" 카르데니아는 믿기지 않는다는 듯 물었다.

"그것이 상호의존성단의 종말을 의미한다면, 중요하지 않아."

"인류의 생존이야말로 상호의존성단의 존재 이유라고요!" 카르데니아는 아버지의 컴퓨터 시뮬레이션을 향해 외쳤다.

바로 이때, 꿈속에서, 아타비오 6세와 그레이랜드 1세는 그녀를 바라보며 동시에 웃었다.

"딸아, 상호의존성단의 존재 이유 같은 건 없다." 아타비오 6세는 말했다.

"그건 그저 우리가 붙여 놓은 구실에 불과해." 그레이랜드 1세도 고개를 끄덕이며 동의했다.

"그럼 존재 이유는 뭐예요?" 카르데니아는 계속 외쳤다. "상호의존성단이란 도대체 뭐죠?"

이때 다른 빛이 반짝이더니, 다른 인물이 카르데니아를 향해 걸어왔다. 카르데니아가 선지자-황제 라헬라 1세로 알고 있는 상호의존성단의 전설적인 건설자였다. 분명 라헬라 1세로 등장했지만, 알현 발코니 폭발 사고에 휩쓸린 나파를 닮은 모습이었다. 폭탄에 갈기갈기 찢기던 모습이 영영 마지막이 될 나파, 피를 뒤집어 쓴 나파가 상호의존성단은 무엇이었고 지금은 무엇인지 설명하기 위해 카르데니아 앞에 라헬라 1세로 서 있었다.

"그건 사기였다."

꿈속에서조차 무슨 일이 있었는지 더 이상 모르는 척할 수 없게 된 카르데니아는 애써 깨어났다. 그녀는 황제 전용의 아주 작은, 아주 안전한 개인 병원 침대에 누워 있었고, 황제 경호원과 퀴 드리닌이 이끄는 의사 한 무리, 소규모 황제군 파견대가 주위를 둘러싸고 있었다. 황제군 한 사람이 바로 그 자리에서 카르데니아가 이미 알고 있는 사실을, 그녀의 친구 나파 돌그가 죽었다는 사실을 알렸다.

2부

THE
COLLAPSING EMPIRE

7장

오폴 대학 근처의 전투는 어느덧 잠잠해져서, 마르스 클레어몬트는 다시는 돌아오지 못할 가능성이 높은 여행 준비를 하기 위해 대학원 기숙사의 아파트로 돌아갈 수 있었다.

이는 다시 의문으로 이어졌다. 영원히 떠나는 거라면, 무엇을 가져갈 것인가?

몇 가지 요인이 우선순위 분류를 도왔다. 옷가지에 관한 한, 짐은 이미 꾸려져 있었다. 클레어몬트의 집에 옷이 충분했기 때문에 오폴의 아파트에서 따로 가져갈 필요는 없었다. 아파트에 있는 옷가지라고는 천체물리학에 관한 글귀가 실크스크린으로 찍힌 캐주얼 셔츠 몇 장뿐이었다. 이것들은 두고 가도 아무 문제 없다. 그가 챙긴 옷가지는 대부분 점잖은 색깔과 디자인이었다. 아버지는 허브에 가면 패션이 아주 다를 것이기 때문에 어차피 옷은 새로 사야 할 거라고 했다.

마르스가 아끼는 책, 그림, 오락, 개인 통신, 그리고 10만 마크 가까운 현금이 엄지손가락만 한 데이터 저장장치 안에 들어 있었고, 현금은 이론적으로 그의 생체 정보를 통해서만 인출 가능했다. 이것들은 공간을 전혀 잡아먹지 않는다.

이제 물건들이 남았다—감정적인 가치가 있는 물건들이었다. 이런 물건들 상당수는 역시 클레어몬트 성에 있었다. 마르스가 평생 대부분을 살아온 곳이기도 했고, 대학원 기숙사 아파트는 우스울 정도로 좁았기 때문이었다. 아파트에 있는 물건들 중에서, 마르스는 네 가지를 골랐다. 둘은 아버지가 선물한 책이었다. 한 권은 그의 열세 살 생일에, 한 권은 박사 학위를 받던 날이었다.

세 번째는 브레나가 그린 가즈 콘서트에 들고 갔다가 밴드 멤버 네 명 중 세 명에게 사인을 받은, 오래된 음악 재생기였다. 더 이상 작동하지는 않았고, 그린 가즈도 오래전 해산한 뒤로 멤버들은 잊혀졌거나 변변찮은 솔로 활동을 계속하고 있었다. 그러나 마르스는 그 시기를 기억하기 위해, 또한 자라면서 늘 그를 괴롭혔던 브레나가 가끔은 이렇게 사려 깊고 친절할 줄도 아는 인간이라는 사실을 잊지 않기 위해 이 물건을 간직하고 있었다.

마지막은 올이 닳은 봉제 돼지 인형, 지기였다. 어머니가 마르스의 첫 생일에 주었는데, 그때 브레나에게는 호위라는 이름의 곰 인형을 같이 선물했다. 호위는 오래전 사라졌지만—브레나가 사제 로켓으로 인형을 하늘로 날려버렸다고 믿을 만한 이유가 있었다—지기는 살아남아 마르스의 새 집마다 따라다녔다. 그의 곁을 떠난 어머니가 남긴 유일한 선물이라면 보다 그럴듯하겠지만, 사실 그는 선물을 많이 받았고 어머니가 주었거나 그녀를 떠올리게 하는 물건들도 많았다. 지기는 그에게 단순히 행운의 부적이었다.

마르스는 네 가지 물건을 작은 배낭에 쑤셔 넣고, 다시 배낭을 살펴보았다. 한 세상을 떠나는 길에 가져가는 짐이 많지 않군. 그는 생각했다. 마르스는 이 행성을 떠나 아는 사람이 아무도 없고 아마도 평생을 보내야 할 곳으로 가는 길이라는 사실을 의식하지 않으려고 최선을 다하고 있었다. 엔드로 향하는 플로우는 엔드에서 나가는 플로우보다 오래 남아 있을 것이다. 앞으로 몇 년쯤 더 시간이 있을지도 모른다. 이론적으로 이 시점에서는 돌아오는 것도 가능했다. 절대 그럴 것 같지가 않을 뿐이었다. 아버지나 누이, 평생 알고 지낸 사람들을 다시는 보지 못할지도 모른단 사실을 극복하기 위해 그는 그저 행성을 떠나는 실질적인 문제에 집중했다.

실질적인 문제도 만만치 않았다. 그는 전날 '예스 써' 호의 수석 사무장 가슨 매그넛을 만나 승선 문제를 논의했다. 승선권은 싸지 않았고—사실 마르스가 이날까지 평생 쓴 돈을 합한 것보다 더 큰 돈이 들었다—매그넛은 위조 여행 허가서 및 몇 가지 다른 것들도 팔아넘기려 했다. 자기 여행 허가서는 준비되어 있다고 하자 매그넛은 약간 실망하는 눈치였다. 이 문제를 해결하고 나니, 이제 남은 일은 사직서와 작별 편지를 쓰는 일이었다. 그는 '예스 써' 호가 플로우 안에 들어가면 편지가 발송되도록 해두었다.

그리고 지금 이 문제, 중요한 물건을 챙기는 일. 아파트의 다른 물건들은 모두 나중에 클레어몬트 집안 하인이 가져가기로 했다.

마르스는 어깨에 배낭을 짊어지고 마지막으로 아파트를 둘러본 뒤 절대 이곳은 그립지 않을 거라고 생각했다. 교육기관 기숙사란 곳이 늘 그렇지만, 어느 면으로 보나 기억에 남을 만한 점이 없었다. 마르스는 계단을 내려가 기숙사를 나선 뒤 두어 명의 행인 외에는 거의 완전히 텅 빈 거리를 걸었다. 그때 밴 한 대가 마르스 쪽으로 달려오더니 문이 열렸다. 안에는 아주 덩치 큰 남자 두 명이 타고 있었다.

덩치 큰 남자들은 차에서 뛰어내려 마르스가 미처 상황을 파악하기도 전에 그를 밴에 실었고, 밴은 그를 태우고 다시 출발했다. 온갖 감상적인 물건들이 들어 있는 배낭은 보도에 남겨둔 채. 납치를 당하다보면 이런 일이 가끔 생기는 법이다.

◇ ◇ ◇

그레니 노하마페탄은 작은 탁자를 사이에 두고 마르스 클레어몬트를 향해 미소 지었다. "마르스 경, 다시 만나게 되어 반갑습니다. 급하게 전갈을 드렸는데도 와주셔서 얼마나 감사한지."

"그레니 경." 마르스는 말했다. "당신이 날 여기까지 납치했으니, 내가 거절할 수 있는 초대였다고 생각지는 않습니다만."

두 사람은 화물 컨테이너로 만들어진 듯한 창 없는 방에 앉아 있었다─원래는 컨테이너 같았지만, 다른 목적으로 쓰이고 있는 것 같았다. 어디인지는 전혀 알 수 없었다. 마르스를 잡아온 깡패들이 이 방에 데려다놓은 지 겨우 10분 정도가 지나고 그레니가 나타났다.

"납치란 단어는 별로 마음에 들지 않는데요." 그레니가 말했다.

"유감이지만, 그레니 경, 지금은 당신 마음에 들고 안 들고 따위 아무 관심도 없소."

"좋습니다." 그레니는 의자에 등을 기대고 마르스를 건너다 보았다. "소문을 듣자 하니 엔드를 떠날 계획이라면서요."

"그렇다 해도, 그게 당신과 무슨 상관인지 모르겠군."

"음, 글쎄요. 전쟁 중이고, 몇몇 귀족들이—그들의 자식들, 성인이든 어린이든—갑자기 행성을 떠나는 승선권을 사들이고 있는 게 대공의 눈에 띄어서 말입니다."

"전쟁이 일어나면 그런 일이 생기기 마련이오."

"그렇겠지요." 그레니는 동의했다. "하지만 대공은 이 행태를 자신의 지도력에 대한 믿음의 표시로 보지 않는 터라, 떠나려는 분들에게 머물러 달라고 요청하고 있지요."

"그 초대장을 전하러 날 납치한 건 아니겠지요, 그레니 경." 마르스가 말했다.

"아니, 쓸데없이 일을 복잡하게 만들 이유는 없겠지요. 맞습니다. 전혀 다른 이유로 여기 모셨습니다. 요전 날 아버님께 대공이 제국의 자금을 풀어달라고 도움을 요청하신 것 기억하시지요."

"'어쩌면'이라고 답하셨던 것으로 기억하오."

"그러셨습니다. 저는 '정중하게, 안 됩니다.'로 들었습니다만. 분명히 말해서, 그게 만약 정말 그분의 대답이었다면, 대단히 윤리적이고 법적으로도 올바른 이유이셨습니다. 그 이유로, 좋은 선택이셨지요."

"그렇게 말씀하셨다고 아버님께 전하겠소."

"그러시겠지요." 그레니가 말했다. "단지 아직은 안 됩니다. 아버님의 대답에 문제는, 윤리적으로나 법적으로 존경스러운 대답이었음에도 불구하고, 지금 당장 대공은 무기가 너무나 절실하기 때문에 그 돈이 필요하다는 겁니다. 그리고 '어쩌면'조차도 우리가 처한 다급한 시간적 여유를 감안할 때 곤란하고요. 그러니 설득이 안 통하면 강제를 써야겠지요."

"몸값을 요구하려고 날 납치한 거군."

"맞습니다. 그 점은 사과드리겠습니다. 아버님은 저나 대공이 제시할 만한 다른… 설득에는 관심이 없으셔서. 돈이나 권력, 기타 구체적인 뭔가에 관심이 없으신 것 같더군요. 엔드에 대한 애국심이나 대공에 대한 충성심도 없으십니다. 그러나 그분이 당신과 당신 누이를 사랑하신다는 건 의심할 여지가 없지요. 그러니 남은 건 둘 중 누구를 택하느냐의 문제였을 뿐입니다. 우리가 볼 때 당신 누이는…."

마르스는 이 말에 웃음을 터뜨렸다. 그레니도 최대한 우아하게 웃음을 받아들였다.

"…신병을 손에 넣는 것 자체에 문제가 많으신 분이고."

"당신이 보낸 깡패를 작살낸 다음에 실토를 받아내서 당신을 잡으러 올 것 같았겠지."

"바로 그겁니다. 모욕적인 의도는 전혀 없습니다만, 당신이 보다 수월한 표적이지요."

마르스는 이 말에 고개를 끄덕였다. 사실이었다. 그는 과학자였고, 브레나는 군인이었다. 아니, 클레어몬트 관구에서 경찰직을 맡기 전에는 그랬다. 둘 중 갑자기 납치하기 쉬운 상대는, 그러다 누가 목이 부러지지 않을 만한 상대는 마르스였다.

"행성을 떠날 생각이시라는 문제도 있고요, 그분은 아닙니다."

"그래서?"

"당신은 전에 엔드 밖으로 나가보신 적이 없지 않습니까. 누이께서 해병대에 계실 때조차, 제국 우주 정거장 한 번 가보신 적이 없습니다. 지금 떠나시는 건 흥미롭지요."

"전쟁 중이라고 하지 않았소."

"네, 하지만 당신이 그 때문에 떠나신다고 생각지 않습니다. 전쟁 때문에 떠나시는 거라면, 당신만 떠날 리가 없지요. 누이와 아버님도 함께 떠나시거나, 최소한 시도는 하셨을 겁니다. 그런데 떠나는 건 당신뿐이에요." 그레니는 주머니에 손을 집어넣어서 데이터 저장장치를 꺼내 탁자 위에 놓았다. "그리고 이거라면, 최소한 가문의 재산도 갖고 가지 않으시는 것 같고."

마르스는 데이터 저장장치를 바라보았다. 납치당할 때 잃어버린 배낭이 아니라 몸에 지니고 있던 다른 개인적인 물건과 함께 빼앗겼다.

그레니는 저장장치를 그에게 밀어주었다. "가져가십시오."

마르스는 장치를 집어 주머니에 넣었다. "비었나?"

"아니요. 제게 사진과 음악 같은 건 필요 없고, 대공도 당신 가문에서 10만 마크 이상이 필요하시니까요. 아버님이 우릴 도우실 때까지, 돕지 않으시면, 아무 데도 못 가십니다. 아버님은 당신을 지금 보내고 싶어하시니, 아마 우린 원하는 걸 얻을 겁니다."

"그렇지 못하면?"

그는 어깨를 으쓱했다. "일단, 당신은 이 행성을 못 떠납니다."

"일단."

"대공은 그 돈이 절실히 필요하거든요."

"날 죽일 정도로?"

"직접 죽이시지는 않습니다. 하지만 말이 나왔으니 말인데, 지금은 이 멍청한 반란 때문에 매일 수백 수천이 죽어나가고 있습니다. 한 사람의 생명을 희생시켜 수천 명이 살 수 있다면, 해볼 만한 모험 아니겠습니까?"

"날 납치한 걸 윤리적으로 정당화시키려고 하는 것뿐이오."

그레니는 다시 어깨를 으쓱했다. "대공이 자기 양심의 가책을 덜기 위해 중얼거릴 만한 논리이기는 하지요. 설득력이 있느냐 없느냐에는 별 관심이 없을 겁니다. 대공에게는 여러 특질이 있지만 대단한 사상가는 아니니까요."

"그런다고 일이 풀리진 않을 거요."

"두고 보죠. 어쨌든 전쟁은 많은 과오를 용서합니다. 특히 대공이 무기를 구해 반란군을 섬멸하려고 했다면. 그동안 마르스 경, 당신이 당신 아버지에게 얼마만큼의 가치가 있는지 지켜보지요. 당신을 위해서가 아니라면, 당신을 행성 밖으로 떠나보내려는 그 이유가 얼마만큼의 가치가 있는지. 무슨 용건인지는 제게 말하고 싶지 않으시지요?"

"당신과 상관없는 일이오."

"그렇게 믿으시는 거 압니다. 하지만 제 업무가 얼마나 폭넓은 지 아신다면 놀랄걸요."

"당신의 업무 범위에는 납치도 들어가는 것 같으니, 이 시점에 내가 당신 때문에 새삼스럽게 놀랄 일은 없을 것 같군."

"역시, 좋습니다. 엔드를 왜 떠날 계획이셨는지 제게 말씀하고 싶으시면 기꺼이 듣죠."

마르스는 침묵을 지키며 그레니를 응시했다.

"좋습니다." 그레니는 잠시 후 말했다. "당신 아버님이 빨리 움 직이지 않으면, 약간의 고문으로 동기부여를 해드리는 것도 좋겠 죠. 비디오 촬영 등등 해서 말입니다. 그때 이 문제도 다시 묻기로 하겠습니다."

"고문으로 진실한 대답을 얻을 수는 없소."

"그렇게들 말하지요. 역시, 두고 봅시다." 그레니는 일어서서 컨테이너 반대쪽 벽을 가리켰다. "그동안, 저 구석에 변기가 있고, 저기 냉장고에는 물과 스낵이 좀 들어 있습니다." 그는 가까운 벽 을 가리켰다. "문은 저깁니다. 5피트 내로 접근하면, 문에 전류가 통합니다. 손을 대면 죽지는 않겠지만, 차라리 죽었으면 싶은 기 분은 들겠죠. 그래도 어떻게 문을 열었다, 그러면 내 부하들이 반 대편에서 기다리고 있다가 차라리 나오지 말았더라면 싶은 기분 이 들게 해드릴 겁니다. 알겠습니까?"

마르스는 고개를 끄덕였다.

"좋습니다." 그레니는 마르스를 바라보았다. "이 모든 일에 대해 사과드리겠습니다. 이렇게 하고 싶지 않았어요. 지금부터 우리 사이는 어색해지겠지요."

"일단은." 마르스는 그레니의 말투를 따라했다. 그레니는 미소 짓고 나갔다.

마르스는 냉장고로 다가가서 물 한 병을 꺼내 마시며 주위를 다시 둘러보았다. 탁자 등, 의자, 변기, 냉장고. 침상은 없었다. 차가운 철제 벽과 차가운 철제 바닥. 넓은 문에 지나치게 접근하지 않고 방 앞쪽으로 걸어가자, 반대편에서 낮은 남자 목소리가 들렸다. 무슨 이야기를 하는지는 알아들을 수 없었다.

훌륭하군, 그는 생각했다. 유일한 희소식은 그레니가 데이터 저장장치를 돌려주었다는 사실뿐이었다. 그가 아는 바보다 훨씬 귀한 물건이기 때문이었다. 그러지 않았다면, 모든 것이 다 엉망진창이 되었을 것이다. 지금쯤 아버지는 아마 그레니 노하마페탄에게서 연락을 받았을 것이다. 마르스는 아버지가 어떻게 반응할지 알 수 없었다. 한편으로 생각하면, 정확히 이런 종류의 일이야말로 아버지가 저항할 만한 압력이었다. 반면 그가 인생에서 진정 아끼는 것은 자식뿐이라는 그레니의 말도 옳았다.

지금부터 일주일에서 한 달 사이에 상호의존성단 통화 마크는 같은 무게의 흙무더기보다 쓸모가 없어질 것이라는 문제도 있었다. 그렇게 되면, 어쩌면 아버지가 그냥 돈을 넘겨줘버려도 장기적으로 보면, 아니, 아주 단기보다 약간 더 장기적으로 보면 아무 상관이 없을 것이다. 그러나 대공에게 결코 유리하지 않은 방향으로 그럭저럭 정돈될 것처럼 보이기 시작하는 이 반란에 무기가 추가로 투입되면, 전쟁은 새로운 불씨를 얻어 타오를지도 모른다. 더 많은 죽음, 더 많은 파괴, 더 많은 피난민들—그렇지 않아도 엔드에서 밖으로 나가는 플로우 흐름이 붕괴하면 행성의 모든 사람들의 인생이 송두리째 뒤집힐 이 판국에.

마르스는 물을 한 모금 더 마셨다. 두려웠고, 자기 개인의 안위가 깊이 걱정스러웠지만—그레니 노하마페탄은 사실 그저 재미로 사람을 고문할 수도 있는 소시오패스로 보였다—동시에 묘하게 초연한 기분도 들었다. 현재 상황에 대한 충격 때문인지, 인류 문명이 종말에 다가왔으니 상대적으로 보아 이런 일은 아무것도 아니라는 자각 때문인지, 혹은 둘 다인지는 분간할 수 없었다. 두려웠지만, 동시에 피곤했다. 최소한, 이 순간, 피곤하다는 데 대해서는 해결책이 있었다.

그래서 마르스 클레어몬트는 의자로 돌아가 앉은 뒤 발을 탁자에 올리고 팔짱을 끼고 눈을 감고 낮잠을 자려고 노력했다.

얼마나 시간이 흘렀을까, 누군가 그를 흔들어 깨웠다. "여기 누가 당신을 만나러 왔어." 익숙한 목소리였다.

마르스는 눈을 뜨고 깜빡이며 바로 앞에 있는 물체에 초점을 맞추려고 애썼다. 봉제 인형 돼지 지기였다. 지기 뒤에 서서 마르스의 얼굴 앞에서 손을 흔드는 사람은 누이 브레나였다.

"날 찾았군." 마르스는 졸린 음성으로 말했다.

"내가 하는 업무가 그거잖아." 그레나는 지기를 마르스에게 건네며 말했다.

"감전되지 않았어?"

"뭐?" 브레나는 어리둥절했다.

"아냐. 날 어떻게 찾았어?"

"도움을 받았어. 나중에 설명하지. 걸을 수 있어?"

"난 괜찮아."

"그럼 전기 충격기로 기절시킨 깡패 놈들이 깨기 전에 나가자."

브레나는 마르스를 방 밖으로 이끌고 나갔다. 방은 짐작했던 대로 쓰러져 가는 창고 건물 안에 놓인 화물 컨테이너였다. 마르스의 컨테이너 외에도, 안에 아무도 없어 보이는 컨테이너가 옆으로 두 개 더 나란히 있었다. 그중 하나에는 시체라도 끌고 나간 것처럼 핏자국이 길게 곡선으로 이어져 있었다. 마르스가 있던 컨테이너 밖에는 두 남자가 창고 바닥에 쓰러져 있었다. 그를 붙잡아 밴으로 끌고 간 바로 그자들이었다. 숨은 쉬고 있었다. 지금으로서는 그것도 분에 차지 않는 기분이었다.

"여긴 뭐하는 데야?"

"비공식 구치소로 보이는데." 브레나가 말했다.

"대공의?"

"아마도. 가자." 브레나는 동생을 데리고 창고를 나선 뒤 특징 없는 지상차 쪽으로 밀었다. 마르스는 차에 타서 안전벨트를 맸고, 브레나는 차를 수동 조종으로 맞췄다.

"다른 사람들은?" 마르스는 주위를 둘러보았다.

"누구?" 브레나가 물었다.

"혼자 날 찾으러 왔어?"

"이걸로 대단한 계획 짤 시간은 없었어." 브레나는 주위를 둘러보고 차를 출발시켰다.

"내가 부상이라도 당했다면? 내가 못 걷는 상태였다면? 두 놈 이상이 지키고 있었다면?"

"내가 뭔가 대책을 생각해냈겠지."

"이 구출 작전 기억해두겠어."

"네가 원하면 다시 저기 처박아줄게."

그는 킬킬 웃고는 인형을 꼭 끌어안았다. "신경 쓰지 마, 누이." 그는 말했다. "잠시 납치 후 경기를 일으키고 있는 것뿐이야."

브레나는 팔을 뻗어 마르스의 손을 잡았다. "알아. 경기 좀 더 일으켜도 돼. 신경 안 쓸 테니까."

비교적 점잖은 경기를 몇 분 동안 일으킨 뒤, 마르스는 지기를 들어 올려 얼굴을 쳐다보았다. "지기를 데리고 왔군."

"그래. 널 빼내는 동안 네가 지나치게 생각을 못 하게 하는 데 도움이 될 것 같아서."

"효과 있었어. 하지만 이걸 어떻게 찾았는지 궁금해."

"누가 갖다줬어. 네가 납치당할 때 배낭에 갖고 있던 나머지 물건들과 같이."

"그래, 그런데 그 물건들을 어떻게 다 찾았느냐고."

"널 지켜보고 있던 사람들이 갖다줬지."

"사람들이 날 지켜보고 있었다고?"

"그래."

"누가?"

8장

그러니 노하마페탄이 마르스 클레어몬트를 놓친 뒤 건 그 전화
야말로 키바 라고스가 평생 받은 것 중 가장 만족스러운 전화 중
하나였다.

"마르스 클레어몬트가 사라졌어." 그는 말했다.

"누구?" 키바가 물었다.

"장난치지 마, 키바. 그가 어디 있는지 알아야겠어."

"그가 어디 있는지 난 말할 수 없어. 그를 추적하는 건 내 임무
가 아니야. 내가 아는 한 내 일은 그가 우주선 승선권을 사려고 하
면 너한테 알리는 것뿐이었어. 그가 승선권을 사려고 했고, 그래
서 너한테 알렸어. 내 기억이 맞다면, 넌 그가 탑승하려고 할 때까
지 기다렸다가 낚아챈다고 했잖아. 넌 기다리지 않기로 했어. 그
러니 이번 일은 네 책임인 것 같은데."

"클레어몬트에게 붙인 사람들 말로는 여자에게 공격당했다고 했어."

"내가 아니야."

"그건 브레나 클레어몬트였어."

"국가를 위해 사람을 죽이는 훈련을 몇 년이나 받고 그런 뒤에 경찰이 된 그 여자 말이지? 그래, 내가 논리적으로 생각해봐도 그렇겠지."

"우리가 그 동생을 노리고 있다는 걸 그 여자가 어떻게 알아냈는지 궁금해."

"그 여자한테 물어봐."

"키바."

"혹시나 해서 말하지만, 내가 말한 건 아니야. 내가 왜 그걸 알려줘? 네가 그를 납치하는 데 300만 마크가 걸려 있는데."

"네 승무원 중 누가 말했든가."

"혹은, 이건 그냥 가설일 뿐인데, 네가 성인인 자식들이 보는 앞에서 클레어몬트 백작에게 돈을 갈취하려고 시도했다가 곧장 원하는 걸 얻지 못했을 때, 어쩌면 그 집 자식들이 너 같은 개자식은 납치 같은 짓을 시도할지도 모른다고 눈치채고 미리 대비한 거 아닐까? 특히 그중 한 명이 군인 출신이고 현직 경찰인데 말이야, 그레니."

수화기 너머에서 잠시 침묵이 흘렀다. "네가 그 내용을 어디서 들었는지 알고 싶어."

"마르스 클레어몬트가 제 입으로 말해줬으니까." 키바는 말했다. "승선권을 살 때 그가 내 수석 사무장에게 말했고, 내 수석 사무장이 내게 말했어. 내 우주선의 안전에 영향을 미칠 만한 일들을 내게 보고하는 게 그의 임무니까. 클레어몬트 집안 자식들이 그 이야기를 안 할 거라고 생각했을 정도로 등신은 아니겠지? 전쟁만 아니라면, 대공이 마지막으로 며칠 발버둥을 치는 동안 법 집행이 사실상 중단 상태만 아니라면, 네놈은 이미 갈취 혐의로 감옥에 가 있을 거다. 대공도 널 감싸주지 않을걸. 빌어먹을, 그레니. 넌 경찰이 보는 앞에서 제국 공무원에게 돈을 뜯어내려고 했어. 그런 짓을 하다니 머리가 얼마나 단단해야."

다시 침묵이 흘렀다. 키바는 그레니가 다시 말할 때까지 기분 좋게 초를 세었다. 그는 6초 만에 입을 열었다.

"마르스나 브레나 클레어몬트에게서 연락을 받았나?"

키바는 코웃음을 쳤다. "내가 그들에게서 왜 연락을 받겠어? 난 그들이 상대한 사람이 아닌데. 내가 누군지도 모를걸. 그들이 누군가에게 연락한다면, 그건 내 수석 사무장이겠지. 묻기 전에 미리 말하지만, 그들은 네가 그 멍청한 짓을 한 뒤로 우리 사무장에게 연락조차 안 했어. 추측하건대, 아마 엔드를 떠나는 다른 배에서 승선권을 사려고 하는 모양이지."

"너와 같은 시간대에 출발하는 우주선이 뭐지?"

"내가 교통 통제관으로 보여, 그레니? 난 몰라. 관심도 없어."

"출발을 연기해줬으면 좋겠어."

"내가 왜 그래야 하는데? 하고 싶다 해도, 그러기 싫지만, 제국 우주 정거장 내에서 임대한 정류장에는 이미 다음 우주선 일정이

잡혀 있어. 달리 머무를 곳도 없다고."

"네 우주선은 시스템 내에 머물러도 돼."

"아니면 원래 일정대로 출발해도 되고. 우린 스케줄이 있고, 네가 못 따라오는 것뿐이야."

"큰 신세 지는 걸로 생각할게." 그레니가 말했다.

키바는 이 말에 크게 웃었다. "다시 말해 봐, 그레니. 두 번째도 이렇게 큰 웃음이 나올지 궁금하다고."

"한때 친구 사이였잖아."

"한때 서로 붙어 먹던 사이였지. 같은 사이가 아니야. 너라면 잘 알 텐데."

다시 침묵. "300만 마크에 대해 이야기하고 싶어."

"그러시겠지."

"난 클레어몬트를 못 잡았어. 네가 300만 마크를 계속 갖고 있어도 되는지 모르겠는데."

"그가 승선권을 예약하면 네게 알리는 게 계약 조건이었으니까, 그 돈은 당연히 내 거지. 그는 사러 왔어. 나머지는 네가 알아서 할 일이었고. 네가 무능한 부하를 고용한 게 내 잘못은 아니잖아."

"키바, 네가 배후에서 그의 탈출을 돕는 게 밝혀지면, 뒷일이 그리 좋지 않을 거야."

"음, 그 점에 대해서는 두 가지 답변을 하지. 첫째, 꺼져, 이 똥덩어리 같은 자식아. 둘째, 내가 배후라면, 네가 도대체 나한테 어쩔 건데? 난 엔드를 떠나, 이 개자식아. 올해 안에 집에 돌아갈 거고, 사무실에서 근무하기로 되어 있어. 우주선 근무는 할 만큼 했으니까. 반면 넌 여기, 이 우주 발가락 때만 한 행성에 계속 붙어 있겠지. 마음대로 협박해 봐, 이 양심도 없는 등신아. 난 아무렇지도 않으니까."

그레니는 한숨을 쉬었다. "키바, 그간의 모든 일에도 불구하고 난 아직 널 조금 좋아해."

"감동이야, 그레니. 진심이라고."

"앞으로 무슨 일이 일어날지, 내 편에 붙는 게 길게 봐서 왜 나쁜 일이 아닌지, 넌 아무것도 모른다고 말해주는 것도 바로 그 때문이야."

"나도 네 편에 붙는 건 좋아, 그레니. 네가 계약 조건을 깊이 생각하지 않았다는 이유로 300만 마크를 돌려줘야 하는 게 별로 안 좋을 뿐이지. 너와 문제를 일으키면 나중에 후회할 거라고 침을 튀기며 사람을 협박하는 척하는 것도 별로 안 좋아. 철 좀 들어, 그레니."

"클레어몬트가 네게 연락하면, 내게 말해주었으면 좋겠어. 여기서 '너'라고 함은, 네 승무원 중 누구든지."

"50만 마크 더 내면 기꺼이 그렇게 해주지."

"키바."

"키바 뭐, 그레니? 우린 사업을 하고 있어. 넌 정보를 원해. 전에는 그 정보를 얻기 위해 기꺼이 돈을 지불했잖아. 더 많은 정보를 얻게 해주겠다고. 전보다 상당액 할인한 값으로."

"제국 우주 정거장에 우리 애들을 내보내서 그가 네 우주선에 타는지 지켜볼 거야."

"물론, 내가 네 입장이라도 그러겠어. 하지만 그를 찾지는 못할 거야. 그에게 머리란 게 있다면, 이 빌어먹을 돌투성이 행성을 떠나는 다른 우주선을 알아보겠지. 난 아무 상관없어. 난 이미 환불불가 조건으로 그에게 승선권을 50만 마크에 팔았으니까. 그 액수로 드디어 이번 여행의 적자를 완전히 메웠어. 아니, 물론 네 300만 마크까지 합해서."

"축하해."

"고마워."

"지금 넌 어디지? 정거장, 아니면 행성?"

"난 출발하기 전에 마지막으로 행성에서 우리 주재원들을 만나고 있어. 대공에게 우리 돈은 이자까지 붙여서 갚으라고 전해. 물론 다음 주 동안 그 목에 머리가 붙어 있으면 말이지만, 그럴 것 같지는 않고, 나로서는 그것도 아무 상관 없어."

"저녁 같이할까?"

"뭐?" 키바는 말했다.

"떠나기 전에 저녁 같이 하는 게 어때?"

"내전 중에 문을 여는 식당 알고 있나?"

"내 집에서 들면 돼."

키바는 웃었다. "아직도 정말 나랑 한판 하고 싶구만."

"거짓말은 안 해. 나쁘지 않잖아. 전에는 좋았고, 사이가 나빠지기 전 말이야."

"맞아, 그랬어." 키바는 인정했다. "섹스 자체는 좋았어, 그레니. 내가 별로 용서하고 싶은 기분이 아닌 건 엿 먹는 거야. 지금이든 언제든."

"좋아. 클레어몬트가 연락하면 알려줘."

"요금은 알고 있지."

"좋아."

"거래해서 즐거웠어, 그레니."

그레니는 코웃음을 치고 연결을 종료했다.

"저녁 식사를 하러 나가면 당신을 죽이려고 할 겁니다." 브레나 클레어몬트가 말했다. 그녀와 마르스는 라고스 가문 현지 사무실의 한 회의실에 키바와 같이 앉아 있었다.

"내가 척추를 반으로 접어줄 텐데." 키바는 말했다. 브레나는 이 말에 미소 지었다.

"내가 당신에게 승선권을 예약했다는 사실을 그레니 노하마페탄에게 알렸다는 부분으로 돌아가고 싶은데요." 마르스가 말했다.

"그게 왜?"

"그에게 알렸습니까?"

"그랬다는 거 알잖아."

"왜요?"

"그가 그 정보의 대가로 제시한 300만 마크가 필요했으니까."

"네. 하지만 그는 날 인질로 잡아놓고 고문하고 어쩌면 죽일 생각이었습니다."

키바는 어깨를 으쓱했다. "당신이 납치당한 직후에 우린 당신 누이에게 알렸어. 사람들을 시켜 당신을 지켜보게 했다고. 그리고 당신 누이에게 당신을 찾아서 구할 수 있는 모든 정보를 줬어. 하,

심지어 우리가 헛소리를 하는 게 아니라는 증거로 귀여운 아기 돼
지가 들어 있는 당신 배낭까지 넘겨줬다고."

"그래도 내가 다칠 수 있었습니다. 죽을 수도 있었어요."

"안 다쳤고, 안 죽었잖아."

"하지만…."

키바는 한 손을 들었다. "난 당신이 열 받았는지 말았는지 아무
관심이 없으니 이 이야기는 여기서 접으면 안 될까? 당신이 실세
로 다쳤거나 죽었다면, 난 유감이라고 했겠지. 하지만 그런 일은
안 생겼으니 집어치워. 내가 볼 때, 그레니가 300만 마크를 내놓을
정도로 당신을 간절히 원했다면, 내가 무슨 말을 했건 안 했건 그
는 어쨌든 당신을 납치하려고 했을 거야. 그렇기 때문에 난 돈을
받기로 한 거고. 이번 여행은 적자였는데, 이제 만회했어. 게다가
우린 당신 누이에게 당신을 구할 정보를 줬어. 그러니 제발 징징
거리지 마."

"난… 그 점에 대해서는 문자 그대로 뭐라고 말해야 할지 모르
겠습니다." 마르스는 말했다.

"'고맙습니다.' 하면 돼." 키바는 말했다. 브레나가 다시 미소
지었다.

"그러고 싶지는 않습니다." 마르스가 말했다.

"좋아. 어쨌든 이 문제는 여기서 접자고. 됐지?"

마르스는 여전히 미소 짓고 있는 누이 옆에 나란히 앉아 입을
다물었다. 키바는 두 사람 다 매력적이라고 생각했다. 마르스는
어리바리하지만 사려 깊고 주의력이 있었고, 브레나는 같이 하룻

밤 뒹굴고 나면 침대가 불쏘시개로나 써야 할 정도로 망가질 가능성이 50퍼센트는 되어 보이는 매력이었다. 인정하고 싶지는 않았지만, 그레니의 무성의한 밀회 제안 때문에 마지막으로 오르가슴을 시도한 것이 벌써 일주일 전 그 부사무장과의 만남이었다는 사실, 그 뒤로는 자위 생각조차 안 날 정도로 바쁘거나 열 받은 상태였다는 사실이 떠올랐다.

이건 어떻게든 해결해야 하는, 빌어먹을 비극이었다. 키바는 클레어몬트 쌍둥이 중 어느 쪽이 그 방면에서 자신을 도울 만한 부류인지 멍하니 생각해보았다. 마르스는 아마 거절할 것이다. 최소한 지금으로서는—그는 키바가 300만 마크를 받고 자신을 납치당하게 해놓고 아무 죄책감이 없다는 데 아직 열 받은 것 같았고, 솔직히 말해, 그럴 만하다. 하지만 브레나라면 가능할지도 모른다. 키바는 필요와 상황 때문에 이후 브레나조차 불가능한 것이 씁쓸했다.

"레이디 키바?" 브레나가 불렀다.

"실례." 키바가 말했다. "섹스 생각을 하느라 다른 데 정신이 팔려 있었어."

브레나는 미소 지었다. "아직 마르스를 우주선에 탑승시키는 문제가 남아 있습니다. 그레니 노하마페탄은 아직도 그를 납치하려고 우주 정거장에 사람들을 배치시킬 계획을 세우고 있으니까요."

"그레나는 정문에서 기다릴 거야." 키바가 말했다. "하인 출입구는 감시하지 않을걸."

"무슨 뜻입니까?" 마르스는 물었다.

키바는 그를 보았다. "당신은 마르스 클레어몬트가 아니라, 우주선 승무원 크리스찬 잰슨이라는 이름으로 우리 배에 탑승한다는 뜻이야."

"어떻게 그렇게 할 수가 있지요?"

"당신이 승선권을 예약했을 때 가슨 매그넛이 위조 여행 허가서까지 팔려고 했을 텐데."

"맞습니다. 전 필요가 없었어요."

"음, 이제 필요해. 보다 정확히 말해서, 이건 당신을 위해 만든 거야."

"그것까지 돈을 내야 하는 건 아니겠죠." 마르스는 말했다.

"다른 사람들에게 청구하는 어마어마한 액수 말고, 실비만 받도록 하지."

"여행 허가서로 충분하지 않습니다." 브레나가 말했다. "무역선 승무원은 생체 정보도 갖고 있어야 합니다. 노하마페탄이 마르스를 납치하기 위해 300만 마크를 기꺼이 냈다면, 분명 승무원 출입구도 확인할 겁니다. 아마 우주 정거장 생체 정보 데이터베이스까지 검색할 거라는 뜻이죠."

"우리가 사람을 승무원으로 밀입국시킨 게 이번이 처음인 줄 알아?" 키바는 말했다. 그녀는 마르스를 돌아보았다. "머리를 밀어. 배양시킨 머리카락을 심은 피부 가발을 착용할 거야. 두피와 턱수염. 머리에서 머리카락 한 올을 뽑으면, 당신이 아니라 크리스찬의 DNA로 검색될 거야. 위조 홍채와 망막 패턴을 심은 콘택트렌즈, 지문과 DNA까지 완벽한 엄지손가락 패드도 착용해. 신발 안에 굽도 넣어. 당신처럼 보이지 않을 거야. 혈액 샘플을 채취하지 않는 이상 안전해."

"만약 혈액 샘플을 채취한다면?" 마르스는 물었다.

"음, 그렇게까지 한다면 망한 거지. 안 그래? 하지만 그렇게는 하지 않아."

"당신이 인간을 창조해냈다는 걸 아무도 눈치채지 못할 거다…" 브레나가 말했다.

"크리스찬은 전에 성공적으로 사용한 신원이야." 키바는 말했다. "우리는 출입하는 모든 시스템에 이런 신원을 한둘씩 갖고 있어. 다른 가문도 마찬가지야."

"왜요?" 마르스가 물었다.

"때로 누군가 중요한 인물이 사고를 치고 급히 시스템을 떠야 할 일이 생기니까. 저런 사람이." 키바는 브레나 쪽으로 엄지손가락을 까딱했다. "추적해서 교도소에 잡아 넣기 전에 말이야. 하고 다니는 짓으로 봐서, 아마 그레니도 조만간 이런 신원이 필요하게 될걸."

"그럼 이번 항해 내내 저는 크리스찬이군요."

"그게 당신 이름이야. 플로우 안에 들어가면, 가짜 신원은 버려도 돼. 우리가 진짜 정보를 시스템에 입력하지. 한 가지. 항해 내내 당신은 실제 승무원으로 일해야 해."

"왜 그렇게 해야 하죠?" 브레나가 물었다.

"크리스찬은 실제 승무원을 대신한 인물이니까. 당신은 승무원 공간을 사용할 거고, 승무원의 일거리도 받게 될 거야. 그게 조건이야."

"급여는 못 받겠지요."

"당연히 받지. 정식 급여. 다른 데서 쓸 데는 없겠지만. 허브로 직진이니까."

"우리가 드린 승선료는 환불되나요?"

"멍청한 소리 하지 마."

마르스는 미소 지었다. "그냥 확인해본 겁니다."

"그건 그렇고 새 신원도 승선료를 내. 이것도 실비만. 싸지는 않아."

"이제 여기서 어떻게 나가죠?" 브레나는 물었다. "노하마페탄이 사람을 시켜 이 건물을 감시할 텐데요. 이미 그러고 있는지도 모르고."

"당신 둘 다 아직 나가면 안 돼." 키바는 마르스를 가리켰다. "당신은 여기 있다가 우리 직원들이 작업해줄 테니까. 크리스찬으로 나가는 거야." 그녀는 브레나를 가리켰다. "당신은 미안하지만 우리가 나갈 때까지 기다려야 해."

브레나는 어깨를 으쓱했다. "최악의 은신처는 아니군요."

키바는 고개를 끄덕이고 일어섰다. "난 우주선으로 돌아간다." 그녀는 브레나에게 고개를 끄덕였다. "당신을 다시 만날 일은 없겠군. 나로서는 비극이야." 브레나는 이 말에 미소 지었다. 키바는 마르스에게 주의를 돌렸다. "당신은 우주선에서 다시 만나겠지만, 우린 서로 사교 같은 거 하는 사이가 아니야. 그러니, 만나서 반가워. '예스 써' 호에 탑승한 걸 환영하고, 그러니 노하마페탄을 다시 만날 일이 없게 되기 전에 마지막으로 한 번 더 엿 먹일 기회를 만들어줘서 고마워."

마르스는 살짝 웃고는 고개를 끄덕였다. 키바는 회의실을 나섰다. 현지 직원들은 이미 클레어몬트 쌍둥이에 대한 보고를 받고, 두 사람의 신원이나 위치가 노출될 경우 라고스 가문이 당사자는 물론 가족과 자손 6대까지 한 놈도 빼놓지 않고 괴롭혀준다는 것을 최우선 과제로 하겠다는 경고도 받은 상태였다. 키바는 아무도 입을 열지 않는다고 확신했다.

장갑을 두른 지상차에 올라 아직 전투가 진행 중인, 혹은 폐허로 변한 동네를 우회하는 경로를 통해 항구로 향하며, 키바는 두 가지 일을 생각했다.

첫째는 엔드의 내전으로 인해 빼앗긴 것과 얻은 것이었다—내전은 하버프루트와 독점권 문제에 있어서 그녀와 라고스 가문의 뒤통수를 쳤지만, 이번 여행에서 실제 이윤을 남길 수 있을 만큼 돈 많은 사람들을 보내줬다. 언젠가 여기 엔드에서 결국 회수하게 될 면허권과 기타 수수료에 그 이윤을 더하면, 라고스 가문은 다른 가문에 대해, 그리고 그중 영향력을 행사할 수 있는 능력에 있어 상당히 유리한 입장이었다. 키바가 이번에 한 건 올렸고, 돌아가면 큰소리를 낼 수 있을 것이다.

두 번째로, 비록 클레어몬트 쌍둥이에게 그레니 노하마페탄과의 통화 내용을 그대로 듣게 했지만, 그들은 키바가 갖고 있는 한 가지 중요한 정보를 몰랐다. 매그넛이 탐정들에게 강탈에 가까운 어마어마한 돈을 주고 알아낸 사실이었다.

엔드의 대공은 클레어몬트 백작에게 제국 자금을 원조하라고 부탁하라는 명을 그레니 노하마페탄에게 내린 적이 없었다. 또한 그레니에게 백작의 자식 중 하나를 납치해서 몸값으로 사용해도 좋다는 허가는 더욱 내린 적이 없었다. 그는 둘 다 자기 독단으로 실행했다.

도대체 무슨 속셈이야, 그레니? 키바는 지상차가 덜컹거리며 항구에 들어서는 순간 속으로 중얼거렸다. 무슨 계획을 갖고 있는 거지?

말이 나왔으니 말인데, 너희 가족들은 도대체 무슨 계획을 갖고 있는 거야?

9장

"현장 감식 결과는 혼란스럽습니다, 폐하." 황제의 안전을 책임지는, 분명 곧 자기 목은 날아간다고 생각하고 있을 황실 근위대장 히버트 림바가 말했다. "몇몇 목격자는 대성당 밖의 인파에서 뭔가 날아와서 발코니를 맞히는 것을 봤다고 하지만, 결정적인 비디오가 없습니다. 인파에서 뭔가 발사됐다 해도, 발코니는 화포보다 화력이 약한 공격은 무엇이든 견딜 수 있도록 의도적으로 설계되었습니다. 저희는 폭발한 것이 무엇이건 미리 거기 장치되어 있었다고 보고 있습니다. 그러나 확실한 건 모릅니다. 상황을 파악하려면 시간이 걸릴 겁니다."

카르데니아는 고개를 끄덕였다. 그녀는 궁전의 개인 아파트에 있었다. 귀가 아직 울렸고 의료진이 타박상을 돌보고 있었지만, 나머지는 멀쩡했다. 최소한 육체적으로는. 심장이 있던 곳에 나파

모양의 구멍이 뚫렸다. 림바와 대주교 코르빈이 대기하고 있었고, 겔 덩이 한시적으로 나파의 역할을 대신하고 있었다. 방에는 아미트 노하마페탄도 있었는데, 무슨 이유에서 와 있는지 이해할 수 없었지만 아마 곧 알게 될 것이다.

"발코니의 폭발과 거의 동시에 군중 속에서 터진 폭탄 때문에 증언이 더욱 복잡합니다. 이미 혼란스러운 현장을 더욱 혼란스럽게 만들었습니다." 림바는 말을 맺었다.

"군중은 몇 명이나 죽었지?" 카르데니아는 물었다.

"폐하, 그건 지금 걱정하지 않으셔도…."

"걱정하지 않다니?" 카르데니아는 황제다운 말투로 바꾸었다. 그것이 그녀의 공간에 들어와서 끔찍한 소식들을 전하는 이 사람들을 대할 때 필요한 감정적인 거리를 충분히 확보해주었다. "우리는 황제가 아닌가? 우리의 시민들이 아닌가? 얼마나 죽었지?"

"최소한 80명입니다, 폐하. 100명이 부상을 입었고, 그중 상당수가 심각한 상태입니다."

"그리고 대성당 안에서는? 얼마나 죽었지?"

"두 명입니다, 폐하. 나파 돌그와 경호원 한 명. 다른 경호원 한 명은 중상입니다."

"누구 짓인가?"

"확실히 모릅니다. 아무도 나서지 않았습니다." 림바는 아미트 노하마페탄에게 고개를 끄덕였다. "하지만 노하마페탄 경이 혹시 관계 있을지도 모를 정보를 갖고 있습니다."

카르데니아는 피곤한 눈으로 아미트를 돌아보았다. "뭔가, 노하마페탄 경?"

"폐하, 아시겠지만, 몇 년 전 제 남동생 그레니가 현지에서 저희 이익을 대변하기 위해 엔드로 갔습니다. 이후 그는 대공의 측근이자 고문으로 활동하고 있으며, 대공은 고도로 조직화되고 자금이 풍부한 반란군과 맞서 싸우고 있습니다. 폐하의 아버님과 의회는 대공과 그의 군대에 추가 자금과 장비, 직접적인 전투력 파견은 아니더라도 엔드의 제국 우주 정거장에 주둔한 해병대의 공공연한 개입을 허가했습니다. 제 동생은 엔드에 그 허가 소식이 전해지자 반란군이 보복을 맹세했다고 기밀 보고서에 적었습니다."

"이 일이 엔드의 반란군의 소행이란 말인가?" 카르데니아는 물었다.

"제 동생의 보고서는 물론 상당한 시간이 경과한 뒤에 도착합니다만, 폐하." 아미트는 말했다. "변경의 제국은 이것이 문제 중 하나입니다. 소식이 늦거나 아예 오지 않습니다. 하지만, 네. 제 동생은 그들이 무언가를 꾸미고 있다고 믿었습니다."

"그 보고서는 언제 도착했는가?"

"대략 석 달 전에 받았습니다, 폐하. 아홉 달 전에 보냈다는 뜻입니다."

"한데 당신은 내 아버지에게 알리지 않았고?"

"노하마페탄 가문은 추가 조사 없이 섣불리, 특히 병중의 아버님을 이 문제로 걱정시켜드리고 싶지 않았습니다. 우리는 각 시스템 대표인으로부터 가문의 이해관계가 얽혀 있는 지역의 불온한 동향을 파악하는 각종 기밀 보고서를 받습니다. 이 보고 자체는 그리 주목할 만한 것이 아니었습니다. 그리고 우리 분석가들은 보복이 이루어진다 해도 여기가 아니라 엔드의 제국 시설에 집중될 거라고 보았습니다. 제 동생 그레니는 분명 현지 당국이 주의를 취할 수 있도록 알렸을 것입니다. 물론 지금 와서 돌아보면 그 정보를 좀 더 많은 사람들에게 알렸어야 했습니다. 사죄드립니다, 폐하."

"반란군이 이렇게 먼 곳까지 손을 뻗을 거라고 누가 생각했겠소." 대주교 코르빈이 말했다.

"당신은 여기 집행위원회를 대표하시지요." 카르데니아가 말했다. "그들이 어떻게 생각하는지 말해주시오."

"격분하고 있습니다." 코르빈이 말했다. "폐하의 즉위식에 암살 기도. 교회의 가장 거룩한 성전에 대한 공격. 죄 없는 민간인에 대한 비겁한 공격으로 수십 명이 사상. 위원회는 폐하가 결정하시는 어떤 조치라도 응원할 준비가 되어 있습니다. 길드도, 의회도 마찬가지일 것이고, 힘주어 말씀드리지만 교회도 마찬가지입니다."

"우리 모두 준비하고 있습니다." 아미트가 말했다.

카르데니아는 고개를 끄덕였다. "고맙소." 그녀는 림바를 돌아보았다. "이 엔드와 관련이 있다는 가설에 대해 어떻게 생각하시오?"

"추가 조사가 필요합니다만, 노하마페탄 경이 이미 말씀하신 정보도 강력합니다. 시안과 허브에 체류하는 엔드 국적자를 찾아 그들의 배경을 파헤쳐 뭐가 나오는지 보겠습니다. 여기 연락책이 있다면, 우리가 찾아낼 겁니다."

"서두르시오." 카르데니아가 말했다.

"알겠습니다, 폐하."

"지금은 어떻게 할까요, 폐하?" 코르빈이 물었다. "송구한 질문이오나 수천 명의 군중이 아직 밖에서 즉위식이 어떻게 진행될지 소식을 기다리고 있습니다. 나머지 허브 시스템 전체도 궁금해합니다. 이미 하루가 지났습니다."

"대관식 축제는 얼마나 오래 계속되지?"

"닷새입니다, 폐하." 겔 뎅이 대답했다.

"그럼 닷새 동안을 애도 기간으로 정한다." 카르데니아가 말했다. "즉위식부터. 피해자들에게 예를 다하도록." 그녀는 코르빈을 돌아보았다. "오늘 밤 대성당에서 그들을 위한 예배를 올리시오." 코르빈은 고개를 끄덕였다. "애도 기간이 끝나면, 나는 시스템 전체와 상호의존성단을 향해 입장을 표명하겠다."

"의회도 어서 여기에 대한 입장을 표명하고 싶어할 겁니다." 코르빈이 말했다.

"이 기간 동안 수사를 멈춰서는 안 되오."

"알겠습니다, 폐하."

"그동안, 최소한 공적으로 나는 혼자 있겠다." 그녀는 뎅을 향해 고개를 끄덕였다. "앞으로 며칠 동안 여기 뎅을 통해 연락하도록." 그녀는 코르빈을 다시 돌아보았다. "집행위원회에 좀 더 오랫동안 행정 문제를 부탁드려도 문제 삼지 않을 거라 믿습니다."

"물론입니다."

"새로운 정보를 확보하는 대로 다시 보고드리겠습니다. 궁금하신 것이 있으시면 언제든 하문하십시오." 림바가 말했다.

"고맙소." 카르데니아는 일어섰다. 다른 모든 사람들도 이제 물러날 시간이라는 것을 눈치채고 동시에 일어섰다. 뎅만 그대로 앉아 있었다. 그는 자신이 계속 필요하다는 것을 알고 있었다.

"폐하, 사적으로 드릴 말씀이 있습니다만." 다른 사람들이 방을 나가는 동안, 아미트 노하마페탄이 말했다.

"뭔가, 노하마페탄 경." 카르데니아는 말했다. 그녀는 계속 선 채로 그에게 앉으라고 권하지 않았다. 무슨 용건이건 짧게 해야 한다는 것을 깨달았을 것이다.

아미트는 눈치챘다. 그의 눈길이 아직 앉아 있는 뎅에게로 향하는 것을 보니, 그리 사적으로 이루어지는 대화조차 아니라는 사실도 깨달은 것 같았다. 그는 대신 카르데니아에게 다가가서 예의에 어긋하지 않는 거리에서 멈춰 선 뒤 나지막하게 말했다. "이 슬픔의 순간에 개인적으로 애도를 표하고 싶었습니다. 폐하와 나파 돌그가 친한 사이였다는 것을 알고 있습니다. 제 누이가 폐하의 오빠를 잃었을 때 그랬듯, 사랑하는 사람을 잃는다는 것은 힘든 일입니다."

아, 훌륭하군. 카르데니아는 생각했다. 조의를 표하려는 순간조차 아미트 노하마페탄은 황제의 배우자 자리가 여전히 자기 가문의 것이라고 생각한다는 점을 일깨워주지 않고는 견딜 수가 없는 모양이었다. 그녀는 아미트에게 눈길을 주고 보잘것없는 얼굴과 몸, 그리고 그 뒤에 숨은, 보잘것없는 쾌락을 추구할 때 가장 행복해한다고 들은, 보잘것없는 정신세계를 훑어보았다. 누이와 남동생은 노하마페탄의 두뇌를 가진 모양이었다. 이 인간은 얼간이다. 이 만남은 분명 일단 유용한 정보를 준 다음 지금처럼 인간적으로 접근해서 카르데니아에게 환심을 사려는 의도인 것 같았다. 이 모든 것이 미리 계획된 상황이었다.

이 얼간이와 결혼해서 아이를 갖는 상상을 하노라니, 실례되는 일이었지만 몸을 흠칫 떨지 않을 수가 없었다. "고맙소, 노하마페탄 경. 우리는 당신의 염려에 감사합니다."

그녀가 아직도 황제의 대명사 '우리'를 사용하고 있다는 사실을 그가 눈치챘는지는 몰라도, 아미트는 멈추지 않았다. "적당한 시간이 흐른 뒤에 보다 행복하고 우호적인 상황에서 다시 만나뵙기를 희망합니다."

"희망하겠소." 카르데니아는 말했다. 네가 30미터 이상 내게 접근하지 못하는 게 그런 상황이겠지. 그녀는 생각했다.

그러나 아미트는 독심술사가 아니었고, 카르데니아의 의도적으로 모호한 언어를 자신에게 유리한 방식으로 해석했다. 지금 이 순간 그럴 필요가 있다는 것이 너무나 싫긴 했지만, 카르데니아의 의도도 바로 이것이었다. 그는 미소 짓고, 절하고, 나갔다. 카르데니아는 그가 방을 나갈 때까지 기다렸다가 몸에서 힘을 뺐다.

"괜찮으십니까, 폐하?" 뎅이 물었다.

"아니." 카르데니아는 말했다. "내 친구가 죽었고, 이 얼간이는 아직도 나와 결혼을 성사시키고 싶어해." 그녀는 문득 말을 멈추고 뎅을 돌아보았다. "미안해, 겔." 그녀는 말했다. "그런 식으로 말하려던 건 아니었어. 난… 난 나파가 곁에 있는 게 익숙해서. 우리끼리 있을 때는 마음대로 이야기했어."

늙은 비서는 황제를 향해 미소 지었다. "폐하, 저는 거의 40년 간 폐하의 아버님께 충성을 다하고 비밀을 지켰습니다. 그것이 이 직책의 의무입니다. 제가 친구분의 자리를 대신할 수는 없겠지만, 제가 곁에 있을 때는 원하시면 언제든지 자유롭게 말씀하셔도 됩니다. 이제 제 충성은 폐하의 것입니다."

"당신은 날 알지도 못하잖아." 카르데니아가 말했다.

"충심을 다해, 그렇지 않습니다, 폐하. 저는 폐하를 아주 오랫동안 알았습니다. 처음에는 아버님과, 그분의 독특하고 애정 넘치는 따님과의 관계를 통해서. 그리고 아버님의 말년 동안, 폐하가 어떤 분인지 파악할 수 있을 정도로 많이 뵈었습니다. 다른 아무것도 모른다 해도, 폐하, 제가 충성을 바칠 가치가 있는 분이라는 것만은 알고 있습니다."

카르데니아의 눈에 갑자기 눈물이 글썽했다. "최소한 한 사람은 있군. 좋은 시작이야."

"이제 제가 무엇을 하면 되겠습니까?" 녱이 물었다.

"나파를 데려올 수 있어?"

"그럴 수는 없습니다, 폐하."

카르데니아는 노하마페탄 쪽으로 엄지손가락을 휙 젖혔다. "저 얼간이에게 꺼지라고 말할 수 있어?"

"원하신다면, 폐하."

"하지만 권하지는 않겠지."

"제가 황제에게 조언할 입장이라고 생각하지 않습니다, 폐하."

"지금은 내게 조언자가 필요해. 다른 사람은 아무도 없어."

"저의 조언보다, 폐하의 결정을 돕기 위해 아버님께서 노하마페탄 가문을 어떻게 생각하셨는지 말씀드리지요." 뎅이 말했다. "아버님도 지금 그 말씀을 드리는 데 굳이 반대하지 않으시리라 확신합니다."

"해줘."

"아버님은 그들의 야망이 감탄할 만하다고 생각하셨습니다. 하지만 특별히 현명한 사람들이라고 생각하지 않으셨습니다. 그냥 내버려두면 언젠가 황제로서 통제하는 것이 골치 아플 거라고 생각하셨습니다. 나다쉬 노하마페탄이 폐하의 오빠와 결혼해야 한다는 제안을 하도록 아버님이 노하마페탄 가문을 조종한 것도 그 때문이었습니다. 부부로서 두 사람의 야망이 서로 어울린다, 따라서 노하마페탄 가문이 덜 어리석은 행동을 할 이유가 생길 거라 믿으셨습니다. 이건 모두 제 말이 아니라 아버님의 말씀입니다."

"그럼 당신은 내 아버지가 나와 아미트 노하마페탄의 결혼을 원하실 거라고 생각하는군. 그들을 통제하기 위해서."

뎅은 약간 고통스러운 표정을 지었다.

"왜?" 카르데니아는 물었다.

"듣기 좋은 말씀이 아닐 것입니다."

"말해 봐."

"아버님은 폐하의 오빠와 나다쉬는 서로 보충해주는 면이 있기 때문에 성공적인 결혼이 될 거라고 보셨습니다. 하지만 폐하와 아미트는 서로 보충해주는 관계로 보지 않으셨습니다. 아버님은 폐하가 수동적이고, 아미트는 영리하지 않다고 생각하셨습니다. 게다가 두 분이 결혼하면 노하마페탄 가문의 동년배 중 최고의 권력을 쥔 나다쉬는 제 야망을 충족시키지 못할 것입니다. 그 점이 폐하에게 문제가 될 것입니다. 왕좌를 위해서도."

"어쩌면 아버지는 내가 나다쉬와 결혼하는 걸 더 좋아하셨을지도 모르겠군." 카르데니아는 말했다.

"아, 아닙니다." 뎅은 말했다. "나다쉬는 폐하를 손가락 끝으로 움직이려 들 겁니다, 아니, 아버님은 그렇게 생각하셨습니다." 그는 얼른 덧붙였다.

"아버지는 날 그리 높이 평가하지 않았군."

"반대로 아버님은 폐하를 아주 좋게 보셨습니다. 단지 폐하의 오빠가 살아 있어서 황제가 되었더라면 좋았을 거라고 생각하셨습니다."

"음, 겔. 나도 마찬가지야. 하지만 오빠는 죽었어. 그래서 이렇게 됐고."

"네, 폐하. 이제 원하시는 것이?"

"나파의 장례식이 언제지?"

"이틀 뒤입니다."

"내가 참석하겠어." 뎅은 다시 고통스러운 표정을 지었다. "왜 그래?"

"돌그 가문의 대리인에게서 전갈을 받았습니다, 폐하. 아까 도착해서 전 그 전갈에 대해 말씀드릴 기회를 기다리고 있었습니다. 가족은 장례식에 폐하가 참석하시면 소란스러워질 것이다, 특히 지금은 폐하를 둘러싼 경호 인력이 어마어마할 것이라고 했습니다. 또한 나파의 부모와 장례식에 참석할 많은 사람들이 공화당원이므로, 황제가 참석하면 몇몇 친구들이 적절하지 않은 말이나 행동을 할지 모른다고 합니다."

"내가 폭동을 일으킬까 봐 걱정하는 거군."

"유감이지만 그것이 요점입니다."

"그럼 내가 부모와 이야기를 하고 싶어."

"편지는 그것도 기다려달라는 뜻이 담겨 있었습니다. 부모는 폐하를 원망하지 않는다고 적었습니다. 그러나 폐하를 원망하지 않는 것과, 딸이 폐하를 위해 일하다 죽었다는 사실을 상기시키는 것은 다른 문제입니다. 지금 그들로서는… 힘든 일일 겁니다."

카르데니아는 이 말에 숨을 들이쉬고 잠시 조용히 앉아 있었다.

"유감입니다, 폐하." 뎅은 마침내 말했다.

카르데니아는 손을 흔들어 물리쳤다. "최소한 나는 그들이 돈을 쓰지 않도록 하고 싶어."

"그 부모가요?" 뎅은 물었다. 카르데니아는 고개를 끄덕였다. "장례식 비용 말씀이십니까."

"어떤 비용이든. 앞으로 평생. 그들의 딸이 죽었어. 그녀는 내 친구였어. 지금 아무것도 할 수 없다면, 최소한 이건 할 수 있겠지. 안 그래?"

"당신은 황제이십니다." 뎅은 말했다. "이건 하실 수 있는 일입니다."

"그럼 그렇게 해."

"알겠습니다, 폐하." 뎅은 일어섰다. "다른 일은 없으십니까?"

카르데니아는 고개를 저었다. 뎅은 절하고, 자기 물건을 챙기고, 나가려고 걸음을 옮겼다.

"어디 있을 거야?" 카르데니아는 물었다. "당신이 필요하면?"

뎅은 돌아서서 미소 지었다. "저는 언제나 가까운 곳에 있습니다, 폐하. 그냥 부르시기만 하면 됩니다."

"고마워, 겔."

"이만." 그는 나갔다.

카르데니아는 그가 안전하게 나갈 때까지 기다렸다가 한참 울었다. 나파가 죽은 뒤로 일곱 번째, 혹은 여덟 번째였다.

그때 카르데니아는 나파를 마지막으로 봤던 곳을, 나파가 그녀에게 했던 말을 떠올렸다. 실제가 아니라 꿈속에서.

그녀는 기억의 방으로 향하는 문을 바라보며 잠시 생각에 잠긴 채 앉아 있었다. 그러다 일어서서 기억의 방으로 들어갔다.

들어서자마자 지위가 나타났다. "안녕하세요, 그레이랜드 2세 폐하. 기분은 어떠십니까?"

"난 혼자야." 카르데니아는 말하자마자 어린 아이 같은 극적인 감정 표현을 후회했다. 하지만 사실이었다.

"기억의 방에서는 늘 혼자이십니다." 지위는 말했다. "다른 면에서는 절대 혼자가 아니십니다."

"그 말은 네가 생각해냈나?"

"저는 생각하지 않습니다. 오래전 제게 프로그램으로 입력된 것입니다."

"왜?"

"모든 황제가 언젠가는 제게 혼자라는 말을 하니까요."

"모든 황제가?"

"네."

"그걸 들으니… 묘하게 기분이 나아지는군."

"그것도 흔한 반응입니다."

"선지자는 여기 있지? 라헬라 1세."

"네."

"그녀와 이야기하고 싶어."

지위는 고개를 끄덕이고 흐려지더니 다른 여자로 바뀌었다. 작은 체구, 이 이미지로는 특징 없는 중년. 선지자를 풍성한 머리채, 멋진 광대뼈를 지닌 젊은 여자로 그리는 일반적인 묘사와 달랐다. 지금 이 이미지와는 전혀 닮은 점이 없었다.

나파와도 전혀 달랐다. 카르데니아는 이 점에 잠시 실망했지만, 곧 속으로 자신을 꾸짖었다. 꿈 밖에서 선지자가 나파의 모습일 이유는 전혀 없다.

"당신이 라헬라 1세군요." 카르데니아는 이미지를 향해 말했다.

"맞다."

"상호의존성단과 교회의 창시자."

"기본적으로."

"기본적으로?"

"두 경우 다 그보다는 약간 복잡하다. 하지만 둘 다 내가 창시했다고 하는 것이 신화를 위해 최선이라고 생각했기 때문에, 그렇게 말했다."

"당신은 실제 선지자인가요?"

"맞아."

"그럼 당신이 상호의존성단과 성단의 원칙에 대해 했던 말들이 언젠가 실현될 거라는 걸 알고 있었군요."

"아니, 물론 그렇지 않아."

"하지만 방금 선지자라고 하셨잖아요."

"누구나 선지자가 될 수 있어. 네가 말하는 것이 신의 생각이라고 말하기만 하면 된다. 혹은 신들의 생각. 혹은 성스러운 영혼의 생각. 원한다면 뭐든지. 그게 실현되느냐 아니냐는 상관 없어."

"하지만 당신이 한 말은 실현됐어요. 당신은 상호의존성단에 대해 설교했고, 그대로 이루어졌어요."

"그래, 그게 그렇게 된 건 내게 유리했지."

"하지만 당신은 그렇게 될 거라는 걸 몰랐군요."

"이미 몰랐다고 했잖아. 하지만 우리는 분명 그게 사실이 되도록, 필연적인 것처럼 보이도록 노력했어. 물론 신비적인 분위기 조성도 도움이 됐다."

카르데니아는 눈썹을 찌푸렸다. "당신은 교회를 설립했어요."

"맞아."

"하지만 당신 말을 들으니, 당신은 특별히 종교적인 사람 같지 않군요."

"별로. 아니야."

"혹은 신을 믿지도 않는 것 같고요."

"믿지 않아. 교회를 설계할 때, 우리는 그 신성한 측면을 의도적으로 최대한 모호하게 만들었다. 교회의 법칙만 분명하게 세우면, 사람들은 그 신비적 측면이 애매하다는 건 별로 신경 쓰지 않아. 우리는 그렇게 했다. 엄밀하게 말해 종교는 아니지만 유교를 약간 참고하고, 다른 종교에서도 유용할 만한 요소를 갖고 왔어."

"그럼 당신은 당신 자신의 종교조차 믿지 않는군요!"

"당연히 믿지." 라헬라는 말했다. "우리는 다양한 인류의 시스템을 한데 묶어줄 수 있는 윤리적 법칙을 만들었다. 그것이 바람직하고 어느 정도 필요하다고 보았기 때문이었어. 그 윤리적 법칙을 믿기 때문에, 난 교회의 사명을 믿는다. 최소한 우리가 설립하던 당시 교회의 사명을. 인간의 사회적 제도란 시간이 흐르면 창시자의 의도에서 빗겨가는 경향이 있으니까. 분명한 법칙을 만들어야 하는 또 다른 이유가 이 때문이지."

"하지만 신성한 요소는 가짜라는 거잖아요."

"다른 모든 종교의 신성한 요소가 가짜인 것보다 더하지는 않다고 보았어. 역사적 증거로 판단할 때."

카르데니아는 약간 어지러운 기분이 들었다. 상호의존성단의 국교가 가짜라고 믿는 것은 그렇다 치자. 그녀는 종교 문제에 대해 생각하기 시작한 아주 어린 시절부터 그렇게 믿어 왔다. 내가, 엄밀하게 말해, 그 교회의 수장이니 불편한 상황이기는 하지만, 어쨌든 혼자만 그렇게 생각하고 있으면 된다. 하지만 그 교회가 가짜라는 것을 창시자가, 아니, 그 창시자를 구성하는 핵심 기억이 확인해준다는 것은 전혀 다른 문제다.

"나파가 맞았어." 카르데니아는 말했다. "상호의존성단은 사기 군요."

"나파가 누군지 모르겠구나." 라헬라 1세가 말했다.

"내 친구였어요." 카르데니아는 말했다. "그녀가 당신으로 내 앞에 나타나서 상호의존성단은 사기라고 말하는 꿈을 꾸었어요."

"내가 만약 그 이야기를 했다면, 아마 선지자의 신비적인 계시를 보았다고 말했겠지." 라헬라 1세가 말했다.

"그건 그냥 꿈이었어요."

"우리 업계에서 그런 건 없다. 황제는 그냥 꿈을 꾸지 않아. 황제는 계시를 본다. 그게 우리가 하는 일이야. 아니, 내가 첫 황제가 되던 시절에, 우리가 해야 했던 일."

"음, 내가 본 건 계시가 아니었어요. 그냥 꿈일 뿐이에요."

"널 생각하게 만든 꿈이었지. 지혜를 찾아 나서게 만든 꿈. 나를, 선지자를 찾아 상담하게 만든 꿈. 내게는 계시처럼 들리는데."

카르데니아는 라헬라 1세를 멍하니 응시했다. "당신은 정말 믿을 수가 없군요."

"난 마케팅 분야에서 일했어." 라헬라 1세는 말했다. "선지자가 되기 전에. 된 뒤에도 마찬가지였지만, 그때는 다른 이름으로 불렀다."

"당신이 하는 말을 믿기가 대단히 힘들어요."

라헬라 1세는 고개를 끄덕였다. "드물지 않은 반응이야. 모든 황제가 즉위하고 나면 조만간 나를 불러내서 이런 대화를 한다. 대부분 너 같은 반응을 보이지."

"대부분? 안 그런 사람들은?"

"그들은 알아맞혔다고 좋아하더군."

"당신은 어떤 기분인가요?"

"난 아무것도 느끼지 않아. 살아 있지 않으니까. 엄밀히 말해서, 난 여기 없다."

"기억의 방에서는 늘 혼자이고, 기억의 방에서는 절대 혼자가 아니다."

라헬라 1세는 고개를 끄덕였다. "내가 그 말을 했어. 그 비슷한 이야기."

"상호의존성단은 사기인가요?" 카르데니아는 단도직입적으로 물었다.

"그 질문에 대한 대답은 복잡해."

"짧게 대답해주세요."

"짧은 대답은 '맞아. 하지만'이겠지. 그보다 약간 더 긴 대답은 '아니. 그리고' 어느 쪽을 듣고 싶니?"

카르데니아는 잠시 라헬라 1세를 응시했다. 그러다 기억의 방에 놓인 의자로 가서 앉았다.

"모두 다 말해주세요." 그녀는 말했다.

10장

"가려워." 마르스 클레어몬트는 누이에게 말했다.

"어디가?" 브레나는 물었다.

"머리 전체가."

요구대로 그는 눈썹과 속눈썹만 빼고 머리통 전체를 완전히 민 뒤, 표피 두께의 실제 피부에 이식한 머리카락과 턱수염을, 얼굴에 씌워준 사람 말로는 진짜 인간의 콜라겐으로 만든 접착제로 단단히 부착했다. 다음은 엄지손가락 패드였다. 손가락에 테이프를 붙인 느낌이라 뜯어내고 싶은 충동을 애써 억눌러야 했다. 다음은 눈동자 색깔과 홍채 패턴을 바꾸는 콘택트렌즈였다. 가짜 망막 패턴에 깊이가 있는 듯한 착시를 주는 가짜 각막까지 완벽했다.

"이 콘택트렌즈를 끼니 아무것도 안 보여."

"그래도 너한테 안 어울리는 색은 아니야." 브레나는 찬찬히 살펴보았다. "우주선에 탄 뒤에도 계속 끼고 있어."

"농담이시겠지."

두 사람은 마르스를 로비로 데려다줄 엘리베이터를 기다리고 있었다. '예스 써' 호의 새 승무원은 거기서 서류를 처리할 때까지 기다렸다가 버스를 타고 항구까지 간 다음 우주선으로 가기로 되어 있었다. 새 승무원들 사이에 섞여 들어갈 수 있으니 마르스에게는 편리했다.

그러나 이것은 아마도 앞으로 평생 누이와 함께 보내는 마지막 시간이라는 것을 의미했다.

"아버지에게 작별 인사 못 드려서 죄송하다고 전해." 그는 브레나에게 말했다.

"그럴게. 이해하실 거야. 기분 좋지는 않으시겠지만, 이해하실 거야. 아버지는 괜찮아."

"누이는? 괜찮겠어?"

브레나는 미소 지었다. "난 괜찮은 데 익숙해. 안 괜찮더라도, 바쁘게 지내는 데 익숙하고. 그리고 소문을 듣자 하니 어쨌거나 엔드의 모든 사람들이 곧 아주 바빠질 거라면서. 나도 해야 할 일이 있고."

"해야 할 일?"

"우선 내 동생을 납치한 죄로 그레니 노하마페탄을 건물 위에 매달아야지."

마르스는 이 말에 웃었다. 그때 엘리베이터 벨이 울리고 문이 열렸다.

브레나는 동생을 끌어당겨 꼭 껴안은 뒤 뺨에 가볍게 키스하고 부드럽게 그를 엘리베이터 안으로 밀었다. "가. 황제에게 모든 걸 말해. 할 수 있다면 모든 사람을 구해. 그리고 돌아와."

"노력할게."

"사랑해, 마르스." 브레나는 닫히는 문 사이로 말했다.

"사랑해, 브레나." 마르스는 문이 닫히기 직전 말했다.

엘리베이터가 20층을 내려가는 동안 마르스는 감정을 수습할 시간이 있었다.

엘리베이터 문이 열리자 20여 명의 사람들과 라고스 가문 승무원 공식 제복 차림의 세 사람이 북적거리고 있었다. 그중 한 사람이 문 너머로 마르스를 훑어보았다. "엘리베이터 안에서 뭐하고 있는 거야?" 그녀는 물었다.

"화장실을 찾고 있었습니다." 마르스는 말했다.

"아니, 그 안에는 없잖아. 이리 나와."

마르스는 내렸다. 승무원은 서류를 달라는 뜻으로 손을 뻗었다. 마르스는 서류를 건넸다.

"크리스찬 잰슨." 그녀는 서류를 보며 말했다.

"접니다."

"크누드 잰슨과 무슨 관계야?"

"아무 관계없는 것 같은데요."

"한번 그와 같은 우주선을 탔어. 그도 엔드 출신이었는데."

"잰슨이란 이름은 흔합니다."

승무원은 고개를 끄덕이고 태블릿을 들어 올렸다. "엄지손가락." 마르스는 가짜 엄지를 태블릿에 눌렀고, 태블릿은 지문을 스캔했다. 다음으로 그의 눈에 태블릿을 들어 올렸다. "깜빡이지 마." 태블릿 뒤의 카메라가 마르스의 콘택트렌즈를 스캔했다.

"음, 정말 크리스찬 잰슨이군. 체포 영장이나 부채도 없고, 길드 조합비는 완납했고, 근무 평점은 좋고." 승무원은 말했다. "탑승을 환영해."

"고맙습니다, 어….”

"느단. 하급 항해사 그탄 느단."

"고맙습니다."

"천만에, 승무원." 그녀는 마르스의 배낭을 보았다. "짐이 별로 없군."

"다른 짐은 날치기 당했습니다."

느단은 고개를 끄덕였다. "저런. 탑승하면 감독관 방에 가서 새 가방을 받아. 말도 안 되는 요금을 내놓으라고 하겠지만, 그건 당신 문제야. 돈 있나?"

"약간."

"돈이 없으면 나한테 와. 빌려줄 테니."

"대단히 친절하시군요."

"아니, 그렇지 않아. 이건 사업이야. 내 이자율도 말도 안 되게 높거든." 느단은 로비 밖에서 기다리고 있는 버스를 가리켰다. "저기 타. 5분 뒤에 출발한다. 아직 급해?"

느단이 화장실 이야기를 하고 있다는 것을 깨닫는 데 잠시 시간이 걸렸다. "괜찮습니다."

"그럼 가." 그녀는 다음으로 처리해야 할 인원을 상대하기 위해 돌아섰다.

로비 문을 나서서 버스에 오르는 5초 동안, 마르스는 자신이 완전히 노출된 것 같다는 기분을 느꼈다. 그러나 사고 없이 버스에 오른 뒤 의자에 앉아 기다렸다. 그는 창밖으로 라고스 가문의 건물을 바라보며 혹시 브레나가 내려다보고 있지 않을까 궁금했다. 브레나가 분명 조만간 혼쭐을 내줄 그러니 노하마페탄이 잠시 안 됐다는 생각이 들었다. 그때 멀리서 쿵 하고 폭탄이 건물을 폭격하는 소리가 들렸고, 마르스는 브레나와 아버지가 그보다 먼저 걱정해야 할 일들이 많을 거라는 사실을 기억해냈다.

버스에서 항구로 가는 길에, 제국 우주 정거장에서 서류 검사와 지문 채취가 한 번 더 있었다. 이어 우주 엘리베이터. 좁아터진 내부에는 창문이 없었고, 비디오 화면도 세관 공익 비디오와 광고밖에 틀지 않는 것이 실망스러웠다.

우주 엘리베이터를 타고 올라가는 동안, 마르스는 문득 자신의 가짜 머리카락이 두피에 눌리는 감각을 느꼈다. 옆자리에 앉은 사람에게 이 말을 했더니, 그는 읽던 태블릿에서 눈길을 들지 않고 그냥 고개만 끄덕였다. "푸시 필드." 그는 계속 태블릿을 읽었다.

마르스는 혼자 고개를 끄덕였다. 푸시 필드는 인공 중력을 흉내 낸 인류 최고의 발명품이었다. 이는 일반적으로 중력이 삭용한다고 알려져 있는 대로 물체를 아래에서 잡아당기는 것이 아니라 '위에서'—특정 상황에서 그 '위'라는 위치는 변할 수 있겠지만—내리누르는 작용이었다. 푸시 필드의 물리학은 우연히 발견되었다. 지구의 과학자들이 당시 갓 발견한 플로우를 활용하기 위해 우주선 주위에 작은 국지적 시공 버블을 형성하는 문제를 연구하다가 많은 수학적 우회로로 빠졌다. 대부분 아무 쓸모가 없었지만 그중 하나는 유용하게 사용되기 시작했고, 바로 그것이 지금 마르스의 머리를 누르고 있었다.

위를 둘러보니 푸시 필드 생성기 튜브가 승객석 끝에서 끝까지 형광등처럼 달려 있는 것이 눈에 띄었다. 푸시 필드는 플로우 물리학의 부분집합이기 때문에, 마르스는 당연히 그 역학을 이해했다. 그러나 그는 엔드 밖으로 나가본 적이 없었다. 푸시 필드를 경험해본 적도 없었다. 지금 경험하니, 약간 불편했다. 거대한 손이 머리와 어깨를 누르는 기분은 그리 좋지 않았고, 가짜 머리가 두피에 닿는 기분도 좋지 않았다. 실내를 둘러보니 대부분의 경험 많은 승무원들이 머리를 아주 짧게 자르거나 단단히 땋아 감아 놓은 데는 이유가 있다는 것을 알 수 있었다.

우주 엘리베이터에서 우주 정거장으로 가보니 회전하는 고리 부분에는 엔드에 장기 거주하는 해병대와 제국 공무원들이 머무르고 있었고, 방문한 우주선이 화물을 하역하고 운반하는 무역 부분은 따로 분리되어 푸시 필드가 작동하고 있었다. 장기 거주자들이 왜 고리 부분에 머무르고 싶어하는지 곧장 이해할 수 있었다. 무역 부분의 중력은 기본 1G였는데, 거의 참기 힘들 정도로 압력이 강했다.

다른 승무원들과 함께 '예스 써' 호의 승무원 집합 장소로 인도되는 동안, 마르스는 화물칸에 한 무리의 사람들이 기다리고 있는 것을 보았다. '예스 써' 호의 여객들이다. 그러니 노하마페탄이 납치하고 감시하지만 않았더라도, 마르스도 역시 저들과 같이 있을 것이다. 여객들은 분명 피난민처럼 보이지는 않았다. 그들은 그들처럼 보였다—부유한 사람들. 그들은 행성을 영원히 떠난다기보다 신나는 모험길에 나선 것처럼 아이들을 데리고 1킬로에 1천 마크씩 수송비를 낸 짐짝까지 거느리고 있었다.

자신 역시 그들 중 하나라는 사실에도 불구하고, 마르스는 그들에 대해, 돈이라는 단순한 해결책을 통해 자신의 문제를 뒤에 남기고 떠날 수 있는 인간들에 대한 적개심이 일었다.

아니, 넌 위선자다. 그의 두뇌가 말했다. 어쩌면 그럴 수도 있겠지. 그러나 그는 탈출하려고 떠나는 것이 아니었다. 황제에게 말할 사람이 필요해서, 이어 의회와 다른 모든 사람들에게 종말이 어떻게 찾아오고 있는지 설명할 사람이 필요해서 떠나는 것이다. 그 사람이 우연히 마르스였을 뿐이었다.

아니, 그래도 위선자다. 뇌는 다시 말했다. 그들은 화물칸을 떠나 집합 장소와 셔틀로 이어지는 터널로 들어섰다.

마지막으로 서류 및 지문 심사가 끝나고, 셔틀은 우주 정거장을 떠나 '예스 써' 호로 향했다. 이번에도 창문이 없었지만—창문은 진공의 우주 공간에서는 위험요소다—태블릿을 통해 카메라 영상에 접속할 수 있었다. 영상을 틀어보니 회전하는 고리 두 개가 달린 긴 관 모양의 '예스 써' 호가 시야에 들어왔다. 볼품은 없었지만, 묘하게 아름다운 물체였다. 앞으로 아홉 달 동안 그의 집이 될 곳이었다.

"물건하고는." 옆자리에 앉은 사람이 마르스의 태블릿 화면을 보며 내뱉었다.

"아름답습니다만." 마르스는 말했다.

"멀리서 보면 예쁘지. 하지만 내 친구 중에 라고스 우주선 승무원으로 일했던 사람이 있소. 전부 문제가 있어. 라고스 가문은 싸구려요. 우주선이 고장 날 때까지 쓰다가 폭발하기 직전에야 고친다지. 무서워."

"그런데도 지금 라고스 우주선 승무원으로 일하러 가요?"

"난 '텔 미' 호에서 일할 계획이었는데, 그 우주선이 압류당했어. 선장이 해적들에게 화물을 넘겨줬다지. 바꿔 탔소. 아슬아슬하게. 위험을 무릅쓸 가치가 있어. 엔드는 불구덩이가 될 거요."

"반란."

남자는 고개를 끄덕였다. "그리고 다른 일도. 플로우 흐름 건."

"뭐라고요?" 마르스는 말했다. 그는 태블릿을 내려놓고 남자에게 주의를 집중했다.

"'텔 미' 호에서 일하는 내 친구 말로는—그 우주선 일자리를 내게 소개시켜준 친구—중간쯤 오던 길에 플로우에서 튕겨나갔다가 영원히 길을 잃기 직전에 간신히 되돌아왔다고 했소. 다른 친구 말을 들어봐도 이게 처음이 아니라는 거요. 플로우 흐름이 사방에서 불안정해지고 있어. 완전히 붕괴하는 건 시간문제라고. 난 그때 엔드에 남고 싶지 않아. 난 킬 아케쿠아 출신이오. 집으로 돌아가는 중이야."

"금시초문인데요." 마르스가 말했다.

"지난 몇 년 동안 우주선을 타본 적이 없으신 모양이지. 승무원으로 일하는 사람들은 다 들어본 소문이오."

"그냥 소문이겠지요."

"물론 그냥 소문이지만, 그게 아니면 뭐란 말이야." 남자는 짜증스럽게 답했다. "우주 한쪽 끝에서 다른 쪽 끝까지 소식이 전해지려면 5년은 걸리는데, 오다가 내용도 변해. 그러니 문자 그대로 믿어선 안 돼. 그냥 대략 줄거리만 귀담아 듣는 거지. 그런데 지금, 그 대략의 줄거리가, 플로우에 무슨 문제가 있다는 거 아니야."

"그럼 길드도 알고 있겠군요."

남자는 마르스를 백치라는 듯 바라보았다. "그들은 알고 싶어 하지 않아. 플로우에 우주선이 들어갔다가 못 빠져나오면, 그들은 아, 미처 보고하기 전에 해적이 납치했군, 이러고 만다고. 아니면 플로우 안에서 버블을 만들 때 무슨 문제가 생겨서 그냥 공중분해 돼버렸든가. 항상 뭔가 이유를 대는데, 절대 플로우 그 자체의 문제라고 생각하지는 않아. 믿고 싶어하지 않는다고. 그들이 안 믿으면, 누가 상호의존성단에 이야기를 하겠소? 당신이? 내가? 그들이 우리 말을 잘도 믿겠다."

"믿을 수도 있잖습니까."

"허, 어디 해보고 알려주시오. 난 고향으로 돌아가고 싶을 뿐이야. 내겐 아이들이 있소. 애들을 다시 보고 싶다고."

쿵 소리와 함께 셔틀은 '예스 써' 호의 갑판에 착륙했다.

"밖으로 나갈 때 이 우주선에 무슨 일이 생길지도 모른다는 염려는 안 하시는군요." 마르스는 공기가 갑판을 다시 채울 때까지 기다리는 동안 물었다.

"이 우주선은 안전할 거야. 다음 우주선까지 기다리고 싶지 않았소."

"왜요?"

"'텔 미' 호 승무원 친구 말로는 이 플로우가—엔드에서 나가는 플로우—불안정해지고 있다고 했어."

"어떻게요?"

"내가 어떻게 알아? 그냥 소문이겠지. 과학 논문 같은 게 있진 않다고. 하지만 내 친구는 아주 초조한 기색이었소. 심지어 우주선을 갈아타서 우리와 같이 나갈 생각까지 했을 정도니까. 하지만 '텔 미' 호 승무원들은 전부 법적 문제로 묶여 있고, 그 친구는 위조 신원 증명 같은 걸 어디서 구하는지도 몰라. 생체 검색대를 통과하는 건 어려우니까."

"들었습니다."

남자는 고개를 끄덕였다. "그 친구는 발이 묶였소. 여기 영원히 묶여 있어야 할지도 모른다고 걱정하더군."

"묶여 있기에 엔드보다 더 나쁜 곳도 있을 겁니다." 마르스는 말했다.

남자는 이 말에 코웃음을 쳤다. "열린 행성은 인간이 살 만한 곳이 못 돼. 나라면 언제든지 괜찮은 인공 정착지를 선택하겠어."

"지구도 열린 행성이었지요."

"그래서 인류가 떠났잖아." 셔틀 문이 열리고, 새 승무원들은 나가기 시작했다.

"당신 친구 이름이 뭡니까?" 마르스는 물었다. "'텔 미' 호 승무원이라는 친구."

"왜? 조문 편지라도 보내게?"

"그럴 수도 있지요."

남자는 어깨를 으쓱했다. "쇼 티뉴인. 나는 야레드 브렌이라고 하오. 혹시 궁금하다면."

"크리스찬입니다."

"아니, 난 상호의존성단 교회요. 대체로." 브렌은 마르스가 오해를 풀기 전에 앞장서서 셔틀을 나섰다.

한 시간 뒤 마르스는 오리엔테이션 비슷한 것을 마치고 숙소를 배정받았다. 열다섯 명의 다른 승무원들과 함께 쓰는 코딱지만 한 벙크 침대였다. 승무원들은 각각 벙크 침대와 로커가 있었고, 공동 화장실과 거실이 있었지만 거실은 열여섯 명이 한꺼번에 들어갈 수 없을 정도의 크기였다. 신참 승무원인 마르스는 화장실에 가장 가까운 벙크 침대 네 개 중 제일 꼭대기에 위치한 최악의 침대를 배정받았다. 정확히 화장실 악취가 모이는 지점이었다.

마르스는 일어나 앉을 공간도 없는 침대에 기어 올라가서 태블릿을 우주선 시스템과 연결했다. 이미 새 상관에게 보고하려면 어디로 가야 하니 30분 뒤에 준비하라는 메시지가 들어와 있었다.

마르스는 익명으로 안전하게 텍스트를 보낼 수 있는 애플리케이션을 열고 브레나에게 연락했다. '네 친구 크리스찬으로부터' 그는 문자를 보냈다.

'작별 인사는 이미 했잖아. 이제 가.' 브레나는 대꾸했다.

마르스는 미소 지었다. '누굴 찾아주었으면 해. 쇼 티뉴인이라는 남자. '텔 미' 호 승무원이야. '예스 써' 호가 플로우 입구로 들어가기 전에 찾아봐.'

'좋아. 왜?'

'그는 내가 관심 있는 그것에 대한 소문을 들었어.'

'난 네가 모호하게 말할 때가 좋더라.'

'특히 내가 해결해야 할 그것에 대한 소문. 이 정도면 충분히 모호해?'

'완벽해.'

'좋아. 그가 어디서 그 소문을 들었는지 알면 도움이 될 거야. 아주 묘하게 구체적인 소문이었어.'

'내가 알아볼게. 우주선은 어때?'

'난 옷장 서랍만 한 벙크 침대에 누워 있어.'

'좋겠다. 내가 가진 거라고는 우리 저택 마을 하나 크기만 한 방 안에 으리으리한 침대뿐인데.'

'미워.'

'나도 네가 미워, 크리스찬. 몸 조심해. 부탁한 정보를 알아내면 우주선으로 연락할게.'

'고마워.' 마르스는 하마터면 '누이'라고 쓸 뻔하다가 아슬아슬하게 멈추고 대신 마침표를 찍었다. 그런 다음 태블릿을 끄고 침대를 봉한 뒤, 불편하게 좁고 캄캄한 공간 안에 몇 분 동안 누워 밀려오는 향수에 잠겼다.

11장

"엔드에서 밖으로 나가는 과정에서 뭔가 특이한 일이 생기면 알려달라고 하셨지요." 토미 블리니카 함장은 키바에게 말했다. 엔드에서 출발한 지 이틀째 되는 날이었고, 허브로 이어지는 플로우 입구까지 가려면 하루는 더 가야 했다. 키바와 블리니카는 '예스 써' 호 함교에 있는 함장 개인실에 보안 책임자 넙트 핀튼과 같이 있었다. 개인실은 두 사람이 사용하기 알맞은 크기였고, 핀튼은 덩치가 아주 컸다. 그의 땀 입자가 짭짤하게 느껴진다 싶을 정도였다.

"뭐지?" 그녀는 물었다.

블리니카는 태블릿을 켜서 키바에게 보여주었다. 우주 공간에서의 '예스 써' 호 위치를 실시간으로 보여주고, 1광분 거리 안에 있는 다른 물체와 우주선의 위치도 지도상에 나타내는 프로그램이었다. "우주선 한 대가 우리 쪽으로 오고 있습니다."

"우리 쪽으로? 아니면 플로우 입구 쪽으로?"

"우리 쪽으로. 궤적을 계산해봤는데, 열네 시간 뒤에 우리와 교차합니다. 처음 발견하고 궤적을 확인했을 때는 저 우주선도 플로우 입구로 가는데 우리 위치에 대해서는 주의를 기울이지 않는 모양이라고 생각했습니다. 저는 서로 안전하게 비켜갈 수 있도록 속도만 0.5퍼센트 높였습니다. 저쪽은 즉각 반응하지 않았지만, 지난 두 시간 동안 저쪽도 우리와 마찬가지로 속도를 높였더군요. 분명 우리가 목표입니다."

"그럼 해적이다."

"네."

"멍청한 해적들." 우주선을 나포하기 가장 좋은 때는 플로우에서 나오는 순간이지, 들어가려는 순간이 아니다. 어차피 관성 때문에 목표 우주선은 플로우에 들어가게 되어 있다. 해적선은 보통 비교적 소형이고, 비교적 빠르고, 거의 언제나 현지 우주선이다—즉, 자기 우주선 주위에 시공간 버블을 형성할 장비가 없다는 뜻이다. 플로우에 따라 들어오면 그들은 죽는다. 밖으로 나가는 우주선을 성공적으로 습격해서 우주선에 올라 화물을 빼앗고 사라질 수 있는 시간 여유는 극히 적다.

"멍청하거나, 아니면 우리가 알 수 없는 다른 계획이 있는 모양이지요."

"우리가 처리할 수 있지?" '예스 써' 호는 방어 무기를 완전 장착하고 있었고, 소규모 공격 장비도 갖추고 있었다. 화물선에 공격 무기를 장착하는 것은 기술적으로 불법이지만, 다 필요 없고, 우주 공간에 있을 때는 때로 먼저 한 방 치고 나중에 길드 감사에서 거짓말을 해야 할 때도 있는 법이다.

"상대는 너무 멀어서 아직 정확한 성능 파악이 어렵습니다만, 추진력 특성이 맞다면 윈스턴급 화물선입니다. 어마어마하게 개조했겠지만, 어쨌든 소형이니 공격 능력은 제한적입니다. 아마 우리가 처리할 수 있을 겁니다. 그들의 의도가 정말 해적질이라면."

"어떤 다른 의도가 있을 수 있지? 차라도 한잔하자고 초대할지도 모른다?"

"모릅니다. 지금 우리 입장은 지켜보면서 감시하는 겁니다."

"속도를 내서 입구로 가버릴 수도 있잖아. 출력을 올려."

블리니카는 고개를 저었다. "속도를 지나치게 높이는 순간, 추적당하고 있다는 것을 알고 있다는 사실을 저쪽에 알리는 게 됩니다. 저쪽도 아마 더 빨리 방해하려고 속도를 높일 겁니다. 우리가 그들보다 더 빨리 가고 싶다면 최대한 늦게까지 미루다가 저들이 충분히 가까워졌을 때 우리가 공식적으로 갖고 있지 않은 걸로 돼 있는 미사일로 공격하는 게 좋습니다. 하지만 이 역시 저쪽이 정말 해적질을 시도한다는 전제하의 대응책입니다."

키바는 점점 짜증이 났다. "이 경우 일반적인 해적질 말고 뭘 한다는 거야?"

"모릅니다. 그게 문제입니다. 그들은 엉뚱한 방향에서 우리를 향해 오고 있고, 그쪽 입장에서는 교전하느라 시간을 뺏기지 않는다 해도 우리 우주선에서 화물을 완전히 내릴 시간이 없습니다.

하지만 지금 우리한테 약탈할 만한 물건이 없다는 것도 분명 알고 있을 겁니다. 해적들은 우주 정거장에 첩자가 있고, 우주선과 그 화물 신고서에 대한 정보는 미리 다 갖고 있으니까요. 그렇게 해서 목표를 정하는 겁니다. 하지만 우리가 엔드에서 실은 유용한 화물이라고는 오로지 사람뿐이라는 걸 알아내는 데는 첩자조차 필요 없었을 겁니다. 비밀로 하지 않았으니까요. 하버프루트 농축액을 절실히 원하는 게 아니라면, 우리한테는 값나가는 화물이 없습니다."

"그들이 원하거나 이용할 수 있는 것이 우리에게 없다는 걸 알고 있으면서도 우리에게 오고 있다."

"맞습니다. 그 점이 걱정스러운 겁니다."

키바는 고개를 끄덕였다. "좋아. 두 번째는?"

"우리 승객 중 한 명이 이상한 행동을 하고 있습니다." 넙트 핀튼이 말했다.

"우리 승객은 모두 돈 많은 개자식들이야." 키바가 말했다. "이상한 행동을 하는 건 그들의 소위 매력 중 하나라고."

핀튼은 이 말에 슬쩍 미소 지었다. "그 말은 맞을 겁니다." 그는 말했다. "하지만 문제는 그 승객이 괴짜 짓을 하는 게 아니라 용의주도하게 우주선을 탐색하고 있다는 겁니다." 핀튼은 자기 태블릿을 집어 들고 키바의 태블릿에 비디오를 전송했다. 비디오에서는 한 남자가 주위를 살피며 배의 복도를 걷고 있는 장면이 떴다.

"아, 젠장. 걷고 있군. 죽여버려." 키바가 말했다.

"그냥 걷는 게 문제가 아닙니다. 어디서 걷느냐가 문제죠. 우주선을 아무 데나, 발 가는 대로 어슬렁거리는 게 아닙니다. 그는 기계, 동력, 생명 유지 장치가 있는 위치를 돌아다니고 있습니다."

"그 구역들만?"

"아니요." 핀튼은 말했다. "다른 곳도 돌아다닙니다. 하지만 그가 되돌아오는 건 바로 이 구역들입니다. 깊숙이 들어가지도 않고, 오래 시간을 보내지도 않습니다. 하지만 꼭 다시 돌아갑니다."

"자기 방 안에 감금해놓지 그래." 키바는 태블릿을 내려놓았다. "그놈들이 우주선 안을 어슬렁거리는 건 어쨌든 좋을 게 없어."

"원래 그럴 계획이었고, 사실 우리 승객들은 절대 출입 금지로 되어 있는 구역들이 이미 정해져 있습니다."

"한데 이 친구는 그 지시를 무시한다."

"아니요, 하지만 그 근처로 갑니다. 기계 장치에 집중하는 게 아닙니다. 우주선 내에서 기계 장치를 교란시키기 쉬울 만한 장소에 집중하고 있습니다."

"그 점은 내 첫 질문으로 돌아가는데, 핀튼."

핀튼은 쥐고 있던 태블릿을 흔들었다. "우리 승무원 중 한 사람이 이 남자를 알아봤기 때문에, 아예 구금하지는 않았습니다. 그가 무슨 짓을 꾸미는지 일단 지켜보려고요."

"어떤 돈 많은 놈이지?"

"그겁니다. 승무원 말로는 돈 많은 놈이 아니랍니다. 돈 많은 놈 밑에서 일하는 놈이랍니다."

"어떤 승무원이 그 말을 했는데?"

"크리스찬 잰슨이라는 새 승무원. 아시는 걸로 알고 있습니다."

"그리고 저자가 누구 밑에서 일한다고 했다고?"

"그레니 노하마페탄."

"지금 당장 잰슨을 불러와." 키바는 말했다.

◇◇◇

"음, 저는 예전에 클레어몬트 백작 집안을 위해서 일했습니다." 잰슨은 입을 열었다.

"아, 집어치워." 키바는 답답하다는 듯 말했다. "마르스 경, 이 방의 모두가 당신이 누군지 알고 있어."

"확실하지 않아서." 마르스는 말했다.

"이제 확실하게 알았겠지. 그러니 말해 봐."

마르스는 고개를 끄덕였다. "그레니 경과 난 그리 많이 접촉하지 않았지만, 대공의 궁정 모임이나 기타 귀족이 참석하면 격이 높아지는 행사, 파티에서 가끔 봤습니다. 그레니는 친구와 아랫사람을 잔뜩 거느리고 다니는 그런 귀족 중 하나였지요." 그는 핀튼의 태블릿을 가리켰다. "그 아랫사람 중 하나였습니다. 전직 군인, 그레니의 경호원입니다."

"확실합니까?" 블리니카는 마르스에게 물었다.

"확실합니다." 마르스는 말했다. "브레나가 한번 저 친구 이야기를 한 적이 있습니다. 한동안 같은 부대에 있었다더군요. 유능한 군인이었지만 인간적으로는 개자식이라고, 한번은 막사 안에서 계속 집적거리길래 불알을 입에 처넣어줄까 했던 적도 있었다고 했습니다. 이후로 그를 볼 때마다 입에 불알을 물고 있는 모습을 상상해야 했지요."

"아름다운 이미지군." 키바가 말했다.

"승객용 고리 구역에서 그를 보고, 전 보안팀에 신고했습니다." 마르스는 핀튼을 향해 고개를 끄덕였다.

"그 자식은 분명 위조 서류로 여행하고 있겠지." 키바는 핀튼에게 말했다.

"네." 핀튼은 고개를 끄덕였다. "기록상 그는 타이수 구코입니다. 우리가 그 가짜 신원을 팔았으니, 그 점으로 시비를 걸 수는 없습니다. 하지만 처음 왔을 때 그는 자기가 사익스 가문 판매권자라고 했습니다. 프린 클림타라는 이름으로."

"진짜 프린 클림타라는 사람은 있나?"

"아마도? 확인해보지는 않았습니다. 돈만 진짜면 신경 쓰실 것 같지 않아서. 돈은 멀쩡했습니다."

키바는 마르스를 돌아보았다. "이 자식의 진짜 이름은 뭐지?"

"이름은 챗입니다. 성은 아마 웁달일 겁니다. 우탈이거나. 둘 중 하나일 겁니다."

"그가 왜 이 우주선에 있는지 짚이는 데가 있나?"

"모르겠습니다." 마르스는 말했다. "하지만 그가 여기 처음 접근할 때부터 가짜 신원을 썼다면, 수상하다고 생각할 이유는 충분하겠지요."

"그가 언제 승선권을 샀지?" 키바는 핀튼에게 물었다.

"출발하기 직전에. 마지막으로 예약한 사람들 중 하나였습니다.

매그넛이 급행료로 75만 마크를 받았습니다."

키바는 마르스를 가리켰다. "그건 당신이 납치당한 뒤군."

마르스는 고개를 끄덕였다. "맞습니다."

"혹시 당신을 납치한 사람 중에 그가 있었던가?"

"아니요. 그랬다면 분명 기억했을 겁니다."

"그럼 지금 당신이 누군지 그는 모르겠군."

"글쎄요. 아마 모르겠지요. 아직 제게 반응하지는 않았습니다."

"하지만 이 변장을 벗으면 알아보겠지."

"네."

키바는 마르스에게 손을 내밀어 머리카락을 잡아당겼다. 마르스는 아픔과 놀라움에 비명을 질렀다. "그만하세요! 그냥 벗겨지지 않습니다. 접착제를 녹여야 합니다."

"이놈은 지금 어디 있지?" 키바는 핀튼에게 물었다.

"지금은 승객 고리 구획에 있습니다." 핀튼이 대답했다. "어떻게 할까요?"

"그가 무슨 속셈인지 알아내야겠어."

"'예스 써' 호는 항해 중입니다." 블리니카가 키바에게 상기시켰다. "무슨 계획이시든 제가 승인해야 합니다. 이 개자식이 우주선에 해를 끼치게 할 수는 없습니다."

"문제 없을 거야." 키바는 약속했다. 그리고 마르스를 돌아보았다. "이놈이 해병이라고."

"해병 출신입니다. 네. 지금은 경호원입니다."

"당신이 제압할 수 있겠어?"

"네? 아뇨."

"이놈도 그걸 알겠지?"

"네."

"좋아."

◇ ◇ ◇

그들은 챗이 우주선을 둘러보러 나설 때까지 기다렸다가 그가 탐색 중인 복도 끝에 보안 요원 두 명을 배치하고 어느 모로 보나 잡담하고 있는 것처럼 보이게 했다. 챗은 그들을 보더니 태블릿에서 뭔가 검색하고 다시 왔던 방향으로 되돌아갔다. 그곳에도 보안 요원 둘이 있었다. 그는 멈춰서서 뭔가 계산하는 듯했고, 그때 변장을 벗어던진 마르스가 복도로 들어서서 그에게 다가갔다.

"안녕, 챗." 마르스는 말했다. 말을 채 끝내기도 전에, 챗은 번개처럼 어디선가 칼을 꺼내 들고 마르스에게 달려들었다. 다음 순간 그는 스턴볼트 세 방을 맞고 경련을 일으키며 바닥에 뒹굴고 있었다.

"오줌 쌌나?" 10초 후 상황 정리 사인이 떨어지자, 키바는 마르스에게 물었다. 그녀와 핀튼은 약간 떨어진 지점에서 기다리면서 태블릿으로 전송된 복도 카메라 영상을 통해 상황을 보고 있었다.

"약간요." 마르스는 쓰러진 챗을 바라보며 인정했다. 보안 요원들이 그를 결박하고 있었다.

"훈련받은 살인 무기가 당신 목을 따려고 칼을 들고 덤비는데

소화전처럼 오줌을 싸도 부끄러울 건 없어."

"화제를 바꿀 수 없을까요?" 마르스는 불쌍하게 부탁했다.

"오늘 근무는 그만두고 침대에나 들어가서 쉬어. 당신 입장이라면 나라도 그럴 거야."

마르스는 챗을 가리켰다. "이자는 어떻게 할 겁니까?"

"입을 열게 해야겠지."

"잘 안 될 겁니다."

"당신은 내 방법을 모르잖아."

"말하지 않는 훈련을 받은 사람입니다."

"죽이는 훈련도 받았어. 한데 이 꼴을 보라고."

"심문할 때 저도 있고 싶습니다."

"아니, 안 돼."

"진심입니다."

"이렇게 표현할까, 마르스 경. 꺼져, 저리 가."

"날 죽이려고 했어요. 저도 이유를 알 자격이 있습니다."

"그럼 나중에 내가 이야기해주든가. 하지만 지금 당장 꺼지지 않으면, 내가 칼로 찔러주겠어. 분명히 말하지만, 그런다고 이 보안 요원들이 나한테 스턴볼트를 쏘지는 않아."

마르스는 뭐라 말하려다가 고개를 젓더니 멀어졌다.

"사람을 응대하는 기술이 놀라우십니다." 핀튼은 키바에게 말했다.

"너도 꺼져." 키바는 말했다.

핀튼은 이 말에 미소 짓고 단단히 결박해서 옮길 준비가 된 챗을 가리켰다. "그의 말은 맞습니다. 이자는 말하지 않을 겁니다. 공격적인 심문에 저항하는 훈련을 받습니다."

"공격적인 심문?"

"제국군에서 고문을 가리키는 완곡 어법이죠."

"그럼 그냥 고문이라고 해."

"제가 드리는 말씀은, 그는 인간이 자기한테 무슨 짓을 하든 견디는 훈련을 받았다는 겁니다."

"우린 인간보다 솜씨가 좋아." 키바가 말했다.

◇◇◇

"정신이 돌아옵니다." 얼마 후 핀튼이 말했다.

"스피커를 켜." 키바가 말했다. 핀튼은 버튼을 눌러 채널을 열었다. "좋은 아침이야, 얼간아." 키바는 챗에게 말했다.

챗은 주위를 둘러보았다. "여기가 어디요?" 그는 물었다.

"넌 우주복 차림으로 뒷문 에어록 안에 있다. 아니, 하나가 빠졌지. 헬멧이 없는 건 너도 알겠지."

"알겠소."

"좋아. 자, 이게 조건이다. 우리가 묻는 말에 전부, 사실대로 대답하면, 그 헬멧 없이 에어록 밖으로 내보내진 않겠어."

챗은 격분하고, 혼란스럽고, 피곤해 보였다. "이봐, 난 도대체 무슨 상황인지도…."

키바는 '긴급 방출' 버튼을 눌렀다. 에어록이 벌컥 열리고 챗은 우주로 빨려나갔다.

"아, 빠르군요." 핀튼이 말했다.

"장난 아니라고 했잖아." 키바는 대꾸했다. 그녀는 '긴급 회수' 버튼을 눌렀다. 방호복에 연결된 선과 붙은 윈치가 선을 3배 속으로 다시 감아 들였다. "어쨌거나, 완전 진공에서 인간이 얼마나 살 수 있지?"

"1분. 숨을 참지 않는다면."

"그는 말하고 있었는데. 숨을 참을 여유가 없었어."

1분도 채 지나기 전에 챗은 다시 산소가 풍부한 공기를 완전히 채운 에어록 안으로 들어왔다. 1분 뒤 그는 정신을 되찾고 기침하며 구토했다. 그는 충혈된 안구로 에어록 카메라를 바라보았다. 핀튼은 대화 회로를 다시 열었다.

"자, 이제 조건이다." 키바는 되풀이했다. "우리가 묻는 말에 전부, 사실대로 대답하면, 그 헬멧 없이 에어록 밖으로 내보내진 않겠어. 두 번 말하지 않는다. 나한테 장난치면 넌 죽어. 알겠나?"

챗은 쉰 목구멍으로 숨을 몰아쉬며 고개를 끄덕였다.

"말할 수 있나?"

챗은 잠시만 시간을 달라는 듯 장갑 긴 손가락을 들어 보였다.

"지금은?" 키바는 10초 뒤 물었다.

챗은 농담하냐는 듯한 물음이 담긴 충혈된 눈으로 올려다보았지만, 고개를 끄덕였다.

"당신은 챗 웁달이지."

끄덕.

"가짜 신원으로 이 배에 승선했어."

끄덕.

"그레니 노하마페탄 밑에서 일하고."

끄덕.

"그가 널 이 우주선에 보냈다."

끄덕.

"마르스 클레어몬트를 죽이라고."

챗은 한 손을 들어 흔드는 손짓을 취해 보였다. 그 비슷해.

"그건 무슨 뜻이야."

챗은 뭐라 말하려 하다가 멈추고 침을 삼킨 뒤 다시 시도했다. "그게 주요 목적은 아니오." 그는 쉰 목소리로 겨우 꺽꺽 말했다.

"주요 목적은 뭔데?"

"그를 산 채로 납치하는 것."

"산 채로 어떻게 납치해? 이 우주선 밖으로 나갈 수 없는데!"

챗은 에어록 문을 바라보다 다시 카메라를 올려다보았다. 아, 정말?

"넌 살아서 이 우주선 밖으로 나갈 수가 없잖아, 이 멍청아!"

"해적." 챗은 꺽꺽거렸다.

"아, 젠장." 키바는 핀튼을 돌아보았다.

"해적들은 우리 짐을 노리는 게 아니군요." 핀튼이 말했다. "사람을 데려갈 셔틀 서비스였어요."

"하지만 해적은 물리칠 수 있어." 키바는 다시 챗을 향했다. "어쩌면."

챗은 고개를 저었다. "폭탄."

"폭탄?" 키바는 믿기지 않는다는 듯 물었다. "이 우주선에 폭탄을 심을 생각이었나?" 챗은 고개를 끄덕였다. "우주선을 통째로 날려서 너희한테 좋을 게 뭐가 있어?"

챗은 고개를 젓고 뭐라 말하려 했지만, 너무 많은 말을 한꺼번에 하려다 목이 막혔다.

"어디 보자." 핀튼은 챗이 들을 수 있도록 허리를 굽혔다. "우주선을 날려버리려는 게 아니지? 플로우에 들어가지 못하도록 우주선 시스템을 교란시키려는 거지?"

챗은 고개를 끄덕이고 카메라를 가리켰다. 맞아.

"그 때문에 바로 그 복도를 서성거리고 있었던 겁니다." 핀튼이 키바에게 말했다. "폭탄을 장착하기 적당한 곳을 찾고 있었어요."

"한데 우리가 눈치 못 챌 거라고 생각했나? 그 짓을 시도하는 순간 블리니카가 알아챌 텐데."

"우리는 일단 폭발과 손상 회복에 주력해야 하니까요. 해적까지 덮치면 바빠서 이놈 걱정은 나중 일이 될 겁니다. 해적선을 타고 클레어몬트와 함께 도주할 계획이었던 것 같습니다."

"폭탄은 도대체 우주선 내에 어떻게 들인 거야? 다 검색하지 않나?"

"큰 폭탄이 아닐 겁니다." 핀튼이 말했다. "아마 우주선 안에서 만들 수 있었겠죠." 핀튼은 뒤로 물러앉았다. "네 개인 소지품 검사를 하면, 세면도구와 잡화로 위장한 폭탄 부품이 나오겠지?"

챗은 고개를 끄덕였다.

"그거 보십시오." 핀튼은 말했다.

"이 개자식." 키바가 말했다. "불든 말든 상관없이 우주에 내다 버리고 싶은데."

"마이크 조심하십시오." 핀튼이 가리켰다.

키바는 열려 있는 대화 회로에 너무 가까이 대고 말하는 바람에 챗이 마지막 말을 들었다는 것을 깨달았다. 스크린을 확인하니 챗의 얼굴에 두려운 빛이 가득 찼다. 그녀는 눈을 굴리고 다시 고개를 앞으로 갖다댔다. "널 죽이지는 않아, 이 한심한 자식아. 말만 계속하면. 계속 꺽꺽거려. 지금 하던 대로 계속하라고." 챗은 고개를 끄덕였다. 키바는 핀튼을 바라보았다. "저거 잠시만 꺼."

핀튼은 대화 회로를 닫았다. "왜 그러십니까?"

"뭔가 이상해." 키바가 말했다.

"다 이상합니다. 애당초 대단히 잘못된 사건입니다."

"아니, 내 말은." 키바는 챗을 가리켰다. 그는 카메라를 올려다보며 기다리고 있었다. "클레어몬트를 납치해서 데려가려는 게 그의 목적이었고, 그걸 위해 우주선을 손상시키려고 했어. 그레니는 클레어몬트를 데려가기 위해 빌어먹을 해적과 손을 잡았다고."

"그레니 경이 제국의 자금을 사용하려고 그를 인질로 잡아두려고 했다 하셨잖습니까. 아마 그 자금이 정말 절실한 모양이지요."

"그래, 맞아. 한데 여기 이놈은." 키바는 챗을 가리켰다. "자기 정체가 탄로나고 함정에 빠졌다는 걸 깨닫자마자 클레어몬트를 죽이려고 했어. 데려가지 못하면 죽이는 게 그의 목적이었던 거지. 죽이면 인질로 쓸 수 없지 않나? 목적이 뭐야? 그레니는 도대체 왜 이 골치 아픈 짓을 벌인 거지? 이유가 뭐야?"

"모르겠습니다." 핀튼이 말했다.

"그래, 회로 열어 봐." 핀튼은 회로를 다시 열었다. "중요한 질문이다, 챗. 내가 네 대답을 믿지 못하면, 허파가 콧구멍으로 빠져나오는 꼴을 보게 될 거야. 알겠나?"

챗은 고개를 끄덕였다.

"네 대장이 마르스 클레어몬트를 그렇게 간절하게 원하는 이유가 뭐야?"

"몰라." 챗은 꺽꺽거렸다.

"허파 조심해, 챗."

"난. 전혀. 몰라." 너무나 힘주어 말한 나머지 마지막 단어는 휘파람처럼 픽 새어나왔다. "몸값일 거라고 생각했소. 하지만 이해할 수가 없어."

"산 채로 데려오지 못하면 죽이라는 명령을 받았으니까."

챗은 고개를 끄덕였다.

"짚이는 데라도 없나?" 키바는 물었다. "넌 그레니에게서 직접 명령을 받잖아. 뭔가 들은 게 있을 텐데. 직접 생각해서 판단할 수 있어야 하는 위치 아니야."

챗은 고개를 저었다. "그는 말을 안 해. 직접 관련된 일이 아니면, 전혀."

"이건 네가 직접 관련된 일이잖아, 챗."

"하기만 하면 돼. 그 이유는 나와 관련이 없소."

키바는 핀튼을 향해 다시 고개를 끄덕였다. 그는 회로를 닫았다. "어떻게 생각해?" 키바는 물었다.

"사실대로 말하고 있는 것 같습니다."

"저 자식이 사실을 말하고 있다는 건 알아. 이제 어떻게 해야 하는지 묻는 거야."

"우주에 버릴 순 없지요." 핀튼은 챗을 가리켰다. "협조적이었으니까요."

"완전 진공이 그렇게 만들어줬지."

"그럼 그는 더 이상 골칫거리가 아닙니다. 하지만 해적이 이쪽으로 오고 있어요. 그레니 경이 클레어몬트를 납치하기 위해 이 정도까지 할 수 있다면, 여기 챗이 실패했을 경우에도 다른 대책을 세워놨다고 봐야 합니다."

"해적들은 전리품을 갖고 가지 못하면, 차라리 그를 죽여버릴 계획이다."

"네."

"그 과정에서 우리 모두 죽는다 해도 어쩔 수 없다."

"네."

"음, 젠장, 핀튼." 키바는 다시 챗을 돌아보았다. "저들에게 원하는 걸 그냥 넘겨버리는 게 낫지 않나."

12장

마르스의 태블릿이 울리고 '예스 써' 호의 보안 책임자 넙트 핀튼에게 가보라는 명령이 떴다. 그는 잠시 명령을 무시할까 생각하다가 차츰 지리에 익숙해지면서 편안해진 우주선 안을 걷기 시작했다. 우주선은 현재 가속 중이었기 때문에, 현재 인공 중력은 고리 회전보다 푸시 필드에서 생성되고 있었고 뭔가 머리를 누르는 기분이 들었다. 그러나 며칠 전만큼 신경이 많이 쓰이지는 않았다. 신체도 익숙해지는 모양이었다.

핀튼은 '예스 써' 호 구금실에 있었다. 작고 불쾌한 공간 안에 더 작고 더 불쾌한 독방들이 있었고, 그중 한 곳에 챗이 있었다. 마르스는 챗을 바라보았고, 챗도 분한 얼굴로 그를 올려다보았다.

"엉망이군요." 마르스가 말했다.

"음, 그래. 레이디 키바가 에어록 밖으로 던져버렸어." 핀튼이 말했다.

"우주로 내보냈다고요?"

"그래."

"그런데 안 죽었어요?"

"아주 잠깐 내보냈거든."

마르스는 스프레이를 칠한 것처럼 안구가 벌겋게 충혈된 챗을 다시 보았다. "마음이 아플 지경입니다."

"너무 괴로워하지 마, 마르스 경. 기회만 생기면 당신을 다시 죽이려 들 놈이니까."

"날 보자고 했지요." 마르스는 챗에게서 돌아섰다.

"그랬어. 잘 봐둬야 할 것 같아서."

"좋습니다. 왜요?"

"해적이 우리 우주선을 따라오고 있어. 널 죽이려던 여기 이놈 말로는 당신을 납치하려는 거라는군. 실패하면 당신을 도망치게 내버려두느니 아예 '예스 써'호와 함께 폭파시키려는 모양이야. 맞서 싸울 수도 있지만, 그들의 목표가 우리 우주선에 탑승하는 것이 아니라 폭파시키는 거라면 대응책이 크게 제한되지."

"날 넘겨줄 생각입니까?"

"그럴 계획이라면 지금 당신과 이야기하고 있지 않겠지. 당신이 다른 곳을 보고 있을 때 스턴볼트로 쏴서 넘겨주기 쉽게 기절시키는 게 좋잖아."

"알려줘서 고맙습니다."

핀튼은 고개를 끄덕였다. "우리 자신과 당신을 방어하는 데 있어 당신의 협조가 필요해. 그 과정에서 해적들과 그 배후 인물들에게 좀 고통을 줄 수 있다면 좋겠지."

"그러니 노하마페탄 말이군요."

"그래, 그 사람."

"전 당연히 합니다."

"완전히 안전하다고는 할 수 없어."

"괜찮습니다. 돕겠습니다."

"좋아."

"어떻게 하면 되죠?"

핀튼은 챗을 가리켰다. "우선 해야 할 일은 이놈이 성공한 것처럼 보이게 꾸미는 거야."

"날 죽이는 데?"

"우리가 플로우에 들어가지 못하도록 우주선에 폭탄을 설치한 것처럼. 그렇게 보인다면, 분명 해적들은 우리한테 무전으로 협상하자고 나올 거야."

"두 번째는?" 마르스는 물었다.

"음, 당신과 여기 챗이 거의 비슷한 몸집과 피부색이라는 것 눈치챘나?"

"아, 아니요."

"난 눈치챘어."

◇◇◇

가짜 폭탄은 30분 뒤에 '폭발'했고, '예스 써' 호는 제국 우주 정거장에 상황을 알리는 일반적인 공개 조난 신호를 보냈다. 우주 정거장에서 사고가 생긴 것을 인지하고 더욱 심각한 구조 요청이 올 경우에 대비해서 구조 및 회수 준비를 하도록 하는 것이 그들의 계획이었다. 문제는 아무리 빠른 제국군 커터조차 하루 이상 걸리는 거리라는 점이었다. '예스 써' 호는 이제 겨우 몇 시간 뒤에 진로를 방해할 수 있는 거리에서 뒤따라오는 작은 우주선을 제외하면 혼자다.

예상대로 조난 신호를 보낸 지 얼마 되지 않아, 해적선은 '예스 써' 호에 교신을 보냈다.

"민간 화물선 '레드 로즈' 호다, '예스 써' 호, 응답 바람." 마르스는 함교에서 교신을 들었다. 키바와 그는 방해되지 않도록 구석에 서 있었지만, 상황이 어떻게 진행되는지는 알고 있어야 했다.

"라고스 파이버 '예스 써' 호, 교신을 받았다." '예스 써' 호의 통신 담당 드린 무산이 말했다.

"사고가 났다고 들었다. 접근해서 구호할 수 있도록 허가해주기 바란다."

"함장은 귀 우주선의 구호 제안에 감사하지만, 지금 구호는 필요 없다. 현재 거리를 유지하라."

"추가 사고가 발생하면 적절한 도움을 주지 못할 수도 있어서 염려스럽다. 접근한다."

"'레드 로즈' 호, 함장은 거듭 감사하지만, 추가 사고가 발생할 경우 당신 우주선의 안전이 염려되므로 다시 한 번 현재 거리를 유지해달라고 요청한다."

"함장의 염려에 감사하지만, 위험을 무릅쓸 가치가 있다고 본다. 접근한다."

"이 정도면 인사치레는 충분해." 블리니카는 무산에게 말했다.

"네, 알겠습니다." 무산은 다시 콘솔을 돌아보았다. "'레드 로즈' 호, 블리니카 함장은 서로 헛소리 그만두고 본론으로 들어가기를 공식적으로 요청한다."

잠시 침묵이 흘렀다. "알겠다." 대답이 흘러나왔다. 약간의 시간이 흘렀다. "잠시 기다려라."

블리니카는 키바 라고스를 돌아보았다. "준비는 다 됐습니까?"

"아주 분주해." 키바는 말했다.

블리니카는 고개를 끄덕이고 마르스를 흘끗 본 뒤 다시 조종간 스크린으로 주의를 돌렸다.

긴장된 상황이었지만, 마르스는 짜릿했다. 어떤 종류든 사령부를 지켜보는 것은 난생처음이었고, 적으로 간주할 수 있는 우주선을 상대로 '예스 써' 호 함교 승무원들의 프로다운 침착한 태도는 인상적이었다. 유능한 사람들이다, 마르스는 판단했다. 어쩌면 키바 라고스만 제외하고. 아직 그녀는 도무지 어떤 사람인지 파악할 수가 없었다.

그는 레이디 키바를 돌아보았다. 보는 사람에 따라 정신을 집중하는 표정 같기도 했고, 상대를 깔보며 냉소하는 표정 같기도 했다. 마르스가 지금껏 키바를 상대하면서 알게 된 것은 절대 적으로 돌려서는 안 될 사람이라는 것뿐이었다. 그런 면에서 그녀는 양심을 약간 덜 지닌 브레나를 연상시켰다.

"왜 실실거리고 있는 거야?" 키바가 그에게 물었다. 마르스가 자신을 흘끗거리는 것을 본 모양이었다.

"당신이 챗을 우주로 내보내는 광경을 상상했습니다." 마르스는 거짓말로 둘러댔다.

"그게 왜?"

"그가 입을 안 열었다면 정말 영원히 우주에 내버렸을까 궁금해서요."

"당연하지. 내 우주선에 폭탄을 터뜨리려고 했는데. 내 우주선을 건드리는 건 용서할 수 없어. 내 사람을 건드리는 것도."

"저도 지금은 승무원입니다. 저도 당신 사람인데요."

"그래서 당신을 해적한테 안 넘기는 거 아니야."

"부탁드립니다."

키바는 고개를 끄덕였다. "그거야. 헛소리 하지 마, 클레어몬트."

마르스는 씩 웃었다.

우주선 사이의 통신 채널이 다시 지직거렸다. "여기는 '레드 로즈' 호 함장 윔슨이다. '예스 써' 호의 블리니카 함장과 직접 대화를 요청한다."

블리니카는 그의 개인 채널을 열었다. "블리니카다."

"헛소리 그만두고 싶다고 들었소, 함장."

"그쪽이 동의한다면, 함장."

"동의한다. 서로 점잖게 이야기하지. 지금쯤 우리 정체를 알았을 텐데."

"당신들은 해적이지. 하루 내내 우리를 뒤쫓았잖아."

"맞소. 지금쯤 우리 동료 중 한 명이 플로우에 들어가는 기능을 파괴했다는 것도 알고 계시겠지."

"그렇다."

"하지만 오늘은 당신들한테 운 좋은 날이오, 함장. 우린 당신들이 우주선을 수리하거나 우주 정거장에 돌아가는 동안 화물에 손을 대지 않고 무사히 내버려둘 용의가 있소. 두 사람만 우리한테 넘겨주면 돼."

"그 두 사람이 누구지?"

"첫째는 우리 동료, 폭탄을 설치한 사람. 아마 지금 구금실에 앉혀놨을 걸로 생각하오. 두 번째는 승객, 마르스 클레어몬트 경."

"함장, 우린 당신들 동료를 넘겨줄 수 없소."

"'넘겨줄 수 없다'는 아주 강한 표현이오, 함장."

"다시 말하지. 아주 작게 조각난 상태로 넘겨줄 수는 있소. 폭탄 시한장치를 잘못 맞춘 것 같더군. 그자도 같이 산산조각 났어."

"그건 불운이군."

"원하신다면 벽을 긁어내서 봉투에 담아 넘겨드리지."

"고맙지만 사양하겠소. 그를 회수하는 건 부차적인 문제요. 하지만 마르스 경, 그는 필수 조건이오."

"우리 승객 중에는 경이든 아니든 마르스 클레어몬트라는 사람이 없소."

"헛소리 그만두자고 하지 않으셨나, 함장. 마르스 클레어몬트는 현재 라고스 가문이 누군가를 시스템 밖으로 밀반입할 때 사용하는 가명, 크리스찬 잰슨이라는 이름으로 당신 우주선에 탑승하고 있소. 당신들끼리 사용하는 신원을 좀 더 자주 바꾸라고 수하들에게 알릴 필요가 있을 거요. 크리스찬 잰슨은 거기 있겠지?"

"있어."

"잘됐군."

"하지만 문제가 있소."

"블리니카 함장, 혹시 그 '문제'라는 것이 클레어몬트도 산산조각 났다는 이야기라면, 난 당신 우주선을 똑같이 만들어줄 수밖에 없소."

"무슨 뜻인가?"

"클레어몬트를 산 채로 데려가지 못하면, '예스 써' 호를 폭발시키겠다는 뜻이오. 선택은 그쪽이 하시오."

"그쪽도 같이 산산조각 나고 싶으면 그렇게 해보시든가." 블리니카가 말했다.

"그럴 리가. 자, 클레어몬트의 문제란 뭐요?"

"그는 죽지 않았어. 하지만 현재 약물로 인한 혼수상태에 빠져 있소."

"왜?"

"폭탄이 폭발했을 때 당신 '동료'와 같은 복도에 있었지. 그와 다른 몇몇 승무원이 당신네 친구를 막으려고 했소. 그는 살아남았지만, 승무원 둘이 죽었어."

"삼가 조의를, 함장."

"당신은 방금 내 우주선을 폭파시키고 승무원 전체를 죽이겠다고 협박했어, 함장. 마음에도 없는 조의 그만두시오."

"알겠소. 클레어몬트는 움직일 수 있나?"

"산 채로 안정된 상태로 넘겨줄 수 있다. 다른 건 모두 당신들에게 달렸소."

"좋소. 세 시간 반 뒤에 접근하겠소. 클레어몬트를 운반할 셔틀을 보내지."

"아니, 우리가 셔틀을 보낸다."

"함장…."

"당신들 중 누구도 내 우주선에 발을 들일 수 없어. 클레어몬트를 원하나? 좋아. 그를 넘겨주지. 하지만 우리가 그쪽으로 간다."

"그렇다면 당신이 직접 셔틀을 타고 넘겨주러 오시오. 셔틀 크기의 폭탄을 보내는 게 아니라는 걸 증명하는 뜻에서."

"난 안 돼." 블리니카가 말했다. "대신 선주 대리인을 보내겠다. 당신들 목적에 충분히 부합할 거요. 의료진도. 그들은 셔틀에 남고, 그쪽에서 클레어몬트를 데려갈 사람을 셔틀로 보내시오. 모든 과정은 최대 10분 안에 끝낸다. 조금이라도 더 길어지면 우린 같이 가는 거요. 믿든지 말든지."

"좋소. 준비가 되면 다시 알려드리지. '레드 로즈'호 통신 종료." 교신은 끝났다.

"날 자원시키다니 대단히 고맙군." 키바는 통신이 끊기자마자 내뱉었다.

"우주선은 항해 중입니다." 블리니카는 말했다. "지금은 내가 결정권자입니다, 레이디 키바. 이 일은 당신이 하셔야 합니다. 그러니 닥치고 하시지요."

"좋아." 그녀는 마르스를 가리켰다. "당신도 나와 같이 간다. 축하해. 방금 의료진으로 승진했어." 그녀는 블리니카를 보았다. "됐지?" 블리니카는 고개를 끄덕였다.

"이건 좋은 생각 같지 않은데요." 마르스는 말했다.

"당신한테는 투표권이 없어. 핀튼에게 기꺼이 돕겠다고 했다면서. 어린애처럼 징징대지 마."

"그냥 '도움이 필요해.'라고 말해도 되잖습니까."

"알았어. 당신 도움이 필요해. 어린애처럼 징징대지 마."

"나아진 것 같지 않군요."

"크리스찬 복장은 어디 있지?"

"버렸습니다."

"음, 가서 찾아봐. 그리고 의료 구역으로 와. 할 일이 있어."

◇ ◇ ◇

"엄지손가락 내미세요." '레드 로즈' 호의 의료진이 키바에게 말했다.

"집어치워." 키바는 대꾸했다.

의료진은 한숨을 쉬고 돌아서서 셔틀의 열린 문간을 향해 소리쳤다. 볼트 스로어를 든 '레드 로즈' 승무원이 셔틀 진입로로 성큼성큼 다가왔다.

"엄지손가락 내밀어, 안 그러면 여기 색스가 머리를 날려줄 테니까." 의료진이 말했다.

키바는 엄지를 내밀었다. 의료진은 바늘로 찔렀다. 그리고 홍채 스캔을 했다. "레이디 키바 라고스군요."

"우리 승무원 데이터베이스는 어떻게 얻어낸 거야?" 키바는 의료진에게 물었다.

의료진은 무시하고 마르스에게 다가갔다. "엄지손가락." 그녀는 말했다. 마르스는 손가락을 내밀었다.

"거스틴 오브레히트." 그녀는 들것에 누워 있는 사람에게 다가갔다. 그리고 검지와 망막을 확인하고, 오른팔 핏줄에서 피를 뽑았다. 마르스는 마지막 테스트를 지켜보고 결과를 기다렸다.

"마르스 클레어몬트." 의료진이 확인했다. 색스는 다른 레드 로즈 호 승무원을 불렀고, 다른 사람이 셔틀에 올라 들것을 밀고 사라졌다. 의료진은 키바와 마르스에게 고개를 끄덕이고 돌아섰다.

"이봐." 키바는 말했다. 의료진이 다시 돌아보자, 키바는 팔을 뻗어 작은 배낭을—마르스가 실제로 '예스 써' 호에 들고 탄 배낭이었다—건넸다.

"이게 뭐죠?" 의료진이 물었다.

"그가 들고 탄 배낭이야. 세면도구와 잡다한 물건들."

"의식을 회복하면 면도를 하고 싶을지도 모릅니다." 마르스가 덧붙였다.

의료진은 배낭을 받아 들고 두 사람에게 다시 고개를 끄덕인 후 셔틀을 나섰다.

"이제 마무리하고 어서 빠져나가자." 키바가 말했다.

"그러죠." 마르스는 말했다. 키바는 교환이 끝났다는 뜻으로 조종석 쪽 문을 두드렸다.

"초조하셨습니까?" 셔틀이 '예스 써' 호로 돌아가는 동안, 마르스는 키바에게 물었다.

"뭐가?"

"교환이요. 챗의 몸에서 내 유전자 정보를 확인하는 동안 말입니다."

"아니." 키바는 말했다. "우리가 네 피부 조각으로 만든 엄지 패드와 콘택트렌즈는 우리 가짜 신원 정보와 똑같은 수준이야. 우리 의료 기술은 최고급이라고."

마르스는 고개를 끄덕이다가, 챗의 눈에 넣을 콘택트렌즈를 만들 유전자 원본을 확보하려고 각막을 긁던 순간이 떠올라 문득 미간을 약간 찡그렸다. 콘택트렌즈 배양은 엄지 패드와 마찬가지로 속성으로 이루어졌기 때문에, 정체가 탄로날 만한 유전자 이상이 생길 가능성을 배제할 수 없었다. 운이 좋았다. "수혈 말입니다."

키바는 어깨를 으쓱했다. "그건 네 혈액이야. 네 몸에서 피를 뽑고, 그자의 주요 동맥을 부분 차단해서 피를 비우고, 네 피를 넣은 거야. 복잡하지 않아."

"혈관 차단 상태가 유지된다는 건 몰랐습니다."

"곧 용해되고 본래 그의 혈액이 돌아와. 운이 좋아서 근육괴사가 일어나지 않는다면, 팔을 자르지 않아도 되겠지."

"운이 나쁘다면?"

"운이 나쁘다면, 집어치워. 그는 내 우주선에 폭탄을 설치하려고 했어."

"그리고 절 죽이려고 했지요."

"맞아." 키바가 말했다.

"혹시 통하지 않았다면 어떻게 할 생각이었습니까?"

"우리가 거기 있는 동안에 혹시 저쪽에서 들것 위에 누운 사람이 챗이라는 걸 알아낼 경우?"

"네."

"대비책이 있었어."

"뭐죠? 그냥 도망?"

"아니. 당신을 넘기려고 했어."

"뭐요?" 마르스는 충격을 받아 키바를 바라보았다.

키바도 돌아보았다. "그런 눈으로 쳐다보지 마. 내가 왜 당신을 데려갔겠어? 같이 있는 게 좋아서?"

"저도 이제 당신 사람들 중 하나잖습니까."

"맞아. 하지만 신참이잖아." 키바는 말했다. "생각해야 할 다른 사람들이 많아."

마르스는 남은 비행 시간 내내 키바에게 말을 하지 않았다.

그들이 '예스 써' 호에 도착해서 셔틀에서 내리자, 우주선은 '레드 로즈' 호에서 가속해서 멀어졌다. 마르스의 태블릿이 울렸다. 브레나에게서 메시지가 도착했다.

네가 물어본 사항을 알아봤어. 쇼 티뉴인은 노하마페탄 가문에서 일하는 한 친구에게서 그 소문을 들었어. 노하마페탄 사람들이 지난 몇 년 동안 우주선의 항행 기록을 돈으로 사들인 모양이야.

그들도 우리와 같은 것을 보고 있을 가능성이 있는 것 같아. 우리에게 이것이 어떤 의미인지는 모르겠지만, 좋은 일인 것 같지는 않아.

조심해. 벌써 보고 싶다.

– V

키바가 마르스의 어깨를 두드렸다. 그는 태블릿에서 고개를 들었다. "따라와." 키바가 말했다.

"피곤합니다." 마르스는 태블릿을 치우며 말했다.

"우리가 플로우에 들어가고 해적들을 멀리 따돌리면 정말 잠만 잘 수 있을 줄 알았어? 따라와." 그녀는 셔틀 베이를 나섰다. 마르스는 그녀의 뒤를 따랐다.

그들은 키바의 선실에 들어섰다. 들어서자마자 마르스는 부러움이 일었다. "진짜 방 크기만 한 방이군요." 그는 뒤따라 들어서는 키바에게 말했다. 그는 눈앞에 펼쳐진 거대한 벽을 멍하니 응시했다. 일정표, 메모, 개인적인 사진 같은 것들이 붙어 있었다.

"당연하지. 내 가족이 이 우주선의 주인이야. 나는 선주 대리인이고. 날 벙크 침대에라도 태울 줄 알았어?"

"아뇨, 그렇겠지요. 그냥 웃겨서."

"별로 웃기지 않아."

"관짝만 한 벙크 침대에서 안 자는 분이야 뭐라시든."

"어쨌든 오늘 밤에는 거기서 안 자도 돼."

"네?" 마르스가 돌아서 보니 키바는 완전히 벌거벗고 있었다.

"자자." 그녀는 마르스에게 말했다.

"어, 그러죠." 마르스는 대답하다 입을 다물었다. "잠깐만. 저는 혼란스러워서."

"섹스해봤지?" 마르스는 고개를 끄덕였다. "여자랑?" 그는 다시 고개를 끄덕였다. "좋았고?"

"네⋯."

"그럼 뭐가 혼란스러워?" 그녀는 다가왔다.

"절 좋아하신다고 생각 안 해봐서." 마르스는 말했다.

"넌 그럭저럭 괜찮아." 키바는 마르스의 허리띠를 붙잡고 끈을 풀었다.

"필요하면 절 해적한테 넘길 생각이었다고 하셨잖아요. 10분 전에는."

"그래서?"

"거의 매번 말할 때마다 나한테 입 닥치라고 하고."

"난 모든 사람한테 그래."

"하지만⋯."

"이봐, 우리 둘 다 힘든 하루를 보냈어." 키바는 그의 제복 바지를 끌어내렸다. "한데 여기 이렇게 서서 일어나지도 않은 일에 대해 계속 투덜거리고만 있을 거면, 엉덩이를 걷어차 내보내버릴 거야. 코딱지만 한 벙크로 돌아가서 방귀 냄새나 맡으면서 자든가, 입 닥치고 나랑 같이 옷 벗고 녹초가 돼서 기절할 때까지 한판 하든가. 선택은 네 몫이지만, 내가 너라면 어느 쪽이 좋은지는 뻔하잖아. 자, 할 거야, 말 거야?"

"당신이 생각하는 연애는 이런 건가보죠?"

"기본적으로." 키바는 그를 침대로 끌고 갔다.

몇 시간 뒤 마르스가 키바와 나란히 웅크리고 누워 졸고 있는데, 부드러운 신호음이 우주선 전체에 길게 울렸다.

"음." 키바는 눈을 떴다.

"뭐였죠?" 마르스는 물었다.

"우리가 플로우에 들어왔다는 신호야."

"그럼 안전하군요."

"플로우에서는 아무것도 안전하지 않아. 버블이 붕괴하면, 우린 그 순간부터 존재하지 않으니까."

"해적이나 그레니 노하마페탄 걱정은 할 필요가 없다는 뜻이었습니다." 옆에 누운 키바의 몸을 의식하자 거의 즉시 다시 발기가 이루어졌다.

키바도 그것을 느끼고 그의 몸 위로 올라오더니 손을 뻗어 마르스를 자신이 원하는 위치로 옮기고 자기 몸을 그 위에 올렸다. "아니, 해적이나 노하마페탄 걱정은 할 필요 없어." 그녀는 움직이기 시작했다. "하지만 내 걱정은 해야 할 거야."

마르스는 미소 지었다. "이게 그 걱정이라면, 내가 해결할 수 있습니다."

"이걸 말하는 게 아니야."

"그럼 뭐 말입니까?"

"그레니 노하마페탄이 널 죽이려는 게 무엇 때문인지 그 이유

말이야, 마르스."

"잠깐." 마르스는 말했다. "정말 대화를 하자는 겁니까? 지금?"
그는 몸을 일으키려 했다.

키바는 그를 다시 눌렀다. "그래, 지금 대화를 하자는 거야." 그
녀는 속도를 점점 높였다. "난 둘 다 할 수 있어. 이렇게 하지. 넌
나한테 털어놓지 않은 걸 말하는 거야. 네가 왜 우주선을 탔는지.
왜 허브로 가는지. 그레니 노하마페탄이 왜 널 죽이려고 하는지.
나한테 털어놓지 않으면, 네 심장을 찢어버리겠어."

"언제 말하라는 겁니까?"

"1분만 시간을 줘." 키바는 말했다.

그레니 노하마페탄에게는 그리 좋은 하루가 아니었다.

첫째, 읍달이 운영 장치에 폭탄으로 손상을 입히는 데 성공하고 그 과정에서 폭사했다는 보고가 들어왔음에도 불구하고, '예스 써' 호는 플로우에 들어서는 데 성공했다. 챗의 사망 소식은 그레니에게 약간의 충격을 주었다. 챗은 그레니의 가장 유용한 인력 중 하나였다. 이 미묘한 임무를 다름 아닌 그에게 맡긴 것도 그 때문이었다. 반면, 일이 이렇게 되고 보니 챗에게 상당액의 임무 완수 보너스를 지급할 필요가 없게 되었다. 이 실패에서 그것이 그나마 일말의 위안이라고 할 수 있었다.

둘째, 생각해보면 사실 해야 할 임무를—마르스 클레어몬트를 납치하거나 죽이는 일—완수하지 못했으니, 챗에게 보너스를 지불할 상황도 아니었다. '레드 로즈' 호에서 약간 손상을 입은 상태로 클레어몬트를 넘겨받았고 몇 가지 검사를 통해 신원도 확인했다는 보고가 들어왔을 때, 자기 자신까지 폭사하긴 했지만 어쨌든 그레니는 챗 웁달이 임무를 완수한 것이라고 생각했다.

그런데 한 시간 쯤 뒤, '레드 로즈' 호에서 새 소식이 전해졌다.

클레어몬트는 혼수 상태에서 깨어나 자신이 클레어몬트가 아니라 경의 부하 챗 웁달이라고 소리지르고 있다. 팔다리에 극심한 통증을 호소하고 있다.

이어.

클레어몬트는 사실 클레어몬트가 아니라 웁달임이 확인되었다. 콘택트렌즈와 엄지 패드로 스캔을 속이고 팔에 혈액 교환을 실시했다. 혈액 교환은 심각한, 때로 영구적 손상을 초래할 수 있다.

이어.

웁달은 조리있게 말할 수 있는 상태가 아니지만, 폭탄을 설치하지 못했고 '예스 써' 호는 완벽하게 가동 중이라고 한다. 다시 접근해서 계약대로 파괴한다.

이어.

개자식들이 당신 폭탄을 가져다가 우리 우주선에 실었다. 망할 놈들.

이어 잠시 시간이 흐른 뒤.

읍달이 '예스 써' 호에 장치하려던 폭탄이 우리 우주선에서 폭발하여 운영
장치에 손상을 입혔다. 이 상태에서는 저쪽에 접근해서 파괴하는 것이 불
가능하다. 웜슨 함장은 읍달의 폭탄이 우리 우주선에 반입된 것을 매우 불
쾌하게 생각한다. 읍달을 들것에 실은 채로 에어록으로 내보냈다. 힘장이
경에게 보내는 메시지는 다음과 같다. 우주선 손상에 대해 두 배, 무기 손
상에 대해 세 배로 보상하기 바람. 일단 우주선 손상부터 보상받고 싶다.
경과 경의 무능한 부하들 모두 엿 먹기 바란다.

셋째, 그레니는 결국 원하던 무기를 손에 넣지 못했다. 그것이
짜증스러웠다.

그 무기는 대공의 반란 진압을 위해 의회와 황제의 승인을 받았
던 화물의 일부였다. 노하마페탄 가문은 무기 확보가 의회에서 승
인을 받도록 돕는 데 결정적인 역할을 했고, 그 무기를 해적에게
넘겨주는 데 결정적인 역할을 한 것이 그레니였다. 그 부분은 최
소한 계획대로 됐다.

그런데 웜슨 함장은 이제 와서 돈을 더 내지 않으면 무기를 넘
겨줄 수 없다는 것이다. 이는 그레니에게 골치였다. 원칙도 원칙
이지만, 무기를 구입하는 데 노하마페탄 가문의 자금을 사용했기
때문에 불행히도 수중에 현금이 부족했던 것이다. 제국 자금에서
무기 구입비를 대려는 계획은 일단 클레어몬트 백작이 윤리를 거

론하면서 가로막고 나섰고 다시 마르스 클레어몬트의 납치가 실패로 돌아가면서 무위로 돌아가고 말았다.

마르스 클레어몬트를 다시 납치하거나 '예스 써' 호를 파괴하는 것이 새로운 계획이었다. 마르스를 다시 납치하면 클레어몬트 백작의 협조를 기대할 수 있고 이것이 최선이었다. '예스 써' 호를 파괴하는 데 자신이 개입했다는 사실이 드러나면 노하마페탄 가문과 라고스 가문의 앙숙 관계를 더욱 악화시킬 수 있으므로 후자는 차선책이지만, 보험 독점권을 가진 아옐로 가문 현지 지사에서 라고스 지사가 받을 상당액의 보험금을 확보하도록 대공을 설득할 수 있을 것이다. 그 돈에서 무기 자금을 댈 만한 액수를 충분히 갈취할 수 있다.

그러나 이제 '예스 써' 호는 가버렸고, 마르스 클레어몬트가 거기 타고 있으며, 무기 가격은 올랐을 뿐 아니라 처리해야 할 새로운 부채까지 생겼다.

넷째, 무기에 대해 '레드 로즈' 호에 압박을 가할 방법이 없는 것은 아니었지만—원래 합의를 어긴 것은 그쪽이다. 위험은 그쪽 부담이다—해적선 수리 비용을 대지 않고 뺄 방법이 없었다. 아마 그들은 그레니를 천천히 죽이려 들 것이다. 귀족 작위나 대공과의 절친한 관계, 경호원들조차 그들을 막을 수는 없다. 그러니 그 돈도 빠른 시일 내에 확보해야 한다.

브레나 클레어몬트를 납치해서 인질로 써먹을까 아주 잠깐 생각해보았지만, 얼른 머릿속에서 지워버렸다. 이유는.

다섯째, 브레나 클레어몬트는 위치를 추적하기가 거의 불가능했다. 그녀는 지하로 잠적했다. 그러나 그전에 개인 주소를 통해 그레니에게 편지를 보냈다. 전문은 다음과 같았다.

같은 침대에서 두 번 자지 마라.

그레니는 브레나 클레어몬트의 군 복무 기록을 찾아본 적이 있었다. 그렇기 때문에 이것이 빈말이 아니라는 것을 알고 있었다.

그래서 결국 일은 다음과 같이 전개되었다.

여섯째, 엔드의 제국 우주 정거장 제독 온테인 마운트 경에게서 걸려온 전화는 대뜸 이렇게 시작했다. "당신이 마르스 클레어몬트를 납치했다는 이 소문은 도대체 어떻게 된 거요?"

"무슨 말씀을 하시는지 모르겠습니다." 그레니는 말했다.

"그런가."

"물론입니다. 그건 아주 심각한 혐의입니다. 누가 날 비방하고 다니는지 알아야겠습니다."

"신뢰할 만한 정보통이오, 그레니 경."

"말도 안 되는 헛소립니다. 무엇보다 내가 아는 한 마르스 클레어몬트는 엔드를 떠났습니다. '예스 써' 호 편으로."

"내 해병대 말로는 겨우 몇 시간 전 해적선의 습격을 받을 뻔한 우주선이 바로 그 배일텐데."

"글쎄요." 그레니는 대꾸했다. "저는 그 일에 대해서는 아는 바가 없습니다. 여긴 좀 바쁩니다."

"대공은 지금 상황이 좋지 않지, 안 그런가?"

"몇몇 차질이 있습니다만, 감당할 수 없는 일은 없습니다."

"마지막 말은 그리 설득력 있게 들리지 않는데, 그레니 경."

"황제 해병대가 지원한다면 대단히 감사하겠습니다."

"매번 당신이 넌지시 부탁할 때마다 똑같은 말을 되풀이하게 되지만, 상호의존성단은 이 일을 전적인 현지 문제로 보고 있소."

"의회가 승인했던 무기 건만 빼고요."

"대공의 부대가 사용할 수 있도록 승인했지. 내 부대가 아니라."

"별 차이가 없는 것 같습니다만."

"내겐 차이가 있고, 그 점이 중요해. 당신 대공이 이 문제를 해결하거나, 이 헛짓거리가 다 끝난 뒤 어느 반란군이 내게 새 대공을 요청하거나, 둘 중 하나의 차이요."

"그때는 어쩌시렵니까?"

"현재 대공의 머리가 아직 어깨에 붙어 있느냐 아니냐에 따라 다르지 않을까 싶소. 그때까지는 충심으로 경고하지만, 그레니 경, 클레어몬트 경과 그의 가족, 그 재산은 황제가 보호하오. 즉 내가 보호한다는 뜻이오. 대공의 부탁이든 개인적인 목적이든, 당신이 그들을 방해한다는 소문이 다시 들리면 황제의 개입이 어떤 것인지 내가 확실히 보여드리지. 그리 행복하지 못할 거요. 알아들으시겠나?"

알아들었다.

그리고 일곱째, 그레니가 반란군의 대장 리비 온스텐 장군에게서 받은 암호화된 전갈이 있었다. 내용은 다음과 같았다.

그 무기는 어디 있소? 지금쯤 우리한테 넘겨주겠다고 하지 않았소. 당신이 그 무기를 전달한다는 가정하에 마지막 공세를 취하고 있소. 우리는 목숨을 걸고 있소. 곧 무기가 오지 않으면, 우리가 아니라 대공의 부대가 무기를 손에 넣으면, 우린 정말 곤란해.

우리가 당신을 위해서 이 일을 시작했다는 것을 잊지 마시오. 당신도 우리와 같이하는 거요. 우리가 성공하면, 당신도 성공해. 우리가 망하면, 당신도 망한다.

우리가 당신 때문에 망하면, 당신은 아주 크게 망할 거요.

— LO

오늘은 왜 다들 날 협박하지? 그레니는 자문했다.

물론 이 질문에 대한 대답은 그가 현재 대공을 무너뜨리고 스스로 그 자리에 올라가기 위해 그 자신을, 그의 집안을, 엔드에 있는 그의 재산을 걸고 과잉 투자를 했기 때문이었다. 이제 정확하게 계산된 시간에, 정확하게 쌓아올린 모든 계획이 와르르 무너질 위기에 처해 있었다.

모든 걸 걸면 이런 일이 생기는 법이지, 그레니는 생각했다. 절대 순조롭게 끝나지 않는다.

사실이었다. 하지만 이렇게까지 엇나갈 수는 없다. 특히 지금은. 이렇게까지 갑작스럽게.

어쨌든 엔드의 대공이 그에게 고함지르고 있지는 않다.

태블릿이 울렸다. 대공이었다. "이제 귀족까지 납치를 해?" 그는 고함을 질렀다.

그레니는 이를 악물고 어둡게 미소 지었다. "정확히 그렇게 된 건 아닙니다, 전하."

"전하 소리 집어치워, 그레니. 온테인 경에게서 한참 잔소리를 들었어. 당신이 젊은 마르스 클레어몬트를 자기 아파트 앞길에서 납치했다면서."

"그건 약간 과장입니다. 전 마르스 경이 혹시 아버지가 엔드를 방어하는 데 좀 더 적극적으로 나서도록 설득해줄 수 있을까 해서 만나자고 했습니다."

"그가 뭐라고 했소?"

"그는 몇 시간 안에 엔드를 떠나야 해서 그런 일에 개입할 처지 는 아니라고 했습니다."

"그런데 온테인 경은 왜 납치라고 하는 거요?"

"마르스 경이 우리를 돕게 하기 위해 제가 너무 열심이었던 것 같습니다. 대화가 좀 격해졌지요. 나머지는 우리의 적들이 과장하 는 것이고, 그 과장이 다시 클레어몬트 백작의 귀에 들어가고, 아 마도 그분이 온테인 경에게 항의해서 대공께 그렇게 말씀하신 것 이겠지요. 방금 제게도 똑같은 말을 했습니다."

"그래서 뭐라고 했나?"

"방금 말씀드린 대로, 약간 덜 자세히, 약간 더 모호하게 말씀드 렸습니다."

"귀족을 적으로 돌리면 안 돼, 그레니. 지금은. 특히 클레어몬트 는. 온테인과 그의 해병은 사실상 클레어몬트의 경호원이야. 게다가 혹시 다른 귀족에게 우리가 백작이나 그 자녀를 협박하려 했다는 소문이 돌면⋯ 음. 우린 지금 그들의 지원이 필요해. 내 말은 그거요."

"저도 분명히 이해하고 있습니다. 하지만 말씀드린 대로, 이건 모두 오해와 소문입니다."

"그렇다면 클레어몬트 백작에게 개인적으로 사과하는 것도 곤란하지 않겠군."

"뭐라고요?"

"오늘 아침 백작을 작은 회의에 초대했소. 웨더페어에서, 술 한 잔, 가벼운 잡담 이상의 만남." 웨더페어는 시내에서 아주 멀지 않은, 대공의 휴가지였다. "당신과 나, 백작. 그 회의에 나와서 이 상황을 백작에게 설명하고 사과하시오."

"대공, 무슨 사과 말씀입니까? 말씀드렸지만, 이건 전적으로 오해입니다."

"그렇다면 오해에 대해 사과하시오. 그러니, 당신이 사과할 일이 있느냐 없느냐가 중요한 게 아니야. 사과를 한다는 자체가 중요한 거요. 당신도 그 정도는 알 텐데. 이건 기본적인 외교야."

"참석하는 사람은 우리 셋뿐입니까?"

"맞아. 그게 최선이라고 생각해. 보란 듯이 만날 필요는 없소. 어쨌든 소문은 돌 테니까."

"레이디 브레나는 안 오십니까?"

"백작의 딸? 아니, 왜?"

"그냥 확인차."

"원하신다면 그분도 초대하지."

"아닙니다."

"그럼 몇 시간 뒤에 보지. 가벼운 차림으로 와. 아첨하는 연습도 하고." 연락은 끊겼다.

이 일이 여덟째였다.

그러니 정리하자면, 사람들은 그레니가 죽거나 심각하게 다치기를 원하고 있고, 혁명을 배후 지원해서 대공직에 오르겠다는 계획은 급속히 무너져가고 있고, 몇 시간 뒤에는 실제 일어났고 계획대로 되지 않았다는 사실 외에 아무 후회도 없지만 그럼에도 불구하고 없었던 일인 척해야 하는 사건에 대해 가짜 사과를 해야 한다. 뭔가 단시간 내에 기적적인 일이 생기지 않으면, 그레니는 죽거나 감옥에 갈 것이고 노하마페탄 가문이 그의 행동에 대해 법적 책임을 져야 할 것이다.

무엇보다 최악인 것은, 이중 어느 것도 그의 머릿속에서 나온 생각이 아니라는 사실이었다.

◇◇◇

모두 10대였던 시절, 노하마페탄 집안 자손을 가만히 지켜보면 각자 독특한 특징을 갖고 있었다. 아미트는 전형적이었다—독창성이 없고, 위협적이지도 않지만 언제나 가족과 가문을 위해 앞에 나설 준비가 되어 있는 유형, 언젠가 노하마페탄 가문을 공식적으로 이끌어도 좋을, 다루기 쉬운 간판이었다. 그레니는 유용한 유형, 사람을 잘 상대하는 유형, '세일즈맨'—혹은 신용 사기꾼—유형, 솔깃한 계획을 들려주고 내가 얻을 수 있는 것이 무엇인지 이해하든 못하든 어쨌든 합류하게 만드는 유형이었다.

그러나 가문의 두뇌는 누이 나다쉬였다. 그녀는 간판에게 무슨 말을 해야 하는지 지시하고, 세일즈맨에게 표적을 가리키며, 달성하는 데 수년 혹은 수십 년이 걸리는 계획을 실행시킬 줄 아는 인물이었다.

결혼과 관련하여 나다쉬와 갓 협상을 시작한 레너드 우 황태자의 생일을 축하하기 위해 모든 남매가 시안에 모인 첫날 밤, 나다쉬가 했던 일이 바로 그것이었다.

"재수 없는 놈이야." 세 사람이 축하연 장을 떠나 황제 궁에서 그리 멀지 않은 노하마페탄 아파트로 물러난 뒤, 그레니는 누이에게 말했다.

"난 그가 그럭저럭 좋은데." 아미트가 대답했다. 그는 긴 의자에 앉아 노하마페탄 시라즈 와인 한 잔을 손에 들고 있었다. 시라즈는 밀수품, 아니, 노하마페탄 가족 외의 다른 누군가가 마시고 있다면 밀수품이었다. 포도와 그 모든 부산물에 대한 독점권을 가진 것은 패트릭 가문이었다. 그러나 상호의존성단이 창설되고 독점권을 나눠 가지던 때, 노하마페탄 가문이 지니고 있던 포도 과수는 가문의 사적인 사용을 전제로 독점권 적용에서 면제되었다. 지금은 잃어버린 지구 바깥에서 최고 중 하나로 일컬어지던 유명한 노하마페탄 시라즈 와인은 지금도 가문의 일원이라면 맛볼 수 있었다. 혹은 작은 개인 파티나 보다 친밀한 만남에 초대된 손님이라면. 열렬한 와인 애호가가 혹시 곧 나올 빈티지가 있는지 노하마페탄 사람에게 부탁하는 일도 없지 않았다.

"그러시겠지." 그레니는 말했다. 그가 볼 때 레너드 우와 그의 형은 찍어낸 듯 똑같이 따분한 플레이보이들이었다. 그레니는 아미트를 싫어하지 않았고 아미트도 그레니를 싫어하지 않았지만, 성인이 된 뒤로 그들은 그리 자주 어울리지 않았다. 둘 다 각자에게 더 흥미로운 친구들이 있었다.

그레니는 누이와도 그리 자주 어울리지 않았지만, 관심 부족 때문은 아니었다. 나다쉬에게 늘 다른 계획이 있었기 때문이었다. 그 계획에 그레니가 들어 있을 때면 누이를 볼 수 있었다. 그렇지 않으면 볼 수 없었다. 그녀가 그날 밤 각자의 동행을 집에 보내고 두 사람만 자기 아파트로 끌고 간 것도 사실 모종의 계획에 그들이 들어 있다는 뜻이었다.

그러나 나다쉬는 아직 그 계획을 말하지 않고 있었다. 그레니는 그냥 재미로 캐물어보기로 했다. "그래, 네 평계는 뭐지, 나다쉬? 왜 그 뻣뻣한 레너드와 교제하는 거야?"

아미트의 긴 의자 옆에 선 나다쉬는 손을 뻗어 오빠의 와인 잔을 받아 들고 한 모금 마셨다. 아미트는 가볍게 불평했지만 잔이 돌아오자 입을 다물었다. "그러니까, 언젠가 그는 황제가 될 거고, 황가와 손을 잡으면 우리 가문은 길드 중에서 대적할 상대가 없는 지위를 얻게 될 거고, 우리 아이들 중 하나는 다음 황제가 될 거고, 우리의 이해관계는 영원히 상호의존성단의 이익과 엮이게 된다는 이유를 제외하고 말이야?"

"그래." 그레니는 말했다. "그거 말고."

"춤은 그럭저럭 쓸 만해."

"음." 그레니는 눈동자를 굴리는 형을 건너다보았다. "그건 대단한 거야."

"다른 이유도 있어. 그래서 오늘 밤 두 사람을 여기 부른 거야." 나다쉬는 아미트의 잔을 다시 빼앗았다.

"그만해." 아미트가 말했다.

"아냐." 나다쉬는 잔을 들고 바로 향했다. "이 이야기는 취한 상태에서 할 수 없어. 끝나면 돌려줄게."

"무슨 이야기인지는 몰라도 벌써 싫어지네." 아미트가 말했다.

"무슨 일이야, 나다쉬?" 그레니가 물었다.

"그냥 미래 이야기." 나다쉬는 대답한 뒤, 집안 컴퓨터에 조명을 어둡게 하고 모니터를 켜라는 지시를 내렸다. 모니터에는 상호의존성단 지도가 떴고 주요 플로우 흐름이 밝게 표시되었다. 성단의 로마처럼 모든 길은 허브를 중심으로 연결되어 있었다.

"이게 미래야?" 아미트가 물었다.

"이건 현재야." 나다쉬가 말했다. 손가락을 울려 소리를 내자 지도가 변했다—상호의존성단의 행성 시스템이 아니라 플로우 흐름이 재배치되기 시작했고, 어떤 부분은 극적으로 변했다. 무엇보다 눈에 띄는 것은 허브 주변 공간이었다. 들어오는 플로우와 나가는 플로우로 붐비던 허브 주위에는 겨우 들어오는 플로우 둘, 나가는 플로우 하나, 이렇게 세 흐름만 남았다. 이제 다른 시스템이 플로우 대부분이 교차하며 들어오고 나가는 새로운 허브로 변

268

했다.

바로 엔드였다.

"이게 미래야." 나다쉬가 말했다.

그레니는 일어서서 모니터로 다가가서 지도를 살펴보았다. "이 건 어디서 얻었어?"

"플로우 물리학자가 된 대학 친구가 있어." 그녀는 말했다.

"박사 학위로 연구할 주제를 찾다가, 플로우가 장기적으로 변화할 가능성이 있다는 내용의 논문을 발견했지. 그 논문을 쓴 사람은 후속 연구를 전혀 하지 않았어. 친구가 그의 정보를 추적해 봤더니 상호의존성단에서 세금 징수원으로 일하고 있더군. 그래서 친구가 데이터를 수집하고 후속 연구를 시작했는데, 천 년 이상 비교적 안정된 상태를 유지하던 플로우는 곧 변화의 시기를 맞게 된다는 결론을 얻었어. 아마도 이 지도처럼."

"언제?" 아미트가 물었다.

"데이터를 볼 때 변화는 이미 시작되고 있다는 게 친구의 말이야. 처음에는 천천히, 하지만 점점 더 빠르게. 아마 다음 10년 내에 시작될 거야." 나다쉬는 모니터를 가리켰다. "이 지도는 30년 뒤 상호의존성단의 예측도야."

그레니는 이맛살을 찌푸렸다. "예측도? 무슨 뜻이야?"

"친구는 데이터에 기반해서 가장 가능성 높은 플로우 붕괴와 변화 패턴 모델을 만들고 있어. 이건 플로우가 다시 안정된 뒤 패턴의 85퍼센트 정도 근사치야. 일단 안정되면 아마도 다시 천 년 정도 유지될 거야."

그레니는 지적했다. "그럼 그 과학자는 모든 플로우가 집중되는 새로운 장소가 엔드라고 확신하는 거군."

나다쉬는 고개를 끄덕였다. "그 점은 이 변화에서 가장 예측하기 쉬운 부분이라고 해. 예전에도 일어났던 일이고. 플로우 흐름의 변화. 그녀의 데이터는 플로우 활동의 중심이 허브에서 엔드로 천 년, 혹은 2천 년에 한 번씩 바뀐다는 가설을 뒷받침하고 있어. 다른 시스템이 플로우의 중심이 될 확률은 10만 분의 1도 안 돼."

"좋아. 그래서?" 아미트가 말했다.

"플로우 흐름을 통제하는 자가 상호의존성단을 통제하는 거다." 그레니가 말했다.

"둘 중 하나는 제대로 듣고 있구만." 나다쉬는 미소 지었다.

"하지만 그 시스템은 우리가 통치하지 않잖아." 아미트가 말했다. "우리는 테라툼 시스템이야."

"그건 현재지." 나다쉬는 다시 모니터를 가리켰다. "이건 미래야."

"엔드에는 이미 대공이 있어." 그레니는 누이에게 말했다.

"있지." 나다쉬는 동의했다. "하지만 역사적으로 그들은 오래가지 않아. 워낙 자주 해임돼서 반란이 일어나면 싸우게 내버려뒀다가 이기는 놈한테 대공직을 넘기는 게 성단의 방침이야."

"현재 대공을 물러나게 하고 싶다는 거야?"

"아니, 네가 엔드의 대공을 물러나게 했으면 해." 나다쉬는 말했다.

"뭐? 왜 내가?"

"아미트는 가문의 사업을 물려받느라 바쁘고, 나는 황제와 우리 가문을 결합시키느라 바빠. 현재 바쁘지 않은 건 너뿐이잖아."

"나도 바빠." 그레니는 말했다. 사실이었다. 그레니는 가문의 마케팅 부사장이었고, 나이와 실무 경험으로 볼 때 그에게 어울리는 직책이었다. 어느 시점에 그 자리를 물러나서 가문 이사직에 오를 것이고, 모든 주요 길드의 셋째가 그렇듯 쉽게 승승장구할 것이다.

"그렇게 바쁘지는 않잖아. 게다가 우리가 널 엔드의 우리 사업 대표직에 보내면, 그건 승진이야. 네 입장에서 남 보기도 좋을 거고, 경력의 자연스러운 진전이라고."

"하지만 엔드잖아."

"그래서?"

"엔드에는 아무것도 없어. 그래서 엔드라고 불리는 거라고."

"미래는 엔드에 있어, 그레니. 준비된 미래를 맞기 위해 네가 거기 있어야 한다는 거야."

"우린 이미 황가와 결혼할 준비를 하고 있잖아, 나다쉬." 아미트가 말했다. "네가 그 일을 해낸다면, 굳이 그레니가 엔드에 있어야 할 이유가 뭐야?"

"네가 대답해볼래?" 나다쉬는 그레니에게 물었다.

"엔드를 통치하는 사람이 황제의 권력에 도전하기 좋은 입장이니까." 그레니는 아미트에게 말했다. "우 가문이 황가인 이유는 오로지 그들이 허브 주위를 통치하기 때문이야. 통행료나 관세, 세금을 물지 않으면 허브에 발도 들일 수가 없잖아. 플로우가 모두 엔드로 옮겨간다면, 황제의 가장 큰 수익처 중 하나가 말라버리는 셈이야."

"우리는 지금 당장 권력을 잡기 위해 우 황가와 결혼하지만." 나다쉬가 말을 이었다. "엔드를 손에 넣으면 플로우가 변할 때 권력을 계속 유지할 수 있어. 우리 가문이 허브와 엔드 양쪽 다 손에 넣으면, 우린 상호의존성단이 내전으로 찢기는 것을 막는 거야."

"그래야 사업에 좋겠지." 아미트가 결론을 내렸다. "우리 사업뿐 아니라 모두에게."

그레니는 모니터를 다시 보았다. "박사 학위 논문 하나에 너무 많은 걸 걸려고 하는군, 누이."

나다쉬는 어깨를 으쓱했다. "최악의 경우라도, 플로우 변화에 대해 잘못 짚는 것뿐이니까. 넌 엔드의 대공이고 난 황제의 배우자겠지."

"누이가 레너드와 결혼하지 않고 그레니는 반역죄로 체포되고, 플로우 변화도 일어나는 게 최악의 경우지." 아미트가 말했다.

"형은 도움이 안 돼." 그레니는 아미트에게 말했다.

"난 단지 실패했을 경우의 상태를 확실하게 해두자는 것뿐이야." 아미트가 말했다. "너희 둘이 날 너희들만큼 영리하지 않다고 생각하는 거 알고, 맞아. 난 영리하지 않아. 하지만 네 계획에, 나다쉬, 위험 부담이 많고 실패 요소도 상당하다는 걸 알 정도는 영리해. 이 일이 성사되려면, 넌 가문 위원회에 말을 잘 해줄 역할로 내가 필요하잖아."

"그쪽에 굳이 말을 해야 한다면." 나다쉬가 말했다.

아미트는 코웃음을 쳤다. "행성 차원에서 비밀리에 쿠데타를 벌이면서 노하마페탄 가문의 배경이 필요없다고?"

"왜 안 돼? 현지 자금을 쓰면 돼. 장소는 엔드야. 필요하다면 비용을 장부에서 누락시킬 수 있어. 영리하게만 한다면, 일이 다 끝날 때까지 위원회에 알릴 필요가 없어."

"아, 맙소사." 아미트는 의자에서 일어섰다. "이건 술이 필요하군." 그는 바로 향했다.

"조용히 진행하는 거야. 우리끼리만 알고."

"현지 자금을 사용한다 해도 이 일을 조용히 진행할 수는 없어." 그레니가 말했다. "특히 우리가 반란을 꾸민다면."

"10년에 두어 번 이런저런 단체가 현직 대공에 대한 반란을 일으키는 곳이야." 나다쉬가 말했다. "직접 진행할 필요가 없어. 이미 반란을 일으키는 사람이 누군지만 알면 돼."

"그래서 현직 대공이 가만히 있을 것 같아?"

"네가 개입했다는 걸 그가 알아내느냐에 달렸지. 네가 대공에게 필요한 존재가 된다면, 모를 거야."

"유동적인 요소가 너무 많아." 아미트는 바에서 말했다.

"형의 말이 틀린 게 아냐." 그레니는 동의했다. 그는 지도가 아직 켜져 있는 모니터를 가리켰다. "누이의 물리학자 친구가 아예 사기를 친 게 아니라는 보증이 없어. 이게 왜 뉴스에 안 나오지, 나다쉬? 사람들이 관심을 가질 만한 내용인데. 내가 전에 이런 이야기를 들어본 적이 없다는 것 자체가 별 근거 없는 이야기라는 증거 같은데."

"그녀는 내게만 비밀리에 알렸어." 나다쉬는 말했다.

"왜 그렇게 했지?"

"그녀는 돈이 필요했고, 거래할 만한 정보라고 생각했으니까. 난 박사 과정을 끝날 때까지 자금을 지원했고—이 연구 말고—그녀는 나를 위해 이 연구를 했어."

"누군데?"

"대학 친구야. 말했잖아."

"이름은 있겠지?"

"하티드 로이놀드."

"내가 아는 사람인가?"

나다쉬는 코웃음을 쳤다. "아니, 네가 받아들이기 힘들지도 모르지만, 그레니, 넌 내 대학 친구 모두를 만나서 섹스하지는 않았어."

"그녀가 갖고 있다는 데이터는 동료들이 검증한 거 아니지?" 아미트가 물었다. 그의 잔에는 다시 시라즈가 가득 차 있었다.

"아냐. 당연히 우린 외부로 유출하고 싶지 않았어. 원래 그 연구를 시작했던 세금 징수원과 한 번은 연락했을지도 모르겠는데, 거기서 무슨 진전이 있었던 것 같지는 않아."

"그렇다면 아는 게 있는지 없는지는 몰라도 어쨌든 별 관심이 없는 하급 제국 공무원 한 사람 말고는 문자 그대로 아무도 이 일에 대해서 모른다?" 나다쉬는 고개를 끄덕였다. "음." 아미트는 말했다. "어쨌든 아무도 예측은 못하겠군."

"그럼 이 일을 하고 싶어?" 그레니는 형에게 물었다.

"난 하고 싶다고 말한 적 없어." 아미트는 말했다. "이건 고위험 고보상 투자야. 이 어처구니없는 계획에 대해 내가 생각할 수 있는 가장 점잖은 표현이 그거라고. 난 위험을 좋아하지 않아. 이미 독점 사업도 있으니, 우린 이미 충분한 보상을 얻고 있어." 그는 모니터를 가리켰다. "하지만 이게 사실일 가능성이 있다면, 우리가 아무 일도 하지 않으면 상호의존성단이 내부에서 붕괴할 위험도 있다는 뜻이지. 이건 저위험 고벌점 시나리오야. 어느 쪽이 나은지 결정해야겠지."

"우린 성공시킬 수 있어." 나다쉬가 말했다.

"내가 성공시켜야 한다는 뜻이잖아." 그레니가 말했다. "난 누이한테서 몇 달 거리에 떨어져 있을 텐데."

"네가 떠나기 전에 충분히 계획을 세우면 돼."

"진짜 세상에 나가면 그따위 계획은 아무 쓸모도 없어."

"그럼 임기응변으로 밀어붙여. 사람들의 신망을 얻어. 네 속마음은 숨기고. 넌 그거 잘하잖아."

"그래." 그레니는 말했다. "하지만 그걸로는 한계가 있어."

"나머지는 알아서 할 수 있을 거야." 나다쉬는 다가가서 동생의 뺨을 두드렸다. "다음에 어떻게 할지 알 수 없을 때는 그냥 마구 쏴. 나쁠 거 없어."

"사실 아주 나쁠 수도 있겠지." 아미트가 말했다. 그는 잔에 시라즈를 더 따랐다.

"대담하게 해." 나다쉬는 아미트를 무시했다. "대담해져, 그레니. 그리고 엔드의 대공이 돼."

나다쉬는 그날 밤 아미트도 그레니도 설득하지 못했다. 너무 많은 의문이 있었고, 세 사람 다 반역이나 사기, 테러로 평생 아주 작은 독방에 감금될 가능성이 너무 많았다. 그러나 질문은 과연 나다쉬가 형제들을 설득할 수 있느냐 없느냐가 아니라, 언제 실행에 옮기느냐였다. 한 달 뒤, 그레니는 아직 이 무모한 계획에 자신이 참여할 거라고 완전히 납득하지 않은 상태에서 노하마페탄 파이버 '섬 너브' 호를 타고 엔드로 향하고 있었다.

돌아보면 그의 계획은 놀랄 정도로 잘 풀렸다. 엔드에는 정말 반란을 성사시키는 대가로 자금과 무기를 댈 만한, 엔드의 대공을 무너뜨리려는 분노한 세력이 있었다. 그레니는 빠른 시간 안에 대공의 측근이 되었고, 이전 대공을 무너뜨리고 권력을 잡은 아버지 덕택에 자랑스러운 직위를 물려받은 시골뜨기에 불과한 대공은 상호의존성단 창설 이전부터 귀족 핏줄을 이어온 가문 출신의 그레니에게 깊은 인상을 받았다.

고작 몇 달 안에 반란은 폭주하기 시작했고, 그레니는 대공의 막역한 친구이자 정객이 되었다―한편으로는 대공의 머리가 흙바닥에 굴러떨어진 뒤에 자신이 대공직에 오를 수 있도록 만반의 준비를 하면서 후원자의 권력을 잠식해 들어갔다. 분명 그레니는 나다쉬가 맡은 바 역할을 추진하고 있는 것보다 자기 역할을 더 잘 수행하고 있었다. 물론 그쪽은 나다쉬의 잘못이 아니긴 했다. 그레니가 아는 한 레너드가 그 벽에 자동차를 들이받은 사건은 나다쉬와 아무 관계가 없었다. 최소한, 그렇다 해도, 나다쉬는 그에게 말한 적이 없었다.

한데 이 모든 계획이 무너지고 있는 것이다. 그레니는 길어도 며칠 안에 불명예와 폭로가 이어지고 자신은 물론 노하마페탄 가문에까지 위험한 상황으로 번지리라고 직감했다. 혼자 망하는 건 그렇다 치고, 가문에 불똥이 튀는 것은 다른 문제다.

대담하게 해. 나다쉬는 그에게 말했다. 그리고 엔드의 대공이 돼. 그레니는 이 기억에 미소를 지으며 누이가 자기 입장이라면 어떻게 할까 상상했다. 엔드의 대공과 클레어몬트 백작과의 약속을 두 시간도 채 남겨두지 않고, 그는 그 일을 하기로 결정했다.

◇◇◇

대공과 백작, 그레니는 도시가 환히 내려다보이는 웨더페어의 동쪽 옥외 회랑에서 전혀 중요하지 않은 환담을 나누며 한 시간 동안 차를 마셨다. 그레니는 백작이 상당한 노력을 기울이고 있다는 것을 알 수 있었다. 분명 백작은 그가 자기 아들을 납치해서 고문하려 했다고 생각하고 있기 때문이었다. 식사가 끝난 뒤 세 사람은 대공의 개인 사무실로 옮겨서 그레니가 백작의 아들을 납치하고 고문한 일 외의 다른 중요한 일들을 논하기 시작했고, 이 자리는 한 시간 정도 계속되었다.

이어 대공은 이제 사과할 시간이라는 신호를 보냈다. 그레니는 고개를 끄덕이고 일어서서 의자에 앉은 백작과 책상 뒤에 앉은 대공 사이에 섰다. 지금부터 할 말은 어려운 이야기라는 것을 암시하기 위해 심호흡을 했다. 그런 다음 작은 볼트 스로어를 숨겨 놓

앉던 재킷 오른쪽 안주머니에 손을 넣어 총으로 백작을 쏘아 정신을 잃게 했다.

"그레니, 도대체 지금 무슨 짓을⋯." 대공은 입을 열다가 멈췄다. 그레니가 볼트 스로어를 바닥에 떨어뜨린 뒤 자유로워진 손으로 재킷 왼쪽 안주머니에 숨겼던 작은 권총을 꺼내 대공에게 쏘아 허파에 구멍을 냈기 때문이었다. 대공은 미처 총알이 들어간 구멍을 내려다볼 사이도 없이 혼란스러운 눈으로 그레니를 올려다보다가 다시 그레니가 얼굴에 총을 쏘자 쓰러져 죽었다. 총알은 대공의 오른쪽 눈 바로 아래를 관통해서 뇌를 헤집고 두개골 뒤쪽에 박혔다.

그레니는 신속하게 손수건을 꺼내 권총에서 자신의 지문을 지우고 의식을 잃은 백작의 손에 총을 쥐어주었다. 그는 백작의 지문이 권총의 손잡이와 방아쇠에 묻도록 주의를 기울였다. 그런 다음 볼트 스로어를 집어 들어 역시 문지른 뒤 대공의 지문을 묻히고 그가 쏜 것처럼 바닥에 자연스럽게 떨어뜨렸다. 귀족들이 신변 보호를 위해 볼트 스로어를 넣어둘 만한 장소인 대공의 책상 서랍도 열었다.

그런 뒤 그레니는 사무실 문으로 달려가서 벌컥 열었다. 마침 총소리를 들은 대공의 직원과 경호 요원들이 반대쪽에서 달려오고 있었다.

"서로 총을 쐈어!" 직원과 경호원들이 문간으로 밀려 들어오기 전, 그레니는 이렇게만 외쳤다. 그리고 충격받은 척 문 옆에 쓰러져 억지로 숨을 몰아쉬기 시작했다. 상관없었다. 방 안의 죽은 대공이 훨씬 심각한 문제였기 때문에 아무도 그레니에게는 주의를 기울이지 않았다.

그레니에게는 좋았다. 그는 아무도 자신에게 주의를 기울이는 것을 원치 않았다. 방 안의 모든 사람이 명백한 상황을 목격하기를 바랐다. 백작이 작은 권총을 꺼냈고, 대공이 볼트 스로어를 꺼냈고, 이어 둘 중 누가 먼저 쏘면서 총격전이 벌어지고, 그 결과 한 사람은 죽고 다른 한 사람은 의식을 잃었다. 더 많은 사람들이 이 장면을 목격할수록—사무실은 지금 직원들로 가득 차 있었다—그레니가 지금부터 말할 이야기를 믿기 쉬워진다.

"대공은 내게 백작에게 사과하라고 말했습니다." 얼마 후 그레니는 온테인 마운트 경에게 말했다. 현직 백작에 의한 현직 대공의 암살은, 설사 그것이 반란군에게 잡히면 목이 매달리도록 지켜만 볼 작정이었던 엔드의 대공이라 해도, 제국군의 문제이기 때문에 제국 공무원이 개입한 것이었다. 두 사람은 병원 시체 안치소 침상에 놓인 대공의 시체 앞에 둘만 서 있었다.

"아들을 납치하려고 한 일 때문이었겠군." 마운트는 말했다.

"납치했다고 추정해서죠." 그레니는 말했다. "그래서 저는 사과했습니다. 마르스 클레어몬트를 납치한 데 대해서가 아니라, 전 그런 적이 없으니까요. 대신 저는 백작의 아들과 격론을 벌인 일에 대해 사과했습니다. 이 때문에 그런 오해가 빚어졌으니까요."

"백작은 어떻게 받아들였소?"

그레니는 시체 안치소 침대를 가리켰다. "믿지 않았습니다."

"백작이 왜 당신을 쏘지 않았지, 그레니 경?"

"네?"

"그의 아들을 납치한 건 당신이었어. 논리적으로 백작이 분노한다면 그 상대는 당신이 아닌가. 문자 그대로 당신이 백작의 눈앞에 있었고."

"백작은 내가 대공의 지시를 받고 그렇게 했다고 생각했습니다. 적어도 총을 쏘기 전에 그렇게 말했습니다."

"왜 그렇게 생각했지?"

"대공은 며칠 전 해적들이 훔친 뒤 돈을 요구하고 있는 무기 대금을 지불하기 위해 제국의 자금을 불법적으로 융통해달라고 백작을 설득하도록 내게 지시했습니다. 백작은 당연히 거절했고, 당연히 그 납치라는 것도 대공이 압박을 가하기 위해서 내게 지시한 것으로 생각했습니다."

"하지만 대공의 지시를 받고 젊은 클레어몬트와 이야기를 한 건 맞지 않나."

"네." 그레니는 마운트의 표정에서 납치 건에 대해 자신의 말을 믿는다는 것을 읽었지만, 당연히 아무 말도 하지 않았다. "대공은 제가 자금을 '빌리려는' 계획을 탐탁지 않게 생각한다는 것을 알고 있었지만, 그래도 저는 대공의 지시를 받든다는 차원에서 부탁드렸지요."

"그래도 백작이 당신을 쏘지 않은 건 여전히 이상한데."

"어쩌면 그럴 계획이었을지도 모르지요. 하지만 대공도 볼트 스로어가 있었습니다. 아마 대공이 그걸 갖고 있을 거라고 예상하지는 않았던 것 같습니다."

"그랬겠지." 마운트도 동의했다. "대공의 보안 책임자도 놀랐어. 대공은 원래 무기를 좋아하지도, 소지하지도 않았다고 하더군. 경호원들에게 다 맡겼다고 했어."

"아마 더 신중해지신 거겠지요. 백작이 자신에게 화났다는 것을 알고 있었으니까."

"그래. 하지만 볼트 스로어는 어디서 났지? 보안팀 사람들은 전에 본 적이 없다고 했어."

그레니는 불편한 기색을 넌지시 비쳤다.

"왜 그러지, 그레니 경?" 마운트가 물었다.

"그건 제 겁니다. 제가 빌려드렸습니다." 그레니는 말했다. "반란이 격화되기 시작하면서 얼마 전에 샀습니다."

"당신도 경호원은 있지 않소."

"늘 데리고 다니지는 않습니다. 대공은 그걸 알고 있었기 때문에—특히 대공과 같이 있을 때는 당연히 대동하지 않지요—오늘 회의에 데려오라고 하더군요. 자신의 안전을 위해서."

"오늘 회의에는 대공 자신의 경호원을 붙일 수도 있었잖나. 백작이 도착했을 때 몸수색을 시키거나."

"그랬다가는 백작이 더욱 격노할 거라고 생각했던 것 같습니다. 오늘 만남은 서로의 화해를 위한 것이었으니까요. 그래서 장소도 웨더페어로 선택하셨던 겁니다. 공적인 사무실보다 개인 저택에서. 형식적인 만남이 아니라 친구 사이의 만남이었지요."

마운트는 침대를 내려다보았다. "대공의 오판이었던 것 같군."

"클레어몬트 백작은 어떻게 하실 겁니까?" 그레니는 물었다.

"지금은 해병 여섯 명을 붙여서 위층 개인 병실에 입원시켰소. 아직 의식이 없어. 그가 깨어나면 당신과 똑같은 이야기를 하진 않겠지, 안 그런가?"

"글쎄요." 그레니는 말했다. "그가 아직도 제게 화났다는 건 압니다. 제가 이 일에 연루됐다고 주장해도 놀라지 않을 것 같군요. 대공에게 볼트 스로어를 단순히 빌려준 것 말고 말입니다. 백작은 그건 모릅니다. 혹시 사무실 녹화 영상이 있습니까?"

마운트는 고개를 저었다. "경호실 말로는 대공이 웨더페어에서는 그런 걸 쓰지 않았다는군. '피난처'라고 불렀다는데. 무슨 뜻인지 몰라도."

그레니는 웨더페어에 아무 보안 장치가 없었다는 사실을 미처 모르고 있었다는 듯이 고개를 끄덕였다. "다음 대공은 보다 현명하길 바랍니다."

"누가 되건." 마운트는 침대를 가리켰다. "이 대공은 후계자도, 가까운 가족도 없고, 결혼 계약서에는 부인에게 상속권이 없다고 명시되어 있어. 아마 신뢰 문제가 있었던 모양이지."

"이런 경우 전례가 있지 않습니까? 황제의 대변인으로서 다음 대공직을 선언하는 자라면 누구든지 승인하게 되어 있지 않습니까?"

"직계 후계자가 없을 경우에는 내가 임시 대공을 지명하게 되어 있지, 맞아. 그런 다음 황제의 재가를 얻어야 하지. 나로서는 그냥 다음으로 서열이 높은 귀족에게 넘기고 싶은데, 이 경우는 클레어몬트 백작이겠지."

"정황상 그건 그리 좋은 생각이 아닌 것 같습니다만." 그레니가 말했다.

"아니지. 적합하다고 생각되는 다른 백작과 남작들이 있지만 몇몇은 엔드를 떠났고 나머지는 현재 숨어 있거나 반란군과 손을 잡아서 대공직을 승계할 수가 없어. 지금으로서는, 어쨌든."

"반란군이 대공직을 잇겠다고 나서면? 리비 온스텐 장군 말입니다."

마운트는 코웃음을 쳤다. "쓰러뜨릴 대공이 죽었다고 해서 그냥 그녀에게 대공직을 줄 수는 없지. 그들은 아직 반란 중이야. 부전승으로 반란을 이길 수는 없지 않나."

그레니는 말없이 생각에 잠긴 척 마운트가 눈치채기를 기다렸다. 마침내 마운트가 물었다. "왜 그러나?"

"이건 제가 말씀드리기 적절하지 않은 이야기입니다만." 그레니는 머뭇거리며 말했다. "지난 몇 달간, 대공은 제게 반란군과 비밀리에 접촉해서 이 상황에서 빠져나갈 방법을 논의해보도록 지시했습니다. 그들도 우리도 자원이 고갈돼가고 있으니까요. 양쪽 다 각자가 받아들일 수 있는 조건을 찾고 있었습니다. 한데 이제 대공이 죽었어요. 반란군은 대공직을 원할 겁니다. 우리가 빨리 행동하지 않으면 반란군은 자기들끼리 쪼개져서 서로 대공직을 갖겠다고 싸울 겁니다. 이건 엔드의 모든 사람들의 상황을 악화시킬 겁니다."

"그럼 당신 제안은 뭔가? 이 온스텐인가 하는 여자에게 대공직을 주라고?"

그레니는 고개를 저었다. "대공의 죽음이 뉴스로 나갔습니까?"

"아니." 마운트는 말했다. "지금으로서 다들 알고 있는 건 클레어몬트 백작이 위층에 있다는 것 뿐이야. 그가 여기 있다는 건." 마운트는 대공을 가리켰다. "아무도 몰라. 하지만 별로 오래가지 않겠지."

"이 대화가 끝나면 곧바로 제가 온스텐에게 연락을 취하겠습니다. 반란군의 몇몇 정치적 목표를 받아들이고 그녀에게 지위를 수여하는 조건으로 즉각 휴전을 제의하게 해주십시오."

"무슨 지위?"

"백작."

"클레어몬트 백작." 마운트는 냉소적으로 말했다.

"그럴 수도 있겠지요. 재판 이후 공석이 된다면. 하지만 몇몇 백작이 떠났다고 하셨지요. 그 공석 중 하나를 줘도 됩니다. 장군의 각료들에게도 그 아래 작위를 주고요. 사병들에게도 일반 사면을 행사하고. 전화 한 통으로 지금 당장 전쟁을 끝낼 수 있습니다."

"전화 한 통이 많은 걸 할 수 있군."

"단순한 전화가 아닙니다. 몇 달간의 노력이 들어 있어요." 그레니는 말했다. "그녀의 부하들과 제가 원칙적인 조건들을 대부분 정리해뒀습니다. 그걸 전화 한 통으로 실행시키자는 겁니다."

"온스텐이 동의하지 않으면?"

"그럼 제국 해병대가 개입한다고 말하겠습니다."

마운트는 굳었다. "우린 그렇게 할 의도가 없소, 그레니 경."

"물론 아니지요! 하지만 그녀는 모르잖습니까. 그러니 괜찮은 압박이 될 겁니다. 제가 말할 내용은 그냥 '원하는 모든 걸 가지십시오. 그러지 않으면 지금 당장 성단이 반란군을 제압한답니다.'라는 겁니다. 동기부여가 되겠지요."

"할 수 있다고 확신하시오?"

"지금이야말로 가장 좋은 기회입니다. 아주 오랫동안 이런 기회는 다시 오지 않을 겁니다."

마운트는 고개를 끄덕였다. "하시오."

"문제는 온테인 경, 제게는 이걸 실행할 공식 권한이 없다는 점입니다. 아직은."

그레니는 마운트가 이 말의 속뜻을 눈치채기를 기다렸다. 마운트는 멍청한 사람이 아니었기 때문에, 오래 걸리지 않았다. 이어 그레니는 마운트가 머릿속에 떠오른 온갖 생각들을 저울질할 때까지 다시 기다려야 했다. 미세한 표정들이 마운트의 얼굴을 스쳤다—그레니가 방금 그에게 원하는 것을 주지 않을 수 없는 상황으로 자신을 몰아넣었다는 깨달음. 자신이 그렇게 쉽게 조종당했다는 사실에 대한 짜증. 그레니가 바로 이 목적을 위해 암살을 배후 조종했을지도 모른다는 의심. 그것이 사실이라면 대단하다는 희미한 감탄. 이 반란이 어리석은 헛짓거리이고, 어떤 수단을 써서든 빨리 끝내면 끝낼수록 모든 사람에게 좋다는 생각. 이 교활한 노하마페탄 놈이야말로 어쩌면 가장 빠르게 이 상황에서 그가 손을 털 수 있는 기회일지도 모른다는 체념.

그레니는 마운트의 입에서 말이 떨어지기도 전에 그가 자신에게 대공직을 제의할 거라는 사실을 알고 있었다.

"좋소, 그레니 경." 마운트는 말했다. "앞으로 한 시간 안에 사격 중지 명령을 내리고 스물네 시간 안에 정전 협정을 맺으면, 당신이 임시 대공이오. 나는 황제의 재가를 받을 서류를 작성하겠소. 하지만 이 부분은 분명히 합시다, 젊은 친구. 대공의 암살 과정에서 당신이 방금 증언한 내용과 조금이라도 다른 사실이 밝혀지면, 당신의 대공직은 남은 평생 가로세로 3미터 크기 독방에서 수행해야 할 거요. 개인적으로 사력을 다해서 아주 오래 살도록 해드리지. 알겠소?"

"알겠습니다, 온테인 경."

"그러면 축하하오, 그레니 경. 임시 엔드 대공. 그럼 일하러 가시오." 마운트는 시체 안치소를 나섰다. 그레니는 기쁨으로 주먹을 허공에 내지르고 싶은 충동을 참았다.

한 시간 뒤 그레니는 사격 중지 명령을 내리고 정전 협정 조약을 상의하기 위해 사람들을 보냈다. 물론 제국 해병대로 온스텐 장군을 협박할 필요는 없었다. 애당초 그녀는 그를 위해 일하고 있었으니까.

두 시간 뒤 그레니는 '레드 로즈' 호 윔슨 함장에게 자신이 공식적으로 엔드의 임시 대공이 되는 대로 우주선 손상과 무기에 대한 보상금을 지불할 테니 서두르지 말고 기다리라는 전갈을 보냈다.

세 시간 뒤 엔드의 새로운 임시 대공은 클레어몬트 백작이 깨어나서 정신을 차렸다는 소식을 들었다. 그레니는 만나보기로 작정하고 여섯 명의 제국 해병대를 포함한 모든 사람들에게 문 반대쪽에서 기다리라고 지시했다. 그들은 비록 탐탁지 않아 했지만 순순

히 따랐다. 그레니는 백작과 아주 조용히 대화할 수 있도록 구석
에 있던 의자를 끌어다 병원 침대 옆에 놓고 앉았다.

"이제 내가 엔드의 대공입니다." 그는 백작에게 말했다.

"축하하오." 백작은 잠시 후 답했다. 그의 목소리에는 무관심한
기색이 역력했다.

그럼에도 불구하고 그레니는 고개를 끄덕였다. "고맙습니다.
자, 요점은 이겁니다. 당신과 나는 서로 말을 맞출 필요가 있어요.
그러니까, 대공이 당신 아들을 납치하라고 내게 명령해서 당신이
대공을 암살한 겁니다. 당신 둘이 말다툼을 했고, 당신이 권총을
꺼냈고, 대공이 볼트 스로어를 꺼냈다. 스턴볼트 때문에 기억이
혼란스러워서 그 이후로는 아무것도 기억나지 않는다."

"나더러 살인죄를 자백하라는 거군."

"네, 네, 맞습니다."

"그리 좋은 계획 같지는 않아, 그레니 경."

그레니는 클레어몬트가 자신을 대공이라고 부르지 않는 것을
무시했다. "보답으로 이렇게 해드리죠. 당신은 살인죄로 형을 받
겠지만, 내가 형기 동안 클레어몬트의 자택에 연금되는 걸로 처리
해드리겠습니다. 백작 작위는 반납하시되, 불명예스럽게 빼앗기
지 않고 따님에게 가도록 해드리겠습니다. 제국 감사관 직위는 그
만두셔야 하고, 내가 다른 사람을 그 자리에 넣겠습니다. 하지만
연금은 보장해드리고 주거를 보장할 수 있도록 수당도 드리죠. 따
님을 포함해서 모든 사람에게 절대 입을 열지 않는 조건으로. 아,
그리고, 따님에게 한밤중에 날 살해하라고 지시하지도 마십시오."

백작은 코웃음을 쳤다. 그레니는 말을 이었다.

"이 모든 조건에 동의하시면 5년 뒤에 제가 사면해드리죠. 전 대공이 당신과 당신의 가족을 너무나 협박해서 선택의 여지가 없었다고 해드릴 겁니다. 내가 그 자리에 같이 있었으니 증인이 될 수 있는 입장이니까요. 이겁니다. 자백, 자택 연금 5년, 사면."

백작은 약하게 웃었다.

"왜 웃는 겁니까?" 그레니는 물었다.

"그레니 경, 5년 뒤에 무슨 일이 일어나는지 당신은 아무것도 몰라." 백작은 말했다.

"아니, 클레어몬트 경, 잘 압니다. 변화가 일어나고 있어요. 엔드는 상호의존성단의 중심이 될 겁니다. 모든 길이 여기로 이어지게 되겠죠."

"아니, 모든 길은 엔드로 이어지지 않아. 5년 뒤에 우린 외톨이요. 물리적으로 확실히."

그레니는 차츰 불안해지기 시작했다. 그를 불편하게 한 것은 백작의 마지막 말이었다. "무슨 뜻입니까?"

"내가 내 아들을 왜 내보냈다고 생각하시오, 그레니 경? 하필 이때에?"

"여기서 벌어지는 전쟁을 피하기 위해서, 황제에게 내가 아드님을 납치한 걸 고발하려고 보낸 것 아닙니까." 마르스를 납치하지 못할 경우 죽여야 한다고 지시한 것이 바로 두 번째 이유 때문이었다. 클레어몬트 경이 황궁에서 얼마나 영향력을 가지고 있는지는 몰랐지만, 엔드에서 올라온 보고 때문에 일이 까다로워지면 나다쉬와 아미트가 그리 좋아하지 않을 것이다.

백작은 고개를 저었다. "지금 떠나지 않으면, 떠나는 것이 불가능해지기 때문에 보낸 거요."

그레니는 어리둥절했다. "플로우 흐름 말하는 겁니까?" 제국 감사관이 플로우에 대해 뭘 안다고? 백작의 전공은 세금이지 물리학이 아닌….

"맙소사." 그레니는 멍하니 백작을 응시했다. "당신이 바로 그 사람이군."

이번에는 클레어몬트 백작이 영문을 모르겠지만 재미있다는 표정을 지었다. "내가 누구란 말이오, 그레니 경?"

"당신이 그였어! 플로우 물리학자! 하티드 로이놀드가 후속 연구를 한 논문을 쓴 사람."

클레어몬트는 잠시 계속 어리둥절한 표정을 짓고 있었지만, 그레니는 그의 얼굴에 차츰 이해의 빛이 퍼지는 것을 보았다. "그 이름은 알아. 기억하지. 오래전 그녀가 내게 자기 연구 내용과 몇 가지 질문을 보냈소."

"그런데 답하지 않았군."

"안 했어. 황제에게 내 연구에 대해서는 절대 아무에게도 말하지 말라는 지시를 받았으니까." 다른 표정이 클레어몬트의 얼굴에 떠올랐다. 염려. "당신은 하티드 로이놀드의 연구가 정확하다고 믿고 있는 거군, 그렇지? 플로우 흐름이 엔드로 옮겨 온다고 믿고 있었어. 그렇군. 그렇지?"

그레니의 입이 멍하니 벌어졌다.

클레어몬트는 침대를 손으로 두드렸다. "그거였군! 정말 그거였어!" 클레어몬트는 흥분해서 커다랗게 웃음을 터뜨렸다. 해병대한 사람이 문을 열고 아무 문제도 없나 고개를 들이밀었다. 그레니는 화난 손짓으로 그를 물리쳤다.

클레어몬트는 마침내 평정을 찾고 눈물을 닦은 뒤 그레니를 바라보았다. "아, 이 불쌍한, 야심만만한 멍청이 같으니."

"당신이 아는 건 뭐요?" 그레니는 물었다.

"하티드 로이놀드의 수학 솜씨가 변변치 않다는 걸 알지. 기본 가정을 다시 확인하지 않았다면, 아마 사실과 아무 상관없는 엉뚱한 방향으로 하염없이 나갔을 거요. 그녀의 연구가 전문가 검증을 거쳤나?"

"아니요." 그레니는 말했다.

클레어몬트는 덧붙였다. "안 그랬겠지. 나와 같은 입장이었을 테니까—후원자에게 지원받아 혼자 연구하는. 전문가 검증은 중요한 거라고, 그레니 경. 마르스가 내 연구를 확인할 수 있을 정도로 성장하기 전에는 나 역시 눈뜬 장님이었소. 말도 안 되는 실수를 저지르고도 못 봤지. 로이놀드도 마찬가지였어. 알아. 내가 연구 내용을 봤으니까. 아마 수정할 기회가 없었을 거요." 클레어몬트는 몸을 앞으로 내밀고 그레니의 가슴을 손가락으로 힘없이 찔렀다. "그리고 당신, 이 무지하고 탐욕스러운 겁쟁이. 당신도 아는 게 없지 않소."

그레니는 눈에 띄게 움찔했다. "무슨 말을 하는 겁니까?"

클레어몬트는 미소 짓고 다시 침대에 몸을 기댔다. "난 아무 말도 하지 않았어, 그레니 경. 당신이 갑작스럽게 대공직에 오르게 됐다는 보고서를 당신네 가문으로 올릴 때까지, 소식은 전할 생각이겠지?"

"그렇습니다." 보고서는 우편 드론으로 보낼 예정이었다. 우편 드론이란 플로우 입구 바로 바깥 우주에 떠 있는 작은 무인 우주선으로써 전자 통신을—개인 편지와 사진, 업무용 통신, 보고서, 디지털화할 수 있는 지적 재산 등을—기록하는 매체였다. 하루 한 번 정보를 가득 실은 드론 한 대가 플로우 안으로 들어가고, 하루 한 번 드론 한 대가 엔드로 전송할 편지와 통신, IP 등을 싣고 플로우에서 나왔다. 엔드는 모든 것에서 멀리 떨어져 있기 때문에, 우편은 언제나 늦었다. 그러나 언제나 도착했다.

클레어몬트는 다시 고개를 끄덕였다. "보고서를 작성하시오, 보내시오. 그리고 그 일이 생기면, 나한테 다시 돌아오시오. 그러면 내 조건을 이야기하지."

"무슨 일이 생기면?"

"알 거요."

"그리고 무슨 조건을 내놓는다는 겁니까?"

"살인 전과는 안 남기고 싶어, 우선. 그 뒤는 생각해보지. 하지만 이건 분명히 말하리다, 그레니 경. 당신은 완전히 잘못 짚은 거요. 난 당신이 필요 없어. 반면 당신은 내가 필요하게 될 거요. 당신이 알고 있는 것보다 더 많이. 그러니 가서 보고서를 쓰시오. 당신이 돌아올 때까지 난 입을 다물 거요."

클레어몬트는 지겹다는 듯 손을 내저어 그레니를 내보냈다. 다른 무엇보다 곤혹스러운 기분으로, 그레니는 방을 나섰다.

◇◇◇

그레니는 노하마페탄 가문 건물의 자기 사무실로—대공 관저로 사무실을 옮기려면 시간이 걸릴 것이다. 생각만 해도 등골에서 짜릿하게 전류가 흐르는 것 같았다—돌아가서 나다쉐에게 보낼 보고서를 작성했다. 보고서는 암호로 쓰고 다시 디지털로 암호화했다. 그다음 보안 무선 통신으로 우편 드론에 전송하고 도착했다는 영수증을 기다렸다. 영수증은 몇 분 뒤에 날아왔다. 드론의 출발 예정 시각을 보니, 30분 안에 출발할 예정이었다. 그레니는 영수증을 확인한 뒤 다른 일로 바빴다. 주로 반란군과 평화 협정을 작성하는 실무진으로부터 올라오는 보고를 지휘하는 업무였다.

업무에 몰두한 나머지 그레니는 세 시간 뒤에야 메일 서비스로부터 자신의 우편이 제시간에 배달되지 못한다는 추가 고지가 들어와 있는 것을 확인했다. 이유는 '드론 실패'였다. 어디인지는 몰라도 드론에 결함이 있다는 뜻이었다. 그의 보고서를 포함해서 해당 드론에 들어 있는 모든 정보는 다른 드론으로 옮겨져서 (플로우 입구에는 수십 대의 드론이 대기하고 있다) 다시 전송될 것이다.

이 점을 확인하고 다른 작업으로 넘어가려는 순간, 그레니는 드론 실패로 인한 지연 고지 두 건이 더 들어와 있는 것을 알아챘다. 세 번째 고지를 읽는 동안, 네 번째 고지가 대기열에 떴다.

그레니는 조수에게 연락했다. "메일 드론에 무슨 일이지?"

"모르겠습니다." 대답이었다. "다들 불평하고 있습니다. 모든 메일이 계속 드론에서 드론으로 넘어가고 있어요."

그레니가 미처 대답하기 전, 태블릿이 울리고 온테인 경이 그와 통화를 청한다는 문자가 떴다. 그는 인사 없이 조수와 전화를 끊고 마운트를 연결했다. "문제가 생긴 것 같소." 마운트가 말했다.

"조약 협상 말입니까?" 그레니는 물었다.

"아니, 다른 문제요. '비코즈 아이 세드 소'라는 파이버 선이 방금 제국 우주 정거장에 보고했소. 파이버는 플로우에 들어가려던 참이었소."

"우주선에 문제가 있습니까?"

"우주선은 괜찮아. 플로우 입구가 문제요."

"플로우가 왜요?"

"없소, 그레니 경. 완전히 사라졌어."

몇 시간 뒤 다급한 회의 몇 건을 마치고, 그레니는 병원으로 돌아가 클레어몬트의 병실을 찾았다.

"아, 돌아오셨군." 클레어몬트는 말했다. 그는 제국 해병대를 가리켰다. "몸 상태는 괜찮다는 결과가 나와서 이제 퇴원하려던 참이오. 이 사람들은 날 엔드 당국에 넘길 참인데, 이제 아마 당신 부하들이겠지. 난 감옥에 갈 모양이오."

"병실이 필요해." 그레니는 백작을 제외한 다른 모든 사람들에게 말했다. 다들 밖으로 나갔다. 그레니는 주의를 클레어몬트에게 다시 돌렸다. "알잖습니까. 플로우 말입니다."

클레어몬트는 고개를 끄덕였다. "당신이 보고서를 보냈을 때 아직 붕괴하지 않았을 수도 있었지만, 그랬다면 지금 이 대화는 전혀 달라졌겠지. 최소한 당장은. 하지만 오늘 붕괴하지 않더라도, 내일, 아니면 그다음 날 붕괴할 거요. 어떤 경우라도 일주일 안에. 그리고 그때 이 대화를 어차피 하고 있을 거요."

"플로우가 정말 붕괴했다면, 당신은 당신 아들을 사지로 보낸 겁니다."

"아니요. 난 이 흐름은 입구에서부터 붕괴한다고 예측했소. 출구는 아직 몇 달 동안 열려 있을 거요. 어쨌든 그게 중요한 건 아니지. 다른 아무것도 들어갈 수는 없으니, 일단 지금 플로우 안에 있는 우주선이 다 나가고 나면 사라질 거요. 지금 엔드에 있는 사람들은 아주 오랫동안 여기 있어야겠지."

"얼마나? '아주 오랫동안'은 어느 정도를 말하는 겁니까?"

"왜, 그레니 경. 당연히 영원히를 말하는 거지."

그레니는 아무 말도 할 수가 없었다.

"한 가지." 클레어몬트가 말했다.

"뭡니까?"

"엔드에서 나가는 플로우는 닫혔소. 하지만 엔드로 오는 플로우는 아직 몇 년 동안 남아 있을 것으로 예측해. 이미 붕괴 조짐은 보이고 있지만. 그래도 한동안은 버틸 거요. 어쩌면 그것이 상호의 존성단 내에서 완전히 붕괴하는 마지막 플로우가 될 수도 있어."

"그건 무슨 뜻입니까?" 그레니는 물었다.

"우리가 손님을 맞을 채비를 해야 한다는 뜻이오."

"손님."

"맞아."

"몇 명이나?"

"살아서 여기 도착하는 만큼이겠지." 클레어몬트는 두 손을 마주 잡았다. "자, 그레니 경. 당신은 살인자이고 찬탈자, 게다가 내 아들을 죽이려고 했어. 여기가 완벽한 세상이라면 지난 몇 년 동안 저지른 짓에 대한 대가로 죽거나 감옥에서 썩어야겠지. 어느 쪽이든 난 상관없소. 하지만 지금 당장은 어쨌든 당신이 엔드의 대공이오. 이제 대공이 되셨으니 마술처럼 반란을 진압할 방법을 찾으셨을 텐데, 그렇지?"

그레니는 고개를 끄덕였다.

"즉 당신이 대단히 표리부동한 방식으로 반란에 개입했다는 뜻이오, 그렇지?"

그레니는 온몸을 움직여 동의를 표했다.

"나도 그럴 거라고 생각했소. 어쨌거나 이제 평화가 찾아왔어. 앞으로 닥칠 일에 대비하려면 그게 필요하고, 슬프게도 그 평화를 지키려면 당신의 역할이 중요해. 즉 이 시점에 당신을 없애는 건 문제를 해결하기보다 더 많은 문제를 야기한다는 뜻이오. 온테인 경에게 연락해서 진상을 밝히라고 난리를 피울 수도 있겠지. 하지만 당신도 이제 플로우가 붕괴한다는 걸 알고 있으니, 반란보다 더 큰 문제가 우리 앞에 있다는 걸 이해할 거요. 그렇기 때문에 난 당신을 도우려는 거요."

"정말입니까." 그레니는 눈을 깜빡였다. "말씀은 감사하지만, 경, 누가 누구의 도움을 필요로 하는지 대단히 오해하고 계신 것 같습니다만."

"오해하지 않아. 당신은 인류가—일부는 여기 있는 사람들, 일부는 앞으로 올 사람들—플로우 붕괴 이후에 살아남을 수 있을지를 결정하는 중요한 판단을 해야 하오. 당신은 야심만만하고 탐욕스러우며 분명 성단을 장악하려는 당신 가문의 보다 큰 계획의 일부를 담당하고 있겠지. 좋아."

"좋아?"

"그 마지막 부분, 괜찮다는 거요.당신의 야심과 탐욕은 단순히 당신 개인 이상의 뭔가에 도움이 된다는 뜻이오. 당신이 단순히 일개 욕심 많은 소시오패스보다는 나은 인간일 수도 있다는 뜻이고, 당신이 실제로 성단과 그 안에 사는 사람들, 그들에게 일어날 일을 염려할 수도 있다는 뜻이오. 만약 그렇다면, 최소한 그렇게 되는 법을 당신이 배울 수 있다면, 난 당신을 돕겠소. 만약 그렇지 않다면, 그냥 지금이라도 저 문 반대쪽에 있는 해병대원들에게 날 쏘라고 하시오. 이 시점에서 내겐 어느 쪽이든 마찬가지니까. 하지만 당신이 날 이용하고 싶다면, 그래야겠지만, 난 조건과 요구 사항을 제시하겠어. 내가 당신에게서 필요로 하는 것, 당신 안에 지금까지 그래왔듯 천박하고 자기중심적인 사기꾼 이상의 뭔가가 있다는 걸 믿기 위해서 필요한 게 있다는 말이오. 당신이 실제로 세상을 구할 수도 있는 인간이라는 걸 믿게 해주시오."

그레니는 이 말에 아무 대답도 할 수가 없었다. 문자 그대로 혓바닥과 뇌가—그의 두 가지 장점이—쪼그라들어 날아가는 것 같았다.

클레어몬트는 그레니를 찬찬히 바라보았다. "이렇게 될 거라고는 생각하지 않았겠지, 안 그런가? 대공이 되어서? 계획했던 모든 걸 얻었소?"

그레니는 대답하려고 입을 열었지만 목이 막혔다. 그는 당황해서 침을 삼키고 다시 말했다. "아니요."

"음, 의외지, 그레니 경." 클레어몬트는 말했다. "그럼 이제 말해보시오. 어떻게 할 거요? 날 이용할 거요, 말 거요?"

3부

THE
COLLAPSING EMPIRE

13장

허브 시스템에 도착한 '예스 써' 호가 플로우를 나와서 우주 정거장까지 서른일곱 시간의 여행을 시작한 지 10분도 채 되지 않아, 허브의 채드윅 시 유흥가에서 폭탄이 터졌다. 폭탄은 한 식당에 설치되어 있었고, 바쁜 점심시간 직후에 터져서 식당 안에 있던 열 명과 바깥 거리의 행인 두 명이 사망했다. 일곱 명이 중상을 입었고, 인근 가게도 손상을 입었다. 식당 자체는 폐허가 되었다.

대응은 신속했다. 자동 화재 진압 기기들이 각각 숨어 있던 곳에서 튀어나와 위험을 최소화했다. 해당 지역의 공기 정화 시스템은 인근의 공기를 호흡 가능한 상태로 유지하기 위해 입자 필터 기능으로 전환했다. 화재가 번져 이 밀폐된 지하 환경에 끔찍한 재앙을 초래하는 것을 막기 위해 채드윅의 해당 구역으로 통하는, 거의 사용하지 않는 거대한 문도 차단되었다. 채드윅으로 들어오고 나가는 통행관도 중단되고 물리적으로 봉쇄되었다. 현지 당국과 제국 당국이 통행을 재개할 때까지 채드윅을 출입하는 유일한 방법은 바퀴가 달린 자동차나 우주복이 필요한, 진공 상태의 육상뿐이었다. 그러나 지표면으로 나가는 출입 터널도 봉쇄되어 경찰이 지키고 있었다.

그것이 중요한 것은 아니었다. "폭발 일주일 전부터 녹화된 보안 카메라 영상을 돌려보고 있지만, 식당과 주변 거리에는…." 폭발 세 시간 뒤 황궁의 집행위원회 회의장과 연결된 비디오에서 제국 수사관 기븐 로브랜드가 보고했다. "아무것도 없습니다. 손님이 남긴 물건도 없고, 수상한 행동도 발견할 수 없습니다, 전혀. 거기서 식사한 모든 손님과 직원의 신원을 확보했고, 전과가 있는 사람부터 조사하는 중입니다. 지금까지는 모두 깨끗합니다."

"그럼 폭탄이 어떻게 식당에 들어갔지?" 의회를 대표하는 우펙샤 라나퉁가가 물었다.

"알아보는 중입니다. 우리가 확보한 비디오에서는 폭발이 식당 뒤쪽, 창고나 사무 구역에서 일어난 것으로 보입니다. 현재 감식반을 파견했습니다."

"창고에서 폭발했다면, 우편이나 배달에 섞여 들어갔을 수도 있겠군." 대주교 코르빈이 말했다. "그런 경우라면 며칠, 혹은 몇 주 전에 이미 반입되었을 수도 있어."

"맞습니다." 로브랜드는 동의했다. "이미 배달 기록도 수사관이 검토 중입니다. 찾아낼 겁니다."

"그러길 바라오." 코르빈이 말했다.

"자기 소행이라고 주장하는 세력은?" 카르데니아가 물었다.

"없습니다, 폐하. 아직. 전 행성의 통신을 검열 중입니다. 알아내면 곧 보고하겠습니다."

카르데니아는 고개를 끄덕이고 영상을 끄라고 손짓했다.

"누구 소행인지는 이미 알지 않습니까." 탁자 저쪽에서 목소리가 말했다.

카르데니아가 올려다보니, 집행위원회에 가장 최근 합류한 나다쉬 노하마페탄이었다. 그녀는 불행히도 세상을 떠나 공석이 된 사만 테마메난의 자리를 차지했다.

왜 날 두고 죽었지, 사만? 카르데니아는 생각했다. 테마메난은 수익성도 좋고 논란도 적은 회계 서비스 독점권을 지닌 가문 출신으로 유쾌하고 존재감 없는 인물이었다. 독점권처럼 테마메난 가문은 차분하고 야심이 없었으며 분란을 피하고 보수적이었기 때문에, 그 대표자는 운영위원회의 좋은 구성원이었다. 그러나 사만 테마메난은 계단을 오르다 동맥류가 터지는 바람에 아래층까지 굴러떨어지는 과정에서 목이 부러졌다.

"엔드 분리주의자를 말씀하는 것인가." 카르데니아는 말했다.

"지난 두 달 동안 허브에서 네 번째 폭발이고." 나다쉬가 말했다. "모두 기본적으로 동일한 범행 수법입니다. 다른 시스템 세 군데에서도 비슷한 활동이 보고되었고, 이 모든 활동이 폐하의 즉위식과 그 자리에서의 폭탄 테러 소식이 해당 시스템에 전해진 이후 시작되었습니다."

"모방범일 수도 있소." 라나퉁가가 말했다. "게다가 우린 즉위식 범인을 체포했습니다."

"우리는 즉위식 범인을 죽였지요." 코르빈이 고쳐 말했다.

"즉위식 폭탄 테러범으로 추정되는 자였지." 카르데니아는 덧붙였다. 두 범인은 엔드 출신이었지만, 그 외에는 그들에 대해 알려진 것이 거의 없었다. 그들은 제국군이 문짝을 부수고 들어가기 직전에 작은 폭탄을 터뜨려 폭사했고, 허브에서 그들이 머물던 아파트에서 즉위식 폭탄 테러와 연루된 물리적 증거가 발견되었다.

"우린 두 사람을 죽였습니다." 나다쉬는 말했다. "우리가 그들의 행동 조직 전체나 네트워크를 제거한 것인지는 알 수 없습니다. 분명 그렇지 않은 것으로 보입니다만."

"어떻게 했으면 좋겠다는 뜻이오, 레이디 나다쉬?" 코르빈이 물었다. "지금 벌이고 있는 수사 외에? 물론 수사는 중요하오."

"대주교, 현지 당국과 제국 수사관이 최선을 다하고 있는 것을 압니다만, 문제는 지금 여기가 아닙니다. 문제는 엔드에 있습니다. 상호의존성단이 개입해서 엔드를 장악하고 반란군을 몰아낼 때입니다."

"전에도 그렇게 말씀하셨고, 귀하의 의회 대표도 그런 말씀을 하셨소." 라나퉁가가 말했다.

"그렇게 믿는 것은 테라툼 출신 의원뿐만이 아닙니다, 라나퉁가 의원."

"내가 '귀하의 의회 대표'라고 한 것은 단순히 당신의 출신 시스템 의원만을 가리킨 것이 아니오, 레이디 나다쉬. 당신이 주도하는 이 십자군 전쟁에 매수한 다른 시스템 출신 의원까지 가리킨

이야기였소."

나다쉬는 가시를 세웠다. "노하마페탄 가문이 부적절한 행동을 하거나, 이해관계가 얽힌 다른 가문이나 길드와 특별히 다르게 행동하고 있다는 암시는 삼가해주십시오."

"당신의 이해관계는 무엇이오, 레이디 나다쉬?" 카르데니아가 물었다.

"우리의 이해관계는 무역에, 상호의존성단 시민의 삶에 차질이 생길 가능성을 차단하자는 것입니다. 황제를 공격하는 자가 처벌받는 것을 모두에게 보여주고, 정부가 강력하다는 사실을 모두에게 알리자는 것입니다. 약하거나 공격 가능하다고 여겨지는 황제는 혼란을 초래합니다."

"전시 효과를 위해 성단을 구성하는 시스템 중 하나를 군사적으로 정복하자는 것이군." 카르데니아가 말했다.

"전시 효과만을 위한 것이 아닙니다." 나다쉬는 말했다. "그것이 일차적인 목표도 아닙니다. 하지만 분명 전시 효과도 있겠지요? 당연합니다."

카르데니아는 라나퉁가를 돌아보았다. "이 문제에 대해 현재 의회의 온도는 어떠하오?"

라나퉁가는 대답하기 전에 나다쉬를 한 번 확인했다. "의회는 즉위식에서 벌어진 공격에 대해 격분했습니다만, 폐하, 범인으로 추정된 자들이 시체로 발견되면서 분노는 수그러든 것으로 압니다. 이 새로운 일련의 공격에 대해서도, 구실만 찾을 수 있다면 보다 강력한 대응을 촉구하는 목소리가 상당합니다."

"엔드의 대변인은 어떤 입장인가?"

"내가 물어봤을 때, 그들은 엔드의 대공에게서 아무 정보나 지시가 없었다고 했습니다. 현재 반란 세력에게 나머지 상호의존성단을 공격할 정도의 영향력이나 수단이 있다는 데 대해 믿을 수 없다는 입장이며…."

"당연히 그들은 그런 입장이겠지요." 나다쉬가 끼어들었다.

"심지어 그럴 이유조차 없다는 입장입니다." 라나퉁가는 말을 이었다. "역사적으로 엔드에는 수많은 반란이 있었습니다. 상호의존성단이 예부터 골치 아픈 사람들을 보낸 곳이기 때문에 그것이 그곳의 본질입니다. 하지만 그 반란은 언제나 자기 시스템 밖으로 벗어나지 않았습니다. 그래서 대변인들은 회의적인 입장입니다."

"피해자의 가족들에게는 대단한 위로가 되겠군요."

"그들의 회의적인 입장에도 불구하고, 제국군이 엔드를 접수한다는 결의안이 의회에 상정되면 아마도 다수가 지지하는 분위기일 거라고 생각합니다. 특히 지금은 공격이 보다 격화되고 있으며, 즉위식 폭탄 테러를 포함하여 모두 엔드와 관련이 있는 것으로 보이니 말입니다."

"길드도 지지할 것입니다." 나다쉬가 말했다.

"무역에 차질이 생길 것이오." 카르데니아가 말했다.

"한시적으로 엔드와의 무역에 차질이 생기겠지요. 상호의존성단 전체의 무역에 차질이 생기는 것보다 비교할 수 없을 정도로 낫습니다. 게다가, 엔드는 엔드입니다. 나머지 성단 전체와 비교할 때, 엔드는 대부분의 가문과 길드에게 대단한 수익처가 아닙니다. 제 집안의 경우 총수익의 1퍼센트 정도에 지나지 않습니다. 대부분의 다른 가문이 마찬가지일 거라고 생각합니다."

카르데니아는 코르빈을 돌아보았다. "교회는 어떤가?"

"교회는 인본적인 입장에서 염려하고 있습니다." 코르빈이 말했다. "분쟁이 있을 때는 늘 그러하지요. 그러나 명심하십시오, 폐하. 즉위식 폭탄 테러는 단순히 폐하에 대한 공격만은 아니었습니다. 교회와 대성당에 대한 공격이기도 했습니다. 더 큰 관점에서 볼 때, 교회는 성단 모든 인류의 안전을 염려하고 있습니다. 이 폭탄 공격이 정녕 엔드의 반란 세력과 연루되어 있다면, 교회는 전 인류를 위해 대책을 강구해야 합니다."

카르데니아는 잠시 생각에 잠겨 있다가 대주교를 바라보았다. "고맙소."

"어떻게 생각하십니까, 폐하?" 나다쉬가 물었다.

"이 폭탄 공격의 배후와 목적을 정확히 파악할 때까지, 엔드에 대해 실력 행사를 해서는 안 된다는 것이 우리의 생각이오." 카르데니아는 뭐라 대답하려는 나다쉬를 향해 한 손을 들었다. "우리는 이 공격이 엔드의 테러리스트가 벌인 행동으로 보인다는 판단에 반대하지 않소. 그러나 정확한 증거 없이 이 정도의 군사 행동을 벌인다는 것은 어리석은 짓이오. 당분간 수사를 계속하도록 하겠소."

"이 문제에 대해 의회가 선수를 칠 가능성도 있습니다, 폐하." 라나퉁가가 말했다. "특히 공격이 계속된다면."

"길드에서도 압력이 들어올 것입니다." 나다쉬가 말했다.

"그들의 다급한 입장은 이해하오." 카르데니아는 말했다. "라헬라 예언 군 수송선이 여기 허브에 주둔해 있소. 필요하다면 스물네 시간 안에 엔드에 1만의 해병대를 파견할 수 있소. 그러나 우리는 위원회가 길드와 의회에게 '우리'가 이 공격의 일차적 목표였다는 점을 상기시켜주기 바라오. 공격은 '우리'를 괴롭히기 위한 것이었소. 우리는 아직도 고통받고 있소. 그럼에도 불구하고 우리는 인내를 권하고 싶소. 아무리 한시적이라 할지라도 우리가 엔드의 독립성을 무시하고 그들의 영토에서 싸우면, 엔드의 시민들이 어떤 방식으로든 고통받을 것이오. 확실해질 때까지 기다립시다."

"알겠습니다, 폐하." 라나퉁가가 말했다. 나다쉬는 아무 말도 하지 않았다. 카르데니아는 그들 모두에게 고개를 끄덕여 물러가게 했다.

"레이디 나다쉬, 사적으로 할 말이 있소." 카르데니아는 다른 집행위원들이 나가는 동안 나다쉬에게 말했다.

"알겠습니다." 나다쉬는 그 자리에 머물렀다.

"나는 집행위원회에 당신이 임명된 데 대해 항의 편지를 받았소." 카르데니아는 황제를 뜻하는 대명사 '우리' 대신 '나'를 사용했다. 이 대화가 비공식적이고 비공개적인 것이라는 암시였다.

"알아맞혀볼까요." 나다쉬는 말했다. "라고스 가문에서 온 편지겠지요."

"라고스 가문도 서명인 중 한 명이었지만, 유일한 참여인은 아니었소."

"문제가 뭔가요?"

"그들은 노하마페탄 가문이 내게 접근하는 통로가 지나치게 많다는 것을 걱정하고 있소. 당신의 집행위원회 참여, 예전 레너드와의 관계, 당신 오빠 아미트가 나와의 혼인을 적극적으로 추진하고 있다는 사실."

나다쉬는 엷게 미소 지었다. "저라면 적극적이라는 단어는 사용하지 않겠습니다. 아니, 보다 정확하게 표현하자면, 아미트는 적극적이지요. 하지만 폐하는 그렇지 않습니다."

"나는 아미트에게 1년 동안 나파 돌그를 애도하겠다고 분명히 말했소."

"네, 그렇게 말씀하셨죠. 애도하기에는 상당한 기간입니다."

"그녀는 내게 형제와 같았소, 레이디 노하마페탄. 애도 기간은 즉위식 폭탄 공격의 다른 희생자에 대한 것이기도 하오. 지금 그 기간을 줄이려 한다는 것은 그들의 기억에 대한 무례가 될 것이오." 아미트 노하마페탄을 남편으로 고려하기 전에 시간을 벌고 싶다는 세 번째 이유는 말하지 않았지만, 카르데니아도 나다쉬도 배경에 그 이유가 깔려 있다는 것을 알고 있었다. "그럼에도 불구하고 많은 가문들은 당신의 가문이 지나치게 큰 영향력을 가지는 게 아닌가 하는 생각을 갖고 있소."

"저는 길드의 투표를 통해 집행위원회에 선정되었습니다. 가문들은 각자 자기들의 길드를 지배하겠지만, 저는 길드 대다수의 선택의 결과입니다."

"사실이오. 그러나 이 편지는 집행위원을 선정하는 데 있어 황제는 교회와 길드, 의회의 선택을 받아들이는 것이 관습이지만,

그 선택이 적절하지 않을 때는 거절하거나 물러나게 할 수도 있다는 점을 내게 일깨워주었소. 또한 이전에 이런 일이 일었던 몇몇 선례도 친절하게 제시해주었소."

"저를 물러나게 하실 생각입니까, 폐하?" 나다쉬는 물었다. 카르데니아는 그 목소리에 깔린 긴장감을 감지했다.

"이유 없이 그런 식으로 길드에게 실례를 범하고 싶지 않소." 카르데니아는 말했다. "그러나 지금 그 편지가 내게 알려준 대로, 나는 노하마페탄 가문이 지속적으로, 명백하게 내 인생에 등장하고 있으며 과도한 영향력을 행사하는 것으로 보이는 것이 문제가 된다는 점을 인지하고 있소. 귀하의 가문은 집행위원회냐, 황제 배우자가 될 기회냐, 둘 중 어느 쪽이 좋은지 결정하는 것이 현명할 것이오."

"편하게 말씀드려도 좋을지요, 폐하?" 나다쉬는 잠시 사이를 두고 말했다.

"그렇게 하시오."

"제게는 선택의 여지가 별로 없지 않습니까? 제가 집행위원회에 남는다면 폐하 입장에서는 제 오빠의 구혼을 거절할 이유가 생기는 것이고, 제가 문제를 일으킨다면 위원회에서 물러나게 할 선택의 여지도 계속 갖고 계십니다. 제가 위원회를 그만둔다 해도 폐하는 제 오빠의 구혼을 거절할 선택의 자유를 갖고 계시며, 편하게 말씀드립니다만, 폐하는 그 구혼을 진지하게 생각하셨거나 생각할 계획이 있으신 것 같지 않습니다. 저나 제 오빠를 물리치고 싶으시다면, 그렇게 하십시오. 황제로서 그것은 폐하의 권리이

자 특권입니다. 그러나 이 말도 안 되는 논리를 핑계로 이용하지
는 마십시오."

카르데니아는 이 말에 가볍게 미소 짓고, 자신의 로맨틱한, 성
적인 지향이 반대 성 쪽으로 그렇게 강하게 기울지만 않았다면 얼
마나 좋을까 생각했다. 오빠와 달리 나다쉬는 따분하지 않았다.

그리고 산 채로 널 잡아먹겠지, 두뇌 한구석이 말했다. 음, 그것
도 맞는 말이겠지. 나다쉬는 조용한 배우자가 되는 데 아무 관심
이 없을 것이다. 자기가 지배하고 싶을 것이다. 정말 솔직하게 말
하자면, 그것도 카르데니아 입장에서는 나쁜 일이 아닐 것이다.
카르데니아는 황제가 되고 싶지 않았다. 그녀가 원한 것은 아담한
소규모 미술 지원기금 같은 단체의 후원자 정도였다. 제국을 운영
하는 골치 아픈 일을 기꺼이 대신 해줄 야심만만한 배우자를 둔다
고 생각하면 솔깃했다.

그 배우자가 네 뜻을 잘 따른다는 전제하에서, 두뇌가 다시 말
했다. 나다쉬 노하마페탄의 가장 큰 문제는 그것일 것이다. 그녀
의 계획이 무엇이든, 그것은 카르데니아가 권좌에 오르기 한참 전
에 이미 정해져 있던 것들이었다. 그 점이 나다쉬의 입장에서는
문제일 것이다. 게다가 카르데니아가 동성과의 섹스에 관심이 없
는 것도 문제였다. 애도 기간이든 아니든, 카르데니아가 마지막으
로 섹스를 한 것은 아주 오래전이었다.

하지만 넌 아미트와도 섹스하고 싶지 않잖아, 두뇌가 말했다.
사실이었다. 그는 이성이었지만 성격이 어울리지 않았고, 누이의
조종에 따라 움직이는 인형이라는 사실이 너무나 투명하게 보였

다. 그와 함께 있을 때 카르데니아의 머릿속에 떠오르는 것이라고는 '언제 나가면 되지.'뿐이었다. 아미트가 자신을 매력적이라고, 아니, 그럭저럭 매력적이라고 생각한다는 것도, 그러므로 그는 그녀와 섹스를 하고 싶을 거라는 사실도 분명히 알 수 있었다.

둘 중 누구와도 섹스하고 싶지 않다면, 그걸 원하지 않는 상대와 결혼하는 게 좋지 않을까, 두뇌가 말했다. 이건 훌륭한 논리였지만, 카르데니아는 '야심만만하다'는 점을 제외하면 나다쉬의 성적 지향에 대해 아무것도 몰랐다. 나다쉬는 카르데니아가 제안한다면 그녀와 결혼할 것이다. 결혼에 따르는 다른 모든 것도 원할까? 어쩌면. 하지만 그것은 카르데니아가 원하는 것이 아니었다.

원할 때 섹스를 아예 못하는 것도 아니잖아. 이것도 맞는 말이다. 이건 어차피 정략결혼이고, 성 산업을 독점하는 먼 가문은 시안에서 대단히 융성했다. 원하는 만큼 얼마든지 쉽게 성 서비스를 살 수 있을 것이다. 분명 그녀가 이렇게 하는 첫 황제도 아닐 것이다. 기억의 방에서 어리석게도 아버지의 시뮬레이션에게 결혼 생활에 대해 묻자, 아타비오 6세는 자신의 혼외 활동에 대해 자세히 알려주었다.

카르데니아는 기겁을 했다. 섹스를 했다는 사실 때문이 아니라, 대부분의 사람들과 마찬가지로 그녀 역시 부모가 섹스하는 모습은 상상하고 싶지 않았기 때문이었다. 욕구를 느끼고 가장 쉬운 방법이 그것이라면, 카르데니아도 성 산업이나 성 서비스를 구매하는 데 대해서는 반대하지 않았다. 그러나 그것을 자신의 기본적인 성욕 충족 수단으로 원하지는 않았다. 배우자를 두고 한쪽으로 애인을 두는 것도 마찬가지였다. 결혼을 해야 한다면, 배우자가 그쪽의 중심이 되길 바랐다. 구식이라고 해도 좋았다.

섹스에 대한 이 모든 쓸데없는 상념 외에 자식 문제도 있었다. 아미트 노하마페탄과 결혼한다면 전형적으로, 나다쉬와 결혼한다면 기술적으로 해결은 되겠지만, 자신이 그 둘 중 어느 누구와 과연 자식을 원하는가 하는 문제는 남아 있었다. 그녀는 노하마페탄 사람들이 그다지 마음에 들지 않았다. 자식이라면 당연히 사랑하겠지만, 혹시라도 노하마페탄 가문의 성품을 타고날 경우 자기 자식을 '좋아할' 수 없는 상황이 될까 봐 걱정스러웠다.

핵심을 파고 들어가면 카르데니아가 아미트나 나다쉬 노하마페탄과 결혼하고 싶지 않은 것은 결국 두 사람에게 매력이 없어서일 뿐만 아니라 억지로 정략결혼을 하는 것이 싫기 때문이라는 사실은 변함이 없었다. 노하마페탄 가문이 자신과 아무 상관없었던 약속을 요구하는 것이 싫었다. 집행위원회가 이 구혼을 암묵적으로, 혹은 노골적으로 지지하는 것이 싫었다. 황제가 권력을 쥐고 행사하는 차원에서 노하마페탄 가문과의 결혼이 신중한 처사가 되는 정치적 현실이 싫었다. 죽은 오빠가 미웠고, 다른 모든 사람들, 세력들, 현실 그 자체가 강력하게 원하는 이런 상황에서 굳이 노하마페탄과 결혼할 필요가 없다고 말한 아버지가 미웠다.

거지 같은 인생이군, 카르데니아는 속으로 중얼거렸다. 나는 전 인류의 황제인데, 내 인생은 거지 같아. 그녀는 피식 웃었다.

"폐하?" 나다쉬의 목소리에 그녀는 상념에서 깨어났다.

"미안하오." 카르데니아는 말했다. "내가 처한 곤경에 대해 생각하고 있었소."

"한 가지 제안을 해도 될까요?"

"하시오."

"내 가문과 오빠를 위해서 나는 집행위원회 자리를 내놓을 의향이 있지만, 그것은 폐하께서 혼인에 동의하실 경우에 한해서입니다. 그러니 이렇게 제안드리지요. 애도 기간 동안 아미트와 충분한 시간을 보내십시오. 단순히 형식적인 만남 말고 두 분만 있을 때는 서로 허물없이 편하게 속을 터놓을 수 있는 환경에서. 아미트를 파트너로, 배우자로 바라보는 법을 배울 수 있는 환경에서. 즉위 기념일에 배우자로 받아들일지 여부를 그에게 말씀하십시오. 받아들이시면 저는 집행위원회에서 사임하겠습니다. 그렇지 않다면, 저는 위원회에 남을 것이고 아미트와 제 가문은 최소한 답을 얻을 것입니다. 하지만 그때 절 위원회에서 물리치려고 시도하지 않겠다는 약속을 해주십시오. 받아들일 수 있으십니까?"

카르데니아는 생각해보았다. "가능할 것 같소."

"좋습니다." 나다쉬는 말했다. "그러시다면, 아미트가 저를 통해 폐하를 초대했습니다. 노하마페탄 가문의 최신 테너 우주선 '이프 유 원트 투 싱 아웃 싱 아웃' 호의 건조가 끝났습니다. 폐하를 대동하고 개인적으로 우주선을 보여드리고 싶다고 합니다."

"언제?"

"이틀 뒤입니다."

"당신 오빠는 언제 이 초대 제안을 했지?"

"어제입니다. 직접 초대장을 보낼 수도 있었지만, 제가 위원회에 출석하니 폐하를 만날 거라는 걸 알고 있었기 때문에."

"우리가 이런 대화를 나눌 거라는 걸 예상하셨소, 나다쉬?"

나다쉬는 미소 지었다. "아니요, 폐하. 라고스 가문이 날 쫓아내려고 다른 가문을 설득할 줄은 꿈에도 몰랐습니다만, 알고 보니 그리 놀랍지는 않습니다. 그 때문에 폐하와 약조를 하게 되리라는 것도 미리 알았을 리는 없지요. 아니, 중요한 건, 폐하, 아미트가 사실 폐하를 좋아하는 것 같다는 점입니다. 그래서 자기를 위해 개입해달라고 제게 부탁했습니다."

"좋은 동생이군."

"적절한 동생이지요." 나다쉬는 말했다. "어쨌든 폐하를 만나게 되어 있었으니까요. 따로 다른 노력 없이."

두 사람 다 이 말에 웃었다.

잠시 후 카르데니아는 겔 뎅과 함께 사실에 돌아왔다. "오늘 폭탄 테러 사건에 대한 최신 소식이 들어오는 대로 알려줘. 그냥 뉴스 말고도."

"알겠습니다, 폐하."

"그리고 이틀 뒤에 아미트 노하마페탄과 새 우주선을 둘러보기로 했어. 그쪽에 연락해서 약속을 잡아줘. 두 시간, 왔다 갔다 하는 시간까지 합해서. 오후 늦은 시각으로."

뎅은 이 말에 눈동자를 약간 굴렸지만, 직접적으로는 아무 말도 하지 않았다. 대신 이렇게 말했다. "황실 경호대는 우주선 청사진과 미리 정해진 순회 경로를 원할 겁니다."

"정해진 순회 경로 같은 건 없을 거야. 비공식적 만남이니까."

"황실 경호대는 아주 불만스러워할 겁니다."

"그럼 노하마페탄 가문에 연락해서 정해진 순회 경로를 제시하라고 요구하되 나한테는 이야기하지 마. 난 놀라고 싶어."

"알겠습니다, 폐하. 그리고 엔드의 클레어몬트 백작에게서 소식이 오면 알려달라고 하셨지요."

"그래?" 즉위한 첫 주, 카르데니아는 아타비오 6세의 사망을 알리고 최신 연구 성과를 알려달라는 편지를 백작에게 보냈다. 그 편지에 대한 답신이 오기에는 아직 너무 이른 시기였다.

"클레어몬트 백작이 아니라 그의 아들 마르스 클레어몬트 백작의 소식입니다. 그는 라고스 가문의 파이버 편으로 방금 허브에 왔고 대략 서른 시간 뒤 제국 우주 정거장에 도착할 예정입니다. 황제를 알현하고 싶어합니다."

"그의 아들이?"

"네, 폐하."

"관계는 확실한가?"

"편지에 클레어몬트 백작이 모든 서신에서 사용하는 것과 같은 보안 암호 체계를 사용했습니다. 확실합니다."

"백작에게 무슨 일이 있나?"

"서신에는 그런 내용이 없습니다. 일정을 잡을까요, 아니면 거절할까요?" 황제 집무실에는 하위직 공무원과 스파이, 잔심부름꾼을 상대하는 의전 담당관만 30명 이상 있었다. 그들 중 누군가 중요하다고 생각되면, 뎅에게 보고서가 올라오고 그가 황제에게 보고할 것인지 말 것인지 결정했다.

"일정을 잡아."

"아미트 노하마페탄과 만나시는 것이 언제가 될지는 몰라도 그 전에 15분 시간을 낼 수 있습니다. 클레어몬트 경이 우주선에서 내려서 시안으로 오는 셔틀을 타기에는 충분한 시간입니다."

"사람을 보내서 그를 마중해. 아마 엔드 밖으로 나오는 건 처음일 거야. 길을 잃으면 곤란해."

"알겠습니다, 폐하."

"오늘 이 시간 이후 내가 더 할 일이 있나?"

"몇몇 소소한 일들. 다급한 일은 없습니다."

카르데니아는 고개를 끄덕였다. "그럼 선조들과 잠시 이야기를 해야겠어. 정략결혼에 대해서."

"거기 대해서라면 선조들이 아주 잘 알고 계실 겁니다, 폐하."

"그렇겠지." 카르데니아는 고개를 끄덕이고 기억의 방으로 향했다.

14장

"두 가지 심각한 문제가 있어요." 키바는 어머니이자 라고스 가문의 현 수장인 후마 라고스 백작에게 말했다. "하나가 다른 하나보다 커요."

"작은 문제부터 들어보자." 후마는 말했다.

"빌어먹을 노하마페탄." 키바가 말했다.

후마는 웃었다.

두 사람은 허브에서 가장 큰 단독 상업용 건물인 길드 하우스 안의 라고스 가문 허브 사무실에 있었다. 길드 하우스는 700년 된 건물이었고, 상호의존성단에서 가장 오래되고 영향력 있는 가문들이 입주해 있었다. 보다 미미한 가문들은 그 주변의 작은 건물에 민원인들처럼 달라붙어 있었다. 가문의 허브 본부가 길드 하우스에 얼마나 가까이 있느냐 하는 것이 가문의 정치적 영향력을 가늠하는 대략의 척도였다. 라고스 가문은 길드 하우스 저층의 세 개 층을 쓰고 있었다. 노하마페탄 가문은 몇 층 위였지만, 한 층과 다른 층의 절반만 쓰고 있었다. 황가인 우 가문은 옥상을 포함하여 꼭대기의 열두 개 층을 쓰고 있었다. 문자 그대로 손을 뻗으면 길드 하우스가 자리 잡은 허브폴 거주지 돔 꼭대기에 닿을 수도 있을 정도로 높은 위치였다.

라고스 백작은 보통 길드 하우스에서 근무하지 않았다. 그녀는 라고스 소유 시스템인 이코이에서 가문을 지배했고, 백작의 사촌이 허브와 시안의 총 책임자로 일했다. 그러나 백작은 제미신 가문과 공동 면허권 협약을 맺기 위한 마지막 협상을 감독하러 일주일 전 허브에 와 있었다. 제미신 백작은 이틀 뒤 도착하기로 되어 있었다. 그동안 키바는 허브의 라고스 가문 고위 이사인 간섭쟁이 프레타 경보다 어머니와 문제를 상담하게 된 것이 좋았다.

"노하마페탄과 무슨 문제가 있지?" 후마는 물었다. "늘 있는 문제 말고?"

"첫째, 난 그들이 엔드의 우리 상품 판매를 방해하기 위해 바이러스를 퍼뜨려서 현지 대공으로 하여금 우리 우주선 입항을 금지하고 자금을 동결하게 했다고 확신해요. 둘째, 우리 자금을 동결시켜서 그 돈을 현재 벌어지고 있는 내전에 투입하도록 대공을 설득한 것은 엔드의 노하마페탄 책임자 그레니 노하마페탄이라는 점도 확신하고요. 셋째, 노하마페탄 가문, 특히 그레니 노하마페탄이 다름 아닌 엔드 반란의 배후인데, 이 점은 증거가 없어요. 가장 중요한 넷째, 빌어먹을 그레니 노하마페탄이 우리 우주선에 폭탄을 설치하고 해적을 사주해서 우릴 뒤쫓게 했어요."

후마 라고스는 딸의 말을 듣고 말없이 생각에 잠겼다. 그러다 입을 열었다. "그냥 궁금해서 묻는데, 이게 작은 문제라면 더 큰 문제는 뭐지?"

"플로우 전체의 붕괴, 상호의존성단의 종말, 그리고 어쩌면 인류의 절멸."

후마는 눈을 깜빡였다. "언제?"

"앞으로 몇 년 내에."

"이 정보는 어디서 얻었지?"

"플로우 물리학자인 '예스 써' 호의 승객으로부터."

"그는 왜 네게 알렸고?"

"섹스로 알아냈죠."

"넌 그 말을 믿고?"

"네. 다 이해할 수는 없어요. 하지만 최소한 그중 일부가 사실이라는 건 의심하지 않아요. 우리 모두 큰일났어요, 엄마."

"지금 그 승객은 어디 있지?"

"그 사실을 보고하기 위해 황제에게 가는 중이에요."

"음." 후마는 다시 조용히 생각에 잠겼다. "이틀 뒤 내가 제미신 가문과 협약에 서명하기 전, 그 '상호의존성단의 종말'이라는 것에 대해 우리가 할 수 있는 일이 있나?"

"없죠, 없어요."

후마는 고개를 끄덕였다. "그럼 일단 노하마페탄 문제에 집중하기로 하지. 자, 자세히 말해보렴."

키바는 '예스 써' 호가 엔드에 체류하는 동안 일어났던 일에 대해 상세히, 목소리를 높여, 아주 길게, 상당한 수사적 표현을 덧붙여 가며 설명했다. 중간에 한 번 이 사무실을 집무용으로 사용하는 프레타 경이 중간에 들어와서 잠깐 대화가 중단되었다. 라고스 백작은 쳐다보지도 않고 그를 물러나게 했다. 프레타 경은 서둘러 자기 사무실 대기실로 다시 나가 기다렸다. 한 시간 동안 기다리다 그는 마침내 일어나서 커피를 가지러 갔다.

"넌 길드 청문회에 나가서 그레니 노하마페탄이 '예스 써' 호에 폭탄을 장치하라고 지시했고 해적선 습격의 배후라고 증언할 수 있겠지?" 후마는 키바가 말을 끝내자 물었다.

"물론이죠."

"그리고 노하마페탄 가문이 이 모든 일의 배후라고 생각하는 거군. 그레니 노하마페탄이 사적인 이익을 위해 단독으로 저지른 일이 아니라 가문의 지시하에 행동했다고."

"난 그레니 노하마페탄을 알아요, 엄마. 내가 대학에 다닐 때 그 친구가 나다쉬를 방문하면서 여러 번 봤어요. 그는 그 가문에서 그리 야심만만한 쪽이 아니에요. 그가 엔드에서 저지르고 있는 일에 대해 노하마페탄 가문의 공식 입장이 어떤지는 모르겠지만, 그는 이 작전의 두뇌가 아니에요."

"그럼 나다쉬라는 얘기군."

키바는 고개를 끄덕였다. "나랑 대학을 같이 다닌 건 사실 나다쉬였죠."

"친구 사이였니?"

"'친구'는 지나친 말이고. 내가 자기 동생과 놀아나는 걸 참아줬고, 그거 말고는 그저 서로 마주치는 일 없이 사는 게 모두를 위해 좋다는 데 의견 일치를 본 게 다죠. 하지만 난 그녀를 존중해요. 귀신같이 영리하고, 누굴 함정으로 밀어 빠뜨릴 때도 그 사람이 알아서 뛰어든 것처럼 보이게 만들 줄 알죠. 뭔가 계획이 있다면, 꾸미는 사람은 나다쉬예요."

후마는 다시 침묵하다 입을 열었다. "지난 몇 달 동안 엔드의 반란군이 사방에서 폭탄 테러 공격을 한 건 알고 있겠지. 여기와 다른 시스템에서?"

"아뇨. 내가 그걸 어떻게 알아요? 난 2년 이상 떠나 있었는데요, 엄마."

"새 황제의 즉위식 폭탄 공격으로 시작했어—아니, 시작했다고 알려져 있다. 그레이랜드 황제의 가장 친한 친구를 날려버리고 황제까지 죽을 뻔했지. 그 이후 새 공격이 있을 때마다 길드와 의회에 군사 행동을 취해야 한다고 종용한 게 나다쉬였어. 그 선동이 먹히고 있다. 군사 수송선을 엔드로 향하는 플로우에 보낼 준비를 마쳤어. 보낼 핑계만 찾고 있지."

"들어맞네요." 키바가 말했다. "나다쉬가 엔드에 군사를 보내고 싶다면, 군대가 거기 도착한 뒤의 계획도 틀림없이 갖고 있을 거예요."

"군대가 간다면 명목상으로는 현직 대공을 지원하기 위한 것인데, 그러니 노하마페탄이 비밀리에 반란군을 지원하고 있다고?"

"네. 그래서 왜? 추가 병력을 자기 뜻대로 이용할 복안이 있든가, 우리가 모르는 뭔가가 있겠죠. 둘 다든가. 아마 둘 다겠죠."

후마는 고개를 끄덕이고 일어서서 두 손을 마주쳤다. "음, 그럼 이제 가서 알아보지." 그녀는 사무실을 나서서 공동 엘리베이터 쪽으로 향했다. 키바도 일어서서 뒤따랐다.

2분 뒤 두 사람은 노하마페탄 가문 로비로 내려왔다. "아미트 노하마페탄을 만나고 싶다." 후마는 안내원에게 말했다.

"약속이 있으신가요?" 안내원은 물었다. 키바는 이 말에 미소 지었다. 안내원에 대한 동정심이 일었다.

"난 후마 라고스 백작이다. 약속은 필요 없어."

"죄송합니다만, 약속이 없으시면…."

"아가야, 한 가지 아주 분명하게 해두고 싶구나." 그녀는 분명 자기식 자물쇠가 달려 있을, 바깥 대기실과 나머지 층을 나누는 유리문을 가리켰다. "난 지금 저 문을 열 것이고, 저 문을 지난 뒤에는 아미트 노하마페탄의 사무실로 들어가서 거기 문을 열 거다. 문이 양쪽 다 열리지 않으면, 두 가지 행동을 취하겠어. 첫째, 나는 길드 청문회에 노하마페탄 가문을 수사 방해로 고발할 것이고, 넌 모르겠지만 이건 아주 심각한 범죄 행위이기 때문에 노하마페탄 가문은 변호사 비용으로 수십 만 마크를 써야할 게다. 재판에서 지면 노하마페탄 계좌에서 내 계좌로 수백만 마크가 이체될 거고, 넌 쉽게 해결할 수 있었던 가문 간 분쟁을 초래한 대가로 파면 되겠지. 둘째, 난 너한테도 소송을 걸고, 노하마페탄 가문이 널 자르면 그쪽에 건 소송을 철회하겠다고 하겠어. 그리고 네가 앞으로 어떤 직장에서든 일하지 못하게 하고, 평생 성단의 최소 연금 이상으로 돈을 버는 일이 없도록, 혹시라도 더 벌면 추가분 전체를 압류해서 나한테 보내도록 확실하게 조치를 취해주지. 그 돈으로 샴페인을 사서 네 불행에 건배를 해주마. 이제 분명하게 알겠니?"

안내원은 멍하니 입을 벌리더니 문을 열었다.

"고맙다." 후마는 문을 지나쳤다. 키바도 다시 뒤따랐다.

아미트의 사무실은 층 안쪽에 있었다. 방은 아주 넓었고, 흠잡을 데 없는 가구와 허브폴 상업 지구를 내려다보는 넓은 창문이 딸려 있었다. 아미트와 다른 두 사람이 탁자를 중심으로 멋지고 편안한 의자에 앉아 있었다. 후마와 키바가 갑자기 들어서자 그들 모두 놀란 것 같았다.

후마는 아미트가 아닌 두 사람을 가리켰다. "너, 너. 지금 당장 꺼져." 그녀는 말했다.

그들은 아미트를 돌아보았고, 그는 고개를 끄덕였다. 두 사람은 꺼졌다. 후마와 키바는 빈 의자에 앉았다.

아미트는 두 사람을 바라보더니 탁자 위로 손을 뻗어 메시지 신호가 깜빡이는 태블릿을 집어 들었다. 그는 메시지를 읽었다. "내 안내원을 협박하신 모양이군요, 라고스 백작." 그는 말했다. "수사 방해죄가 이렇게 성립되는 게 아니라는 건 잘 아실 테고요." 그는 태블릿을 다시 탁자에 던지고 두 손님을 바라보았다. "자, 이 예기치 않은 반가운 걸음은 어떻게 하게 되셨습니까?"

"첫째, 당신 가문은 엔드의 우리 상품 유통을 방해했다." 후마가 말했다.

"그 일은 아는 바가 없습니다." 아미트가 말했다.

"글쎄, 나는 알아. 우리 변호사들이 당신 변호사들과 그 문제에 대해 논의하게 되겠지. 둘째, 당신 가문은 불법적으로 우리 예금을 동결하고 자산을 이용하도록 엔드의 대공을 설득해서 내 딸의 사업을 방해했어."

아미트는 키바를 돌아보았다. "아, 레이디 키바. 낯이 익습니다. 제 누이와 남동생, 두 사람과 동시에 친하게 지내셨다죠."

"나라면 '친하게 지냈다'는 말을 쓰지 않겠어." 키바가 말했다.

"아마도." 아미트는 말하고 다시 후마에게 주의를 돌렸다. "무역 방해는 중대한 혐의이니, 백작, 우리 변호사들이 그 문제도 논의할 줄로 압니다. 한 가문이 다른 가문을 협박하는 방편으로 이용당하는 데 길드 청문회가 매우 민감하다는 것도 굳이 상기시켜드릴 필요가 없겠지요. 그러니 청문회에 소송을 제기했다가 패하면, 노하마페탄 가문은 변호사 비용은 물론 세 배의 손해배상까지 받아내겠습니다. 우리 변호사들은 매우 유능하고 아주 비싸지요."

"우리가 패할 리가 있나. 당신 동생 그레니도 살인 미수, 납치 미수, 살인 및 납치 모의, 길드 우주선에 대한 영업 방해, 공격, 갈취 혐의로 고발하겠어."

"뭐라고요?" 아미트는 약간 웃음기가 사라졌다.

"그 자식이 내 우주선에 폭탄을 장치하고 내 승객 한 사람을 납치하기 위해 해적을 보냈다." 키바가 말했다.

"그리고, 아미트, 유죄 판결을 받아낼 증거는 충분히 갖고 있어." 후마가 말했다. "키바가 있고, 살인 및 납치 미수 피해자가 있고, '예스 써'호 승무원들이 기꺼이 증언할 거야."

"살인 미수 건에 대한 보안 카메라 영상 기록도 있고, 청부범의 자백도 있고, '예스 써'호와 해적선 간의 교신 기록도 있어." 키바도 도왔다.

후마는 고개를 끄덕였다. "그레니가 최소한 1년 반 거리에 떨어져 있으니 직접 불러서 법정에 세우기 어렵다는 사소한 문제가 있긴 하지. 하지만 우리가 가진 증거만으로도 길드와 의회를 설득해서 권리를 박탈하기에는 충분해."

"그 자식이 노하마페탄 가문의 엔드 주재 정식 대리인인 만큼, 당신 가문에도 틀림없이 같은 판결을 받아내주마." 키바가 말했다. 그녀는 어머니가 했던 말을 받아 즉석에서 말을 만들어내고 있었지만, 어머니가 무슨 생각을 하고 있는지 알고 있었고 같은 말을 할 참이었다고 확신했다.

"보증하지만 노하마페탄 가문은 당신의 우주선을 파괴하는 계획에는 개입한 적이 없소." 아미트가 말했다.

"집어치워, 아미트 경." 후마가 말했다. "당신 남동생에게 그 정도의 동기가 없다는 건 우리 모두 잘 알고 있어. 그 점은 당신 역시 마찬가지야. 그레니가 무슨 짓을 했다면, 그건 분명 누군가의 지시에 따른 거요. 노하마페탄 가문 차원의 지시가 아니라면 분명 가문 내의 누군가가 지시한 거고, 우리 관점에서 볼 때 그 둘은 같아. 길드와 상호의존성단 법정에 음모 혐의에 대해 당신과 당신 여동생, 노하마페탄 가문 전체로 수사 범위를 넓혀달라고 청원하는 데는 아무 문제가 없소."

"그건 생각하시는 것보다 좀 어려울 겁니다." 아미트가 말했다.

후마는 코웃음을 쳤다. "황제를 배우자로 맞이하기 위해 동분서주한다고 해서 당신이나 당신 가문이 법적 면책권을 갖는다고 생각하지 마시오, 아미트 경. 한데 그 건은 어떻게 돼가고 있지? 소문을 듣자 하니 황제는 당신의 매력에 무반응이라면서? 당신과 당신 가문이 수사받는다면 황제는 안도감에 가슴을 쓸어내리지 않을까?"

"살해 미수 피해자도 폐하의 아버지, 전 황제와 아주 가깝던 친구의 아들이었어." 키바도 옆에서 장단을 맞췄다.

"아, 그럼, 황제 입장에서는 당신과 같이 있는 모습을 남들 눈에 보이고 싶지 않을 이유도 충분하군." 후마는 아미트에게 말했다.

"사실 오늘 폐하를 만나기로 돼 있소." 아미트는 약간 발끈해서 대꾸했다. "우리 가문의 새 우주선을 같이 돌아보기로 했어."

"아, 사랑스럽군." 후마는 대꾸하고 두 손을 마주 잡았다. "시안의 우리 부하들더러 고발장 요약본을 황제에게 보내라고 해야겠네. 멋진 새 장난감 구경을 하는 동안, 연인들끼리 화젯거리가 있어야 할 게 아니야."

키바는 경탄한 눈으로 어머니를 바라보고 있었다. 후마 라고스는 언제나 감히 거슬러서는 안 되는 인물이었고, 키바는 오랫동안 그런 어머니가 논쟁하고 협상하는 모습을 바라보며 자신의 기술을 갈고 닦았다. 그러나 어머니가 아미트 노하마페탄 같은 작자를 능숙하게, 욕실을 섞어가며 막다른 골목에 밀어붙인 뒤 목을 졸라버리는 광경을 바라보는 것은 언제나 즐거웠다. 성인이 되어서도 자기 부모를 올려다보며 '어른이 되면 나도 이런 사람이 되고 싶었지.'라고 생각할 수 있다는 것은 기분 좋은 일이다.

아미트는 한숨을 쉬고 얼굴을 손으로 문질렀다. "좋습니다, 라고스 백작. 원하시는 게 뭡니까?"

"아니, 아미트 경, 무슨 뜻인지?"

"정말 길드 청문회나 성단 법정에 고발하고 싶었다면, 그냥 고발하고 우릴 놀라게 했겠지요. 여기 내 사무실에 당신이 와 있다는 건, 이 문제를 다른 방식으로 해결하고 싶다는 뜻 아닙니까. 좋습니다. 원하는 걸 말씀해보세요."

"노하마페탄 가문의 머리를 잘라주고 싶어."

"무슨 뜻인지 모르겠다니까요." 아미트는 말했다.

"당신에게서 원하는 게 세 가지 있는데, 셋 다 아주 고통스러울 거라는 뜻이야."

"뭡니까?"

"첫째, 당신네는 우리 사업을 방해했어. 법정에서 그 건을 놓고 싸울 수도 있고, 당신한테는 아주 곤란한 상황이 되겠지." 후마는 키바를 돌아보았다. "이번 여행에서 순이익 얼마를 기대했지?"

"1억 마크." 키바가 말했다.

"그럼 1억 마크를 원하시는군요." 아미트가 말했다.

"2억 마크를 원해."

"그건 말도 안 돼요."

"당신 가문은 우리 상품을 망쳤어. 그것만 해도 고약한데, 게다가 우리 평판에도 흠집을 냈어. 이건 우리 평판 값이야. 그러니 사흘 안에 우리 계좌로 2억 마크."

아미트는 뭔가 말하려 하다 마음을 돌린 모양이었다. "두 번째." 그는 말했다.

"우리가 당신 누이의 집행위원 자리를 철회하라는 편지에 서명했다는 건 알고 있겠지." 후마가 말했다.

"그 비슷한 말을 들었습니다."

"그렇다면 당신 누이가 사임하길 원해도 놀라지 않겠군."

"라고스 가문 사람이 그 자리에 들어가고 싶겠지요."

후마는 고개를 저었다. "아니. 하지만 문자 그대로 다른 누구라도 당신 누이보다는 나아."

"그렇게 전하지요."

"전해줘. 셋째, 넌 그레이랜드 황제에게 결혼에 대해 마음이 변했다고 말해."

"이것 보십시오." 아미트는 말했다. "이미 내 누이의 목을 치라고 했잖습니까. 내 목은 남겨두십시오."

"이건 협상이 아니야." 후마와 키바는 동시에 말하고, 서로 마주 보며 씩 웃었다. 후마는 아미트에게 주의를 돌렸다. "네가 황제 배우자가 되면 네 누이의 꼭두각시 노릇을 그만둘 거라는 소리는 하지 말자고."

"그건 맞습니다." 아미트는 비꼬듯이 말했다. "난 내 의지는 없는 존재죠."

"없어. 맞아." 후마는 전혀 비꼬는 투 없이 대꾸했다. "원한다면 심리상담이라도 받아 봐. 하지만 일단은 황가와 결혼하겠다는 야심부터 포기해."

"그레이랜드가 나와 결혼하고 싶어한다면?"

후마는 웃었다. "이 불쌍한 인간, 아니, 그럴 리가 없어."

아미트는 이 말에 약간 풀이 죽는 것 같았다. "그럼 이 요구를 다 들어드리면 우린 뭘 받죠?"

"아무것도." 후마는 대꾸했다. "말했듯이, 엔드에서 있었던 일은 입 밖에 내지 않겠어. 너희들이 엔드에서 꾸몄던 일에 대해서도 전혀."

"그렇습니까." 아미트는 말했다. 키바는 머리로 피가 몰리는 기분이 들었다. 노하마페탄 가문이 엔드에서 모종의 음모를 꾸미고 있었다는 데 일말의 의혹이 있었다 해도, 그 순간 다 사라졌다. 키바는 자기 손에 누군가의 손이 와 닿는 것을 느꼈다. 어머니가 흥분하지 말라는 뜻으로 경고를 보내고 있었다. 키바는 진정했다.

"그래." 후마가 말했다.

"그 약속은 어떻게 믿을까요?"

"문서로 계약서라도 남겨줄까, 아미트? 그렇게 멍청해? 이쯤 했으면 알아들어야지. 네게는 아무 카드도 없어. 무지막지하게 경솔한 네 동생 덕분에 우린 너와 네 누이, 네 가문 전체를 몰락시키고도 남을 증거를 갖고 있어. 최소한 앞으로 10년 동안은 소송과 수사에 시달리고도 남을 거야. 최악의 경우에는 넌 감옥에 가고 네 가문의 독점권은 경매에 붙여지겠지. 어찌 됐든, 네 사업에는 안 좋을 거야, 아미트. 네 누이는 집행위원회 위원직을 잃고, 넌 황제와 결혼하지 못해. 하지만 내 방식대로 하면 자존심은 상할지언정 돈만 잃고 말겠지. 살아남을 수는 있어."

아미트는 생각에 잠겼다. "내일 답을 드리죠."

"아니면 지금 당장 답을 주든가." 후마는 말했다.

"라고스 백작, 제발." 아미트는 말했다. "이 대화에서 벌써 한 번 이상 모욕적으로 말씀하셨지만, 이건 내가 내릴 수 있는 결정이 아닙니다. 게다가 오늘은 황제와 약속이 있어요. 이건 연기할 수 없습니다."

"그럼 이렇게 해. 지금부터 정확히 스물네 시간 1분 뒤 네게서 답변을 듣지 못하면, 집행위원회 서기관과 황제 본인에게 선서 증언서가 날아갈 거야. 그럼 너와 네 누이는 그쪽에서 뒤처리를 해야 한다. 만족하지?"

"만족한다는 말은 하고 싶지 않군요, 백작."

"이 헛짓거리를 벌이기 전에 미리 생각을 했어야지, 아미트 경." 후마 라고스는 일어서며 말했다. 키바도 일어섰다. "우리 가문을 끌어들이기 전에." 그녀는 고개를 끄덕이고 작별 인사 없이 사무실을 나섰다. 키바도 뒤따랐다. 마지막으로 본 아미트 노하마 페탄은 태블릿을 집어 들어 황급히 번호를 누르는 모습이었다.

"사랑해요, 엄마." 밖으로 나가는 길에 안내원 앞을 지나면서, 키바는 어머니에게 말했다. 안내원은 꿋꿋이 그들을 외면했다.

"음." 후마는 엘리베이터를 기다리는 동안 조용했다.

"나다쉬가 여기 동의할까요?" 키바는 엘리베이터에 둘만 탄 뒤 물었다.

"상관없어." 후마는 말했다.

"2억 마크는 상관있을 만한 돈인 것 같은데요."

"오늘 대화의 목적은 노하마페탄을 협박하려던 게 아니야. 그건 부수적인 효과일 뿐이지. 오늘의 목적은 그들의 계획을 알아내서 흔들어 놓는 거였다. 이제 계획은 알아냈어. 그들은 엔드를 접수할 계획을 세우고 있다."

"맞아요." 키바가 말했다. "한데 왜요?"

엘리베이터가 열렸다. "다른 모든 사람들이 모르는 뭔가를 자기들이 알고 있다고 생각하니까." 후마는 말하고 밖으로 나갔다.

키바는 걷는 동안 생각해보았다. "플로우에 무슨 일이 생기고 있는지 그들이 알고 있다고 생각하시는군요."

"알고 있거나, 그만큼 중대한 다른 뭔가를 알고 있다고 생각하는 거겠지." 후마는 말했다. "그들은 그 외딴곳에 틀어박히려고 아주 많은 위험을 무릅쓰고 있어. 일이 새어나가지 않도록 하기 위해서도 많은 걸 기꺼이 포기하려 할 거야."

"그럼 그들이 우리에게 돈을 줄 거라고 생각하세요?"

후마는 고개를 끄덕였다. 그들은 프레타 사무실 문 앞에 도착했다. 안으로 들어서자, 프레타는 일어서서 환영 인사를 하려고 입을 열었다.

"나가." 후마는 말했다. 프레타는 인사를 꿀꺽 삼키고 나갔다. 키바는 문을 닫았다. "돈이 또 하나의 증거야." 후마는 딸을 향해 말을 이었다.

"그들이 돈을 안 주면?"

"그렇다면 너와 나는 높은 지붕에서 우리를 저격할 수 있을 만한 장소에는 안 나가는 게 좋겠지. 하지만 어쨌든 우린 방금 그들의 계획과 일정을 흔들어 놓았어. 앞으로 며칠 동안 그들이 무슨 짓을 벌이는지 지켜보면 흥미로울 거다." 후마는 프레타의 책상 앞에 앉았다. "이 네 친구 말인데, 플로우 물리학자."

"마르스 클레어몬트." 키바가 말했다.

"아직 그와 사이가 그럭저럭 나쁘지 않니?"

"비슷해요." 키바는 얼마 전에 나누었던 섹스를 떠올리고 미소 지었다.

"내가 그를 만나야겠다. 네가 그를 믿는다는 건 알지만, 나도 그를 믿을 수 있는지 봐야겠어. 내가 그를 믿을 수 있다면, 일이 돌이킬 수 없을 지경에 이를 때까지 시간이 얼마나 남아 있는지 알아야 해. 그런 다음 노하마페탄이 그 사태에서 정확히 뭘 얻으려고 하는지 알아내야 한다. 다른 누구보다 더 빨리 알고 있어야 해."

키바는 고개를 저었다. "그는 오늘 황제를 만나러 가요. 황제가 이 일을 비밀로 할 거라고 생각하지 않아요."

"황제가 다른 사람들에게 말하느냐 마느냐의 문제가 아니야." 후마가 말했다. "그들이 황제를 믿느냐 마느냐지."

"이건 사실인데요."

"아, 내 딸." 후마는 미소 지었다. "그게 얼마나 의미가 없는지 모르는 건 아니겠지."

15장

마르스 클레어몬트는 허브에 도착하기 전까지 자신이 얼마나 시골뜨기인지 미처 몰랐다.

허브라는 이름의 행성과 거대한 우주 정거장, 마찬가지로 거대한 자치 정주지 시안, 다른 수십 개 관련 정주지로 구성된 허브가 상호의존성단에서 가장 인구가 많고 발전한 인류의 국가라는 사실을 지적으로 알고 있는 것은 그렇다 치자. 엔드 우주 정거장보다 몇 배는 큰 허브의 제국 우주 정거장에서 '예스 써' 호에서 내린 뒤 각자 업무를 위해 도착하고 출발하는 어마어마한 인파에 섞여 드는 것은—그리고 지금 발아래 행성에 있는 그보다 더 복잡한 정주지에, 그보다 더 많은 사람들이 자신이 진공이나 차가운 암석, 혹은 인간을 몇 분 안에 죽일 수 있는 강렬한 방사선이 얼마나 가까이 있는지 모르고, 혹은 아무 관심 없이 지하 돔 혹은 기술적으로 진보한 수 킬로미터 길이의 회전하는 실린더 안에 밀집해 살고 있다는 것을 안다는 것은 다른 문제였다.

멍청한 인간들이야, 마르스는 생각하고 혼자 씩 웃었다. 인간이 그런 상황에 스스로를 밀어 넣고, 그러고도 융성했다는 것은 생각해보면 아슬아슬했다. 상호의존성단의 서로 연결된 종교 및 사회 정신과 길드 중심 독점 경제에서 인간은 한 종의 생존을 보장하기 위해 생각해낼 수 있는, 어처구니없을 정도로 가장 복잡한 방식을 창조해냈다. 귀족과 상인 계급, 그 아래 평민 노동자 계급 카스트 체제가 상황을 더욱 복잡하게 했다.

하지만 사회는 굴러가고 있었다. 사회적 차원에서 충분히 많은 사람들이 이를 원하고 있기 때문에, 또한 핵심적으로는 기계적, 환경적 고장과 노화에 취약한 정주지에서 제한된 자연 자원을 가지고 수십 억 인류가 살아가려면 혼자 살아가는 것보다 서로 의존하는 것이 더 나았기 때문에 굴러가고 있었다. 상호의존성단이 없다 해도, 서로 의존하는 것이야말로 인류의 생존을 위해 최선의 방법이었다.

하지만 이제 인류는 새로이 살아남는 법을 찾아야 한다, 마르스는 생각했다. 허브 우주 정거장과 그 안에서 움직이는 모든 인간들을 올려다보며, 그는 10년도 채 지나지 않아 이 모든 사람들이 죽거나 죽음을 향해 가고 있을 것이라는 사실을 떠올렸다. 그를 포함하여.

"마르스 경?" 고개를 들어 보니 진녹색 제국 제복 차림의 젊은 남자가 '마르스 클레어몬트 경'이라는 안내판을 들고 서서 그를 바라보고 있었다.

"네, 접니다." 마르스는 말했다.

"시안으로 모셔가기 위해 왔습니다." 젊은이는 주위를 둘러보았다. "짐은 없으십니까? 라고스 파이버에서 내리신 걸로 알고 있습니다만. 숙소는 있습니까?"

"제 짐은 모어랜드 호텔로 보냈습니다. 여기 우주 정거장에 있는."

"탁월한 선택이십니다, 경."

"고맙습니다." 모어랜드는 키바가 추천한 곳이었다. "돈만 있으면." 현재 데이터 저장 장치에 8천만 마크를 지니고 있었기 때문에, 그럭저럭 버틸 수 있을 것이다.

젊은이는 손짓했다. "이쪽으로 오십시오."

마르스는 버슨 손이라는 이름의 젊은이를 따라 시안행 터미널로 사용되는 제국 우주 정거장 내 구역으로 향했다. 두 명의 감독관이 따로 서류 확인과 신체검사를 하고 시안에서의 용무가 무엇인지도 거듭 물었다. 두 번 다 마르스는 황제와 약속이 있다고 답하고, 태블릿에 공식 약속 편지와 보안 암호를 불러내서 보여주었다. 감독관은 무슨 회의인지 묻지 않았고, 마르스는 그것이 고마웠다. "상호의존성단의 종말과 인류의 절멸 가능성"이라고 대답했다면 분명 무슨 요주의 대상으로 취급되었을 것이다.

버슨은 삼엄한 보안 조치에 대해 사과했다. "끔찍한 엔드의 반란군들이 즉위식에 폭탄 공격을 한 뒤로 더욱 엄격합니다." 그는 말하다가 상대가 엔드에서 왔다는 것을 기억했는지 갑자기 입을 다물었다. "당신이 그렇다는 뜻은 아니었습니다, 경." 그는 잠시 후 덧붙였다.

마르스는 미소 지었다. 지난 몇 시간 동안 아타비오 6세의 죽음과 그 딸 카르데니아, 현 그레이랜드 2세의 즉위, 즉위식 당일 암살 기도 사건에 대해 이미 들어 알고 있었다. 개인적으로 엔드 출신 누군가가 개입했을 거라는 데는 회의적이었다. "괜찮습니다." 그는 버슨에게 말했다. 버슨은 눈에 띄게 안도했다.

우주 정거장에서 시안으로의 셔틀 여행 동안에는 별 사건이 없었지만, 마르스는 셔틀이 일출경계선을 따라 적도의 우주 정거장에서 시안이 떠 있는 북위 10도를 향해 가는 동안 태블릿을 통해 허브 표면을 바라보았다. 시안은 태블릿 안에서 차츰 커졌고, 정주지를 오가는 우주선들이 작은 점처럼 보였다. 더 멀리 일출경계선 위아래에는 인근 공중 선창에서 우주선을 만드는 노동자들이 거주하는 다른 작은 정주지들이 있었다. 마르스의 태블릿에는 그 외에 다른 것들은 보이지 않았다.

셔틀이 착륙했고, 마르스와 버슨은 시안 전체를 가로지르는 기차로 향했다. 마르스는 이번에도 실린더 형 기차역 내부 표면이 회전하며 반대쪽 표면의 기차와 만나는 동안 바깥과 위, 주변 풍경에서 눈길을 떼지 못했다.

"시안은 처음이십니까?" 버슨이 물었다.

"이런 정주지에 온 건 처음입니다." 마르스는 대답했다. "평생 엔드에서 살았습니다. 행성 표면에서. 여기와는 전혀 다릅니다."

"그곳은 어떻습니까?"

"평평해요." 마르스는 차츰 높아지는 땅을 바라보았다. "언덕조차 여기와 비교하면 평평합니다. 위를 올려다보면서 왜 역 반대쪽으로 떨어지지 않나 생각하는 사람이 없는 게 신기하군요."

"음, 그건 시안이 회전하기 때문이지요." 버슨이 답했다.

마르스는 이 말에 웃었다. "그 원리는 이해합니다. 제 말뜻은 그런 게 아닙니다. 하지만 지적으로 뭔가 안다는 것과, 두뇌의 동물적인 부분이 뭔가 붙잡아야 한다는 지시를 내리는 건 다른 문제죠." 그는 예의바르게 미소 짓는 버슨을 바라보았다. "이런 정주지에서 자라셨습니까?"

버슨은 고개를 끄덕였다. "난 앙코나 출신입니다. 허브 시스템 안의 연합국이죠."

"그렇군요. 그럼 이런 데 익숙하시겠습니다." 마르스는 창밖을 다시 바라보았다. "난 아닙니다."

"익숙해지시겠습니까?"

"그래야지요." 마르스는 말했다. "한편으로는 그러지 않기를 바라는 마음입니다."

그들은 황제궁 역에 다다라 기차에서 내렸고, 버슨은 마르스를 이끌고 황제궁에 용무가 있는 사람들을 위한 출구로 이끌었다. 마르스는 황제와 약속이 있었기 때문에, 버슨은 기다리는 모든 사람들의 짜증을 유발하면서 줄 맨 앞으로 옮겨 갔다. 마르스는 버슨에게 끌려 앞으로 향하며 연신 사과의 말을 중얼거렸다. 다시 서류를 제시하고, 신체를 스캔하고, 짤막한 질문이 이어진 뒤 그들은 통과했다. 마르스는 궁정에서 일하는 오블레스 아텍이라는 이름의 다른 젊은이에게 인도되었다. 그녀는 마르스에게 블라우스에 붙일 통행증을 넘겨준 뒤 앞장서서 걷기 시작했다. 마르스는 버슨에게 손을 흔들고 오블리스를 따라갔다.

10분 뒤 마르스는 그레이랜드 2세 사무실 대기실에 앉아 있었다. 지나쳐 온 몇몇 공공장소는 마르스가 평생 본 그 어떤 것보다 어마어마한 부를 과시하고 있었다. 지금 이 순간까지 그는 엔드의 대공 관저야말로 돈이 썩어날 정도의 부의 상징이라고 생각했지만, 황제궁과 비교하니 벼락부자 아파트 같았고 번듯한 저택인 마르스 자신의 집은 헛간 같았다. 황제궁은 황가의 사욕과 그를 뒷받침하는 정치 체제를 반증하듯 천 년 동안 축적한 도금 공예품으로 가득 차 있었다. 대기실도 빼어난 취향의 보물로 가득 차 있었고, 그중에는 공예가 메이스 후지모토가 만든 선지자-황제 라헬라 1세 상도 있었다. 상호의존성단 내에서 명성이 자자한 보물이었고, 아마 어느 작은 정주지 전체의 소득 전체와 맞먹는 값어치일 것이다.

마르스는 주위를 둘러보며 상호의존성단 같은 체제 유지에 이해관계가 이렇게 많이 걸려 있는 황제가 과연 자신이 지금부터 전하려는 소식을 어떻게 받아들일지 궁금했다.

너도 귀족이다, 마르스의 두뇌 한쪽이 말했다. 네 이해관계도 걸려 있어. 한데 이렇게 오지 않았나.

그래, 하지만 난 황제가 아니야. 체제에서 단순히 이익을 취할 뿐이지. 하지만 황제는 체제 그 자체다.

이 일을 연구하기 위해 아버지를 엔드로 보낸 것도 황제였어.

그 황제는 죽었잖아.

"마르스 경." 올려다보니 오블리스가 손짓하고 있었다. 황제를
만날 시각이었다. 마르스는 일어서서 사무실로 들어갔다.

황제를 처음 알현할 때는, 절하는 것으로 충분합니다. 오블리
스는 황제의 사무실로 향하며 그에게 주의를 주었다. 무릎을 꿇는
것을 선호하는 사람도 있으니 좋으실 대로 하십시오. 하지만 알현
시간은 한정되어 있고, 거창한 인사는 시간을 많이 잡아먹을 겁니
다. 인사가 끝나면 황제가 먼저 말을 걸고 대화를 이끄는 것이 관
례입니다. 황제가 말을 걸 때만 대답하십시오. 어떤 질문에든 대
답해야 합니다. 약속 시간이 다 되거나 황제가 일찍 물러가라고
명하면 절하고 나오십시오. 언제나 정중하고 말을 삼가야 합니다.
황제는 지존이십니다.

마르스는 황제 사무실에 들어서서 주위를 한 번 둘러보고 소리
내어 웃었다. 오블리스 아텍이 그를 보고 미간을 찌푸렸다.

"뭐가 우습지, 마르스 경?" 젊은 여자가 책상 앞에 서서 물었다.
그녀는 황제를 뜻하는 녹색 옷차림이었다. 분명 이 사람이 황제였
다. 들어서자마자 실수를 한 것이 분명했다.

그는 절했다. "죄송합니다, 폐하. 저는 폐하의 사무실을 보고 놀
랐습니다."

"어째서?"

"저는… 음, 폐하. 내부에서 폭발한 박물관 같다는 생각이 들었
습니다."

오블리스 아텍은 숨을 헉 들이쉬었다. 황제의 참수 명령이라도

기다리는 기색이었다.

그러나 황제는 허물없이, 커다랗게 웃었다. "고맙소." 그녀는 강조했다. "지난 아홉 달 동안 내가 생각했던 것과 정확히 똑같군. 때로 나조차 여기서 돌아다니는 게 겁날 때가 있어. 어디 부딪혀서 수백만 마크 값어치가 나가는 물건을 깰까 봐. 나는 내 작업실도 무서워, 마르스 경. 실내 장식을 새로 할 용기를 끌어모으는 중이오."

"당신은 황제이십니다, 폐하. 뭐든지 하실 수 있으실 겁니다."

"할 수 있느냐 없느냐의 문제가 아니오. 해야 하느냐 마느냐의 문제지." 황제는 오블리스에게 고개를 끄덕여 내보냈다. 오블리스는 절하고 마르스에게 마지막으로 점잖게 굴라는 눈빛을 보낸 뒤 나갔다. 마르스는 황제와 단둘만 남았다는 것을 의식했다. 조수도, 장관도, 비서도 없었다.

"당신이 방금 한 생각을 말해보시오, 마르스 경." 황제는 말하며 책상 앞 의자에 앉으라고 손짓했다.

"예상보다 아랫사람을 적게 두신다고 생각했습니다, 폐하." 마르스는 의자에 앉았다. 황제는 그대로 서서 책상에 기댔다.

"난 당신이 생각하는 것보다 아마 더 많은 아랫사람을 부리고 있을 거요. 대체로 회의에도 참석시키지. 난 회의가 많아, 마르스 경. 얼마나 많은지 상상도 못하실 거요. 누군가의 도움 없이는 다 해내지도 못할 정도로. 그래서 늘 참석시키지." 황제는 책상을 가리켰다. "나는 이 책상 뒤에 앉아서 황제를 칭하는 대명사 '우리'로 나를 칭하고, 모두 다 대단히 정중하고 예의바르며, 이 말도 안 되게 웃기는 사무실에 들어오면서도 아무도 웃지 않아. 하지만 당신은 웃었소."

"예, 폐하. 죄송합니다."

"아니야. 오히려 당신이 웃어줘서 기뻐. 하지만 왜 웃었는지는 알고 싶소, 괜찮다면, 마르스 경."

"아마 과잉 자극이었던 것 같습니다, 폐하."

"설탕을 너무 많이 먹은 여덟 살 어린애 같군." 황제는 미소 지었다.

마르스도 마주 미소 지었다. "나쁜 은유는 아니군요. 저는 평생 엔드에서 살았습니다, 폐하. 다들 말하는 것처럼 그렇게 오지는 아니지만, 여기와 비교하면… 음, 허브, 그리고 시안, 이 궁."

황제는 콧등을 찡그렸다. 순간 마르스는 자신이 이 회의에서 정확히 무엇을 기대했는지는 몰라도 결코 이것은 아니라는 사실을 의식했다. "끔찍하지, 안 그런가?"

"음." 마르스는 말했다.

황제는 다시 웃었다. "미안해, 마르스 경. 일부러 실수하게 만들어서 비웃으려던 것은 아니야. 하지만 당신은 이해해야 해. 난 원래 황제가 될 사람이 아니었소. 원래 이런 곳에서 자라지도 않았고. 이곳은 당신에게 그렇듯 내게도 낯설어."

"저는 귀족입니다, 폐하. 낯설지는 않습니다. 단지 과하다 생각할 뿐입니다."

"그래. 그래. 다시 한 번 고맙소. 지난 1년 동안 내가 느끼던 기분을 완벽하게 정리해줬어."

"다행입니다, 폐하."

"정말이오. 지금까지 내가 가진 그 많은 비밀 회의 중에서 가장 재미있어." 그녀는 다시 미소 짓고 고개를 갸우뚱했다. "문명의 종말 이야기로 이 재미있는 만남을 망쳐야 하다니 슬프군."

마르스는 고개를 끄덕였다. "그럼 알고 계시는군요."

"내가 미미한 귀족과 만나는 취미가 있어서 이 자리를 허락한 줄 아는가, 마르스 경? 아니, 실례했소."

"아닙니다. 단지 저는 폐하께서 알고 계시는지, 얼마나 자세히 설명을 드려야 하는지 몰랐습니다."

"당신 아버지가 엔드에서 무엇을 하고 있는지, 왜 그곳으로 갔는지, 연구 목적이 무엇인지, 내 아버지가 아시던 것만큼 알고 있다고 생각하셔도 좋소."

"좋습니다."

"자, 그 점을 분명히 했으니 첫 번째 질문. 플로우 흐름은 붕괴하는가?"

"그렇습니다."

황제는 무겁게 한숨을 내쉬었다. "언제?"

"이미 시작되었습니다. 엔드에서 허브로 오는 플로우는 이미 붕괴했다고 추정합니다. 제가 타고 온 '예스 써' 호가 아마 그 흐름을 통과한 마지막 우주선이었을 겁니다."

"그것이 맞다는 걸 어떻게 알지?"

"허브에서 올 예정이었던 다른 우주선이 도착하지 않으면 알게 되겠지요."

"우주선의 출발은 지연되는 경우가 많으니 도착 역시 마찬가지요."

마르스는 고개를 끄덕였다. "우주선이 오지 않는다는 걸 사람들이 눈치채기 시작하려면 최소한 2주는 걸릴 겁니다. 그때도 아마 다른 원인이라고 생각하고 싶어할 겁니다."

"당신들의 내전 때문이려니."

"제 내전은 아닙니다." 마르스는 코웃음을 치다가 자신이 누구와 이야기하고 있는지 깨달았다. "폐하."

황제는 무시했다. "혹시 이 플로우 흐름의 붕괴를 이용할 방법이 있나? 엔드에서 여기로 오는 흐름."

"저는 연구와 그 기반이 되는 수식을 제시할 수 있습니다. 그러나 미리 경고드리지만 플로우 물리학자가 아닌 사람은 이해할 수 없을 거고, 플로우 학자라 해도 그 해석을 놓고 이견이 많을 겁니다. 제 아버지의 연구와 예측 모델을 완전히 이해하려면 시간이 걸립니다. 하지만 그때가 되면 이미 이론은 중요하지 않겠지요."

"플로우 흐름이 붕괴한 후일 것이고, 그것이 바로 증거가 될 테니까."

마르스는 다시 고개를 끄덕였다. "맞습니다."

"엔드에서 허브로 가는 플로우가 이미 붕괴했다는 걸 알고 있다고 했지."

"그럴 가능성이 대단히 높습니다. 네."

"그렇다면 당신은 붕괴를 예측할 수 있는 거군."

"어느 플로우가 언제 붕괴할지 대략적인 확률을 제시할 수 있습니다. 예측하는 게 아닙니다. 데이터를 보고 가장 확률이 높은 결과를 제시하는 겁니다."

"다음으로 붕괴할 플로우는 어딘지 아시오? 그러니까, 어느 플로우의 확률이 가장 높은지?"

"네. 아마 여기서 테라툼으로 가는 플로우일 가능성이 높습니다. 모델은 앞으로 6주 안에 붕괴할 것으로 예측하고 있습니다."

"확실한가?"

"아니요, 단지 가능성이 높습니다."

"얼마나? 퍼센트로 말해보시오."

"허브-테라툼 플로우 붕괴가 6주 안에 일어날 가능성은 80퍼센트 정도입니다. 그 뒤는 애매하지만 1년 안에 붕괴할 확률은 거의 100퍼센트입니다."

"테라툼으로 가는 플로우와 오는 플로우?"

마르스는 고개를 저었다. "아니요. 한 시스템으로 가는 플로우와 오는 플로우는 사실 서로 관련이 없습니다." 그는 황제의 표정을 눈치챘다. "압니다. 인간의 두뇌로 상상하기 힘든 원리이지만, 사실입니다. 테라툼에서 허브로 오는 플로우도 우리 모델로 예측 가능하지만, 아직 시간이 남았기 때문에 애매합니다. 지금부터 38개월 뒤에 일어날 수도 있고, 지금부터 87개월이 걸릴 수도 있습니다. 두 번째 숫자는 마지막 플로우가 붕괴할 것으로 예측되는 시점과 같습니다."

"마지막 플로우의 붕괴는 언제인가?"

"현재 예측 모델로는 엔드로 향하는 플로우가 지금부터 80개월

내지 87개월 뒤에 닫힙니다."

"그 모든 숫자는 다 머릿속에 들어 있소?" 황제는 물었다.

"다 들어 있지는 않습니다. 물어보실 거라고 생각한 것만 외웠지요. 저는 폐하와 15분밖에 시간이 없습니다. 효율적으로 말씀드리고 싶었습니다."

"가장 먼저 붕괴하는 플로우도, 가장 나중에 붕괴하는 플로우도 모두 엔드와 연결된다는 것이 묘하지 않소?"

"묘하지 않습니다, 폐하. 그저 우연입니다. 하지만 전 기쁩니다. 고향으로 돌아가고 싶으니까요."

황제는 마르스를 새삼 보았다. "당신은 날 만날 수 있을지 없을지도 모르면서 1년 가까이 여행했군."

"죄송합니다만, 전 폐하와 만날 거라고 기대조차 하지 않았습니다. 폐하의 아버님을 만날 예정이었지요. 조의를 표합니다, 폐하."

"고맙소. 내가 당신을 만나지 않겠다고 하면 어떻게 할 작정이었소?"

"허브폴 대학의 물리학자에게 연구 결과를 제시하고, 들을 마음이 있는 누구에게라도 책임지고 알리라고 했겠지요. 그런 다음 며칠 허브 관광이나 하다가 엔드로 가는 첫 우주선을 타고 돌아갔을 겁니다."

"이제 그것이 당신의 계획인가? 엔드로 즉시 돌아가는 것이?"

"제 계획은 끝났습니다, 폐하. 전 폐하를 만났습니다. 선제께서 명하시고 제가 확인한 아버지의 정식 보고서를 드릴 준비도 되어 있습니다. 누구든 원하시는 자에게 검증하도록 넘겨주시고, 정책적으로 원하시는 대로 하십시오. 제가 데이터의 신빙성을 폐하게 설득할 필요는 없을 것 같습니다. 폐하께서 현명하게 사용하시리라고 믿어 의심치 않습니다만, 다른 모든 사람들이 폐하를 따를 것인가는 알 수 없는 문제겠지요."

문이 열리고 오블리스 아텍이 들어왔다. 마르스는 일어섰다.

"마르스 경, 당신의 계획은 끝났으나 난 아직 당신이 필요하오. 계속 있어 주겠소?"

"폐하, 당신은 황제이십니다." 마르스는 말했다.

"아니." 황제는 말했다. 마르스는 그녀의 목소리에서 답답한 기색을 처음 읽었다. "마르스 경, 당신은 실내 장식을 새로 해야 할 사무실이 아니야. 난 당신에게 머물러달라고, 이 연구를 내게 좀 더 자세히 설명해주고 다른 사람들에게 설명하는 일을 도와달라고 부탁하는 거요. 그 일이 오래 걸리면 걸릴수록 당신이 걸어야 할 위험이 있다는 것도 알고 부탁하는 거요. 당신에게 도움을 명할 수도 있어. 하지만 지금 나는 도와달라고 부탁하는 거요."

마르스는 황제를 올려다보고 다시 한 번 이 만남에서 자신이 예상했던 것은 이것이 아니었다고 생각했다. "폐하, 제가 할 수 있는 한 무엇이든 폐하를 도울 수 있다면 제겐 영광일 것입니다."

황제는 씩 웃었다. "고맙소, 마르스 경. 나는 새 우주선을 둘러보러 갔다가 오늘 저녁 늦게 돌아올 예정이야. 늦은 저녁 식사를 같이할까? 물어볼 것들이 있소."

"알겠습니다." 마르스는 말하다가 망설였다.

황제는 눈치챘다. "왜 그러나?"

"제 개인적인 물건을 어떻게 해야 할지 생각하고 있었습니다. 저는 우주 정거장에 있는 한 호텔에 묵고 있습니다. 저녁 식사용 복장도 다 거기 있습니다."

"첫째, 이 우주선 구경을 끝내고 나면 나는 녹초가 될 테니까, 저녁은 매우 격식 없는 자리가 될 것이오. 둘째, 당신은 이제 궁정 직원이야." 황제는 오블리스를 돌아보았다. "내가 마르스 경을 과학 정책 특별 자문으로 고용했다. 누가 우주 정거장에 가서 그의 물건을 가져오도록. 직책에 알맞은 직원 건물에 숙소도 마련해 주고." 그녀는 마르스를 보았다. "내부에서 폭발한 박물관 같지 않은 공간을 골라주시오. 자세한 궁정 안내도 해주고."

"알겠습니다, 폐하." 오블리스는 말했다.

"그럼 나중에." 황제는 마르스에게 말했다.

"폐하." 마르스는 말하고 절했다. 황제는 사무실을 나섰다. 그녀가 사무실 문지방을 건너자마자, 조수 셋과 경호원 한 사람이 황제에게 달라붙더니 같이 대기실 쪽으로 나갔다.

마르스는 황제가 나가는 모습을 바라보다가 오블리스를 돌아보았다. "방금 여기서 무슨 일이 있었는지 잘 모르겠습니다."

오블리스는 미소 지었다. "만남은 성공적으로 끝난 것 같습니다, 마르스 경. 이제 절 따라오십시오. 적당한 숙소로 안내해드리겠습니다."

16장

카르데니아는 마르스 클레어몬트와 만난 뒤 너무 유쾌한 기분이 들어 부끄러울 지경이었다.

비록 짧았지만 아버지가 걱정했던 것을, 그녀 자신이 물려받은 걱정을 사실로 확인해준 대화였기 때문에 부끄러웠다. 인류가 멸종할 위기에 처했다는 사실, 추상적이거나 오랜 세월 뒤에 그렇게 된다는 것이 아니라 구체적으로, 채 10년도 안 되는 미래에 멸종한다는 사실. 10년 안에 인류의 모든 시스템은 고립되어 내부에 지닌 자원만으로, 그 자원을 이용할 내부 기술만으로 생존을 모색해야 한다는 사실. 정주지는 이론적으로 수십 년, 혹은 수 세기 명맥을 이을 수 있지만, 인간적인 요인이 어떻게 변화할지 모른다. 인간은 자신들이 고립되어 정주지 고장으로 인해 서서히 죽음을 맞이한다는 사실을 알면 현명하게 대처하지 못한다. 카르데니아는 달라시슬라가 고립된 이후 일어났던 일들을 떠올렸다. 정주지보다 인간이 훨씬 먼저 오작동했다.

40여 개의 인류 시스템과 수십 억 명 인간의 운명을 확인하고도 유쾌한 기분이 들었다는 것은 그리 자랑스러운 일이 아니다.

그러나 카르데니아는 어쩔 수가 없었다. 인류가 마침내 인과응보를 받게 되었다고 생각하는 운명론자나 염세주의자이기 때문이 아니었다. 지금껏 이룬 업적이라고는 의회와 길드가 예상치 못했던 엔드를 군홧발로 짓밟지 못하도록 막았다는 것밖에 꼽을 수 없는, 모호하고 불투명하던 제위에서 마침내 집중할 지점이 생겼기 때문에 유쾌했다. 이제 카르데니아는 세 가지를 알고 있었다.

첫째, 그녀는 상호의존성단의 마지막 황제가 될 것이다.

둘째, 제위 기간 동안의 목표는 무슨 수를 써서라도 최대한 많은 인류의 목숨을 구하는 것이다.

셋째, 그것은 상호의존성단이라는 거짓의 종말을 뜻한다.

상호의존성단이 거짓이라는 것은 사실이었다. 기억의 방에서 라헬라 1세를 불러냈던 날 설명을 듣고 알게 된 대로였다. 플로우로 접근 가능한 거대한 행성 시스템 대부분이 얼마나 인류가 정착하기 쉽지 않은 곳이었는지, 하지만 어떻게 굴하지 않고 전진했는지. 그 독립된 시스템들이 어떻게 무역을 시작하고 서로 자원을 의존하게 되었는지. 바나문 우가 이끄는 일군의 상인들이 어떻게 진정한 권력은 무역이 아니라 플로우 접근 통제권에 있다는 사실을 깨닫고 무장 통행료 징수원으로서 허브에 자리를 잡았는지.

어떻게 위장했는지. 어떻게 '상호의존성단'이라는 급조된 종교적 정신을 바탕으로 바냐문의 딸 라헬라를 명목상의 새 교회와 태동하는 제국의 수장으로 삼아 자원을 배분했는지. 우 가문과 그 동맹 세력은 어떻게 해서 반대 세력에게 귀족 칭호와 무역 독점권을 주고, 영구한 카스트 시스템을 보장하는 '가문과 길드'라는 경제 체제를 도입하여, 다가올 고립을 맞아 인류의 생존을 더 용이하게 해주었을 각 시스템 내부의 경제 다각화를 억제했는지.

간단하게 말해, 상호의존성단이 어떻게 시스템 간의 무역과 협력의 실질적 필요성을 명문화하고 조작했는지. 그것도 가장 꼭대기에 위치한 극소수의 이익을 위해. 우 가문부터. 바로 그녀의 가문부터.

카르데니아는 상호의존성단 계획을 설명하는 라헬라 1세의 단순하고 변명 없는 냉혈함에 충격을 받았지만, 문득 기억의 방에 있는 라헬라 1세가 자아가 없는 컴퓨터 시뮬레이션이라는 사실을 떠올렸다. 이 라헬라 1세는 자신과 그녀의 아버지, 초기 우 가문과 동맹 세력이 취한 행동을 미화하거나 정당화할 이유가 없었다. 컴퓨터 시뮬레이션은 부끄러움을 몰랐다.

그 순간 라헬라 이후의 모든 황제가 바로 지금과 같은 순간을 경험했을 거라는 사실이 다시 떠올랐다. 상호의존성단의 본질에 대해 조상과 이야기를 나누기 위해 기억의 방에 들어서서, 모든 성단 시민에게 주입하고 가르쳤던 제국 건설사가 모두 거짓이었다고 단순명료하게 알게 되는 순간을. 그들 거의 모두 의심은 하고 있었겠지만—나파가 그 모든 게 사기였다고 말하던 꿈은 실제 유령이 찾아온 게 아니라 카르데니아 자신의 무의식이었으니—단순히 의심하는 것과, 비록 시뮬레이션이기는 하지만 신빙성을 확신할 수 있는 조상이 알려주는 것은 다르다.

단순한 궁금증으로, 카르데니아는 지위에게 무작위로 전 황제를 불러내게 해서 그들이 처음 이 사실을 알게 되었을 때 어떤 기분이 들었는지 물어보았다—상호의존성단이 주로 우 가문과 그 동맹 세력의 이익을 위해 창설되었다는 사실을. 그 사실이 그 황제의 제위에 어떤 영향을 끼쳤는지 알고 싶었다. 어떤 황제는 조상의 기만에 충격을 받고 성단 내의 평범한 시민들의 삶을 더 낫게 하기 위해 노력해야 한다는 자극을 받았다. 어떤 황제는 조상의 노골적인 권력 쟁탈에 기쁨을 느끼고 대대손손 우 가문의 권력을 공고하게 하기 위해 노력했다. 두 황제는 너무나 충격을 받아 사임했다. 한 황제는 스스로 엔드로 유배길에 올라 농부가 되었으며, 한 황제는 허무주의에 빠져, 시뮬레이션의 표현대로 '음주와 색'에 몰입했다.

그러나 대부분의 황제는 그저 어깨만 으쓱하고 상호의존성단을 다스리는 일을 이어갔다. 성단이 어떻게 창설되었는지, 누가 이익을 얻었는지 하는 문제는, 성단이 이미 존재하고 통치할 사람이 필요하다, 아무도, 설사 황제라 할지라도 바꿀 수 있는 사람은 없다는 사실에 비하면 학구적인 사안에 불과했다. 성단의 황제들은 어떤 정치적 방향으로든 급진적이어야 하는 존재가 아니었다. 그런 황제는 비밀리에 제거되고 보다 다루기 쉬운 자녀, 혹은 (필요하다면) 사촌으로 교체되었다.

카르데니아는 제위의 첫 아홉 달 동안 황제라는 지위를 둘러싼 거대한 압력, 전통과 의무가 자신을 어떻게 에워싸는지 직면했다. 지금 당장도 정치적으로 밀접한 관련이 있는, 좋아하지도 않는 가문이 건조한 관심도 없는 셔틀을, 모두가 결혼하라고 등을 떠미는 남자와 함께 구경하러 가고 있지 않은가? 이 자체가 지금 이 순간 그녀의 인생을 규정하는 은유가 아닌지.

그러나 지금, 상호의존성단의 종말은 물리적으로 불가피한 사건일 뿐 아니라, 종의 생존에 있어 바람직한 현상이기도 했다. 각자의 시스템이 자원을 모으고 고립에 대비하면 독점 가문은 없어져야 할 것이다. 인류의 존속에 방해가 되는 길드와 귀족 계급은 몰락해야 할 것이다. 상호의존성단이라는 거짓은—그것이 필요불가결하고 바람직하다는 거짓은—막바지에 이르렀고, 애당초 황제가 되고 싶지 않았던 카르데니아가 성단을 끝낼 사람이 될 것이다. 되어야만 한다.

그녀는 이 사실에 거의 들떠 있었다.

"'싱 아웃' 호에 착륙합니다." 황제 전용 셔틀 조종사가 스피커를 통해 말했고, 카르데니아는 고개를 끄덕였다. 그녀는 조수와 경호원을 전원 대동하고 있었지만, 투어의 최소한 일부는 서로 약속한, 아무 이야기나 나눌 수 있는 개인적인 순간을 나누기 위해 그녀와 아미트 둘만 남기로 되어 있었다. 아마 아미트 입장에서는 애정 표현을 시작하는 기회가 될 것이다.

이제는 결혼하는 척할 필요도 없어, 카르데니아의 두뇌 한 부분이 말했다. 그렇게 생각하니 온몸에 유쾌한 전율이 흘렀다. 사실이었다! 아미트와, 혹은 노하마페탄 가문과 결혼을 추진하는 이유는 오로지 길드와 의회 내에서 황제 가문의 위치를 공고하게 하고 야심만만한 가문의 목줄을, 이론적으로나마 단단히 감아쥐기 위한 것이었다.

그러나 이제 감안해야 할 미래는 없다. 최소한 상호의존성단을 위해서는. 카르데니아는 다음 세대를 위해 황제의 권력을 굳건히 하거나, 길드와 의회의 비위를 맞출 필요가 없었다. 그 모든 것이 사라졌다. 남은 것은 몰락 이후 인류를 살아남게 하는 과제뿐이었다. 카르데니아는 그 일을 위해 아미트나 노하마페탄 가문이 필요 없다고 확신했다. 마르스 클레어몬트가 맞다면, 그녀는 강력하게 믿고 있었지만, 몇 주 뒤 모든 사람은 우주가 변화하고 있다는 증거를 직접 보게 된다.

카르데니아는 잠시 마르스 클레어몬트에 대해 생각했다. 그가 사무실에 들어와서 비웃은 순간부터 그녀는 편안한 기분을 느꼈다. 사적이지만 공식적인 만남으로 의도한 자리였으나, 클레어몬트의 뭔가가 그녀의 마음을 바꾸었다. 카르데니아는 형식적인 인사말을 그만두고 대화하는 동안 그의 곁에서 맴돌았으며, 나중에 저녁 식사를 같이하면서 좀 더 이야기를 나누는 일정까지 잡았다.

그에게 끌리는 거지 뭐, 두뇌 한구석이 말했다. 카르데니아는 반박할 수 없었다. 그는 영리하고, 예의 바르고, 귀여웠다. 열 살 차이 이내의 누군가에게 카르데니아가 그 셋을 모두 느낀 관계는 아주 오랜만이었다. 그러나 카르데니아가 반응한 것은 단순히 성적인 이끌림뿐만이 아니었다. 셔틀이 착륙하는 동안, 그녀는 그것이 무엇인지 깨달았다. 클레어몬트는 나파를 약간 연상시켰다. 조금 학구적이고, 조금 냉소적이고, 그녀를 황제 그레이랜드 2세가 아닌, 그냥 카르데니아로 바라본다고 생각되는 사람. 혹은, 그렇게 바라보는 사람.

어쩌면 그냥 친구가 필요한지도 모르지, 그녀는 생각했다. 카르데니아는 이 생각에 서글픈 미소를 띠고 셔틀에서 내려 '싱 아웃'호의 착륙장으로 나섰다. 아미트 노하마페탄이 우주선을 건조한 노동자 최소한 200명과 함께 기다리고 있었다.

카르데니아가 착륙장에 내리자, 그들은 일제히 절했다. "폐하." 아미트 노하마페탄이 그녀를 옆으로 끌어당기며 말했다. "다시 뵙게 되어 기쁩니다." 카르데니아는 그때 아미트의 얼굴에 떠오른 표정을 보았다. 긴장했으나 유쾌한 가면. 분명 뭔가 고민거리를 숨기고 있는 표정. 좋아하지 않는 사람이었으나, 카르데니아는 순간 아미트에게 일말의 동정심을 느꼈다. 지금 무슨 일이 벌어지고 있는지 몰라도, 그리 유쾌한 일이 아니라는 것은 분명했다.

카르데니아는 인사말을 돌려주고 우주선 감독관들과 악수를 하고 줄지어 선 노동자들에게 인사했다. 지위에 따르는 이런 관례는 이미 익숙했다. 그녀는 인사와 손 흔들기를 많이 했다. 아마 남은 평생 그럴 것이다.

아니, 이젠 아니지. 두뇌 한구석이 말했다.

그녀는 조용히 하라고 속으로 꾸짖은 뒤 아미트를 돌아보았다. "투어를 시작할 준비가 되었소, 아미트 경?"

"그럼요, 폐하." 그는 말했다. 카르데니아는 형식적이지만 비우호적이지는 않은 태도로 손을 내밀었다. 아미트는 고맙게 손을 잡고 나란히 착륙장을 나섰다. 황제 수행원들이 뒤따랐다.

테너는 큰 우주선이었고, 예정상 상당히 많이 걸어야 했다. 우주선 주 동체 안에 있는 함교와 공학 캡슐을 둘러본 뒤 화물창과 고리 부위 공장으로 이어지는 일정이었다. 아미트와 카르데니아가 화물창 안에 들어가면 경호원들은 앞뒤 고리 부위에 남게 되고 둘만 있을 것이다. 물론 황제 경호원들은 황제가 발을 들이기 전에 안전을 점검하기 위해 이미 몇 시간 전부터 우주선에 와 있었다. 아미트와 혼자 백 미터 정도 걷는 것은 상대적으로 위험이 적었다.

전체 투어는 두 시간가량 걸릴 예정이었고, 이어 조촐한 차 접대에서 아미트와 카르데니아는 다시 둘만 남을 것이다. 이때 아미트에게 결혼 건은 잊어버리라고 말해야겠다, 카르데니아는 문득 결정했다. 나머지 투어에서 어색한 침묵이 이어지지 않기만 바랄 뿐이었다.

그러나 10분 정도 흐르고 보니, 둘 중 어색하게 침묵을 지키는 것은 카르데니아가 아니라 아미트 쪽이었다. 그는 최소한의 잡담만 건네며 투어 지점마다 자리 잡고 우주선의 구조를 설명하는 선원들에게 말을 맡겼다. 아미트는 질문도 하지 않았다. 정중함으로 해석할 수도 있었지만, 한편 그는 생각이 다른 데로 가 있었다. 그는 선원들의 담당 구역과 업무 설명에 아무 주의도 기울이지 않는 것 같았다. 한번은 카르데니아가 선원에게 시간을 내주어 감사하다고 인사하라는 뜻에서 아미트를 슬쩍 찔러야 했을 정도였다.

거대한 공간을 거닐면서 잠시 둘만의 시간을 가지라는 뜻으로 일정에 넣어둔 것이 분명한 화물창 문으로 들어섰을 때, 카르데니아는 더 이상 참을 수 없다고 생각했다. "아미트 경, 이 투어에서 당신이 따뜻한 개인적인 면모를 보여주기 위한 것이었다면, 유감이지만 대단히 실패하고 계시오." 카르데니아는 걸음을 옮기며 말했다.

아미트는 씁쓸하게 미소 지었다. "네, 폐하. 저도 아주 잘 알고 있습니다."

"무슨 이유라도 있소?"

"저는 오늘 아주 좋지 않은 소식을 많이 받았습니다."

"유감이군. 개인적인 일이오?"

"어떤 면에서. 대부분 사업적인 문제지만, 아시다시피 업무도 때로 개인적인 문제입니다."

"그건 나도 누구보다 잘 알고 있소."

"저도 아시리라 생각합니다." 아미트는 말했다. 두 사람은 휑한 화물창을 조용히 더 걸었다.

화물창 한가운데쯤 왔을 때, 아미트는 멈춰 서서 카르데니아를 돌아보았다. "저와 결혼하기를 원하지 않으시지요, 폐하?"

카르데니아는 뭔가 위안이 될 만한 말을 찾으려고 입을 열었지만, 그냥 불쑥 말했다. "그렇소, 정말 원하지 않소." 말은 그렇게 입에서 튀어나왔다.

"네, 좋습니다." 아미트는 말했다.

"잠깐, 뭐라고?" 카르데니아는 놀라서 되물었다. "실례지만, 아미트 경, 나는 누구보다 당신의 누이에게서 오늘 이 자리가 당신이 내게 구애하는 자리라는 인상을 받았소. 한데 내가 당신과 결혼하기를 원하지 않는다는 말에 눈에 띄게 마음을 놓으시는 건… 뭐라고 할지, 예상치 못했던 일이라."

"죄송합니다, 폐하."

"그러실 것 없소." 카르데니아는 말했다. 이번에는 아미트가 놀랄 차례였다. "나는 이 장황한 정략이 끝나서 속이 시원하니까. 이제 정말 같이 차를 즐길 수 있게 됐다는 뜻이지."

아미트는 이 말에 웃었다.

"하지만 1년 이상 가문 전체와 당신이 압력을 가해놓고 이제 와서 내가 당신과 결혼할 마음이 없다니 마음이 놓인다는 건 이해할 수가 없군."

"복잡합니다." 아미트가 말했다.

카르데니아는 '옆에 아무도 없어. 지금 말해.'라는 뜻으로 주위를 가리켜 보였다.

"짧게 말씀드리자면, 이미 저희 가문이 황제께 지나친 영향력을 갖고 있다고 다른 가문들이 생각한다는 점을 최근 알았기 때문입니다. 이 시점에서 황제께 지나치게 접근했다가는 영향력을 얻기보다 잃을 가능성이 큽니다."

"음, 그 말씀은 어떻게 받아들여야 할지 모르겠소, 아미트 경."

"이해합니다, 폐하. 길드와 의회 정치는 지금도 이미 충분히 복잡한데 앞으로 더욱 복잡해질 거라고 믿을 만한 이유가 있다고 말씀드리면 충분할 것입니다."

카르데니아의 머릿속에서 경고음이 울렸다. "어째서 그런가?"

"단기적으로는 엔드 문제가 있습니다."

"장기적으로는?"

"음, 장기적으로는 누가 확실히 말할 수 있겠습니까." 아미트는 다시 걷기 시작했다.

"아니." 카르데니아는 그 자리에서 움직이지 않았다. 아미트는 멈춰 서야 했다. "실례지만, 아미트 경, 나는 당신이 옥좌에 접근하는 길을 엔드 반란군 때문에 포기하는 거라고 믿지 않소. 당신의 누이가 그럴 거라고도 믿지 않고. 뭔가 다른 일이 있어, 그렇지 않은가?"

아미트 노하마페탄은 과자 상자에 몰래 손을 뻗었다가 들킨 어린 아이 같은 표정을 지었다.

"이 결혼 취소는 당신이 원하는 게 아니군, 그렇지?" 카르데니아는 물었다. "즉, 당신 생각이 아니라는 뜻이오. 누군가 이렇게 하도록 만들었어. 당신 누이인가?"

"그녀는 아닙니다." 아미트는 말했다.

"하지만 당신은 절대 당신 자의로 이 계획을 포기할 리가 없소." 카르데니아는 말했다. "그러니 무슨 이유에서인지, 당신 누이가 포기한 거요. 하지만 나다쉬는 내가 당신과 결혼한다면 집행위원회 자리를 내놓겠다고 말했어. 노하마페탄 가문이 집행위원회에 있는 것이 황가와 결혼해서 후세를 제위에 올리는 것보다 낫다는 판단이었겠지. 그러니 내가 당신 누이와 이야기한 뒤에 뭔가 다른 일이 생긴 거요. 뭐지, 아미트 경?"

아미트는 말이 없었다.

"엔드에 대한 일인가?" 카르데니아는 추궁했다.

"폐하⋯."

"당신은 그 일에 관련되어 있군. 안 그런가? 엔드의 반란에."

아미트는 몹시 갑갑하다는 얼굴이었다. "폐하, 우리가 왜 그러 겠습니까?"

카르데니아는 그 갑갑하다는 표정 뒤에 숨은 우월감의 표현을 무시했다. 보다 큰 질문에 관심이 있었기 때문이었다. 노하마페탄이 엔드의 반란에서 어떤 이익을 얻을 수 있는가? 그들이 어떤 방식으로든 반란에 개입했다면, 그것은 현직 대공의 환심을 사려고 노력하거나, 새 대공으로 교체하거나, 혹은 가문의 일원이 대공직에 오르도록 하는 계획일 것이다―아마 동생 그레니 노하마페탄일 것이다.

하지만 왜? 현직 대공이 쫓겨나고 그것이 노하마페탄 가문의 공작이었다고 밝혀지면, 현직 대공은(보다 현실적으로는 그 후계자들이) 상호의존성단 법정에 소송을 제기하고 판결이 날 때까지 노하마페탄의 수익을 압류하라고 요청할 수 있다. 이런 상황은 사업에 매우 좋지 않다. 노하마페탄이 가문의 일원을 엔드의 대공으로 올린다면, 궁극적으로 아미트의 어머니 제드나가 대공직을 맡고 있는 원래 기반 시스템인 테라툼을 포기해야 하는데⋯.

테라툼.

카르데니아의 두뇌에서 생각의 총괄 역할을 맡은 부위가 모든 조각을 끼워 맞춰 의식 표면으로 밀어올렸다.

"맙소사." 그녀는 아미트를 바라보았다. "알고 있군. 당신은 플로우에 대해 알고 있어."

"무슨 말씀이신지 모르겠습니다." 아미트는 말했지만, 카르데니아가 플로우라는 말을 입 밖에 낸 순간 그 얼굴에 떠오른 놀라움을 감안할 때 거짓말이라는 것을 알 수 있었다.

"당신은 플로우가 붕괴한다는 것을 알고 있어. 테라툼이 다음 차례라는 것도 알고 있고. 테라툼을 버리고 엔드로 가려는 거군." 카르데니아는 잠시 말을 멈추고 아미트를 응시했다. 아직 이해할 수 없었다. "플로우가 붕괴한다는 걸 알면서 당신네 주민들을 살리기 위한 노력은 전혀 안 하는군. 왜지?"

"플로우는 붕괴하는 게 아닙니다. 옮겨갈 뿐입니다." 아미트는 입을 열다가 꾹 닫았다.

카르데니아는 아미트를 계속 멍하니 응시했지만, 다음 순간 두뇌가 작동하면서 그의 말뜻을 깨달을 수 있었다. "아니, 아미트 경. 아니, 아니야. 플로우는 옮겨가는 게 아니오. 완전히 닫혀. 내 말을 들으시오. 오늘 테라툼에 전갈을 보내야 해. 지금 당장. 준비할 시간이 필요해. 사람들이 대비해야 해."

"무엇을 대비한다는 말씀입니까?"

"붕괴에. 아미트, 붕괴에 대비해야 하오."

경보음이 울렸다. 앞뒤에서 경호원들이 두 사람을 향해 달려오고 있었다.

아미트는 놀라 주위를 둘러보았다. "그럴 리가." 그는 속삭였다. "그녀가 그럴 리가 없어. 내게는. 지금은."

"뭔가, 아미트?" 카르데니아는 물었다.

그는 그녀를 바라보았다. "죄송합니다, 카르데니아." 그때 경호원들이 두 사람을 붙들고 카르데니아는 왔던 방향으로, 아미트는 가던 방향으로 떼어놓았다.

양쪽 다 거의 다 출입구에 도착했을 때쯤, 뭔가 우주선에 부딪히면서 벽을 찢고 화물창에 비스듬히 파고들었다. 카르데니아는 경호원에게 질질 끌려 달리기 시작하면서 뒤돌아보았다. 셔틀의 남은 잔해 같은 것이 뒤집힌 채 화물창 벽을 밀고 들어와 아미트와 그의 경호원이 달리고 있는 반대쪽 문을 향해 돌진하고 있었다. 카르데니아는 그의 이름을 불렀지만, 그 목소리는 셔틀이 분해되며 찢기고 밀리는 소음과 화물창 천장에 난 거대한 구멍으로 공기가 빨려나가는 소음에 묻혔다. 황제 경호원이 아미트의 뒤통수를 누르는 모습이 잠깐 시야에 스쳤다. 하지만 다음 순간 그들 모두 덜컹거리며 돌진하는 셔틀의 잔해에 모조리 휩쓸렸다.

공기 손실을 감지한 우주선은 차단벽을 내리기 시작했다. 카르데니아와 이쪽 경호원은 내려오는 문을 향해 전속력으로 달렸지만, 우주선 내의 공기가 빠져나가는 세찬 흐름 때문에 속도를 내기가 힘들었다. 카르데니아는 문이 낮게 떨어지는 것을 보고 못 빠져나갈 것 같아 비명을 질렀다.

다 빠져나가지는 못했다. 경호원들은 그녀를 문 쪽으로 밀었고, 카르데니아는 팔을 뻗은 채 쓰러졌다. 문 반대쪽에서 팔이 뻗어나왔고, 한 손이 그녀의 손을 잡더니 좁은 틈으로 세차게 끌어당겼다. 카르데니아는 어깨가 빠질 것 같은 아픔에 비명을 질렀다. 다음 순간 그녀는 반대쪽으로 굴러나와 문이 쿵 닫히기 전에 서둘러 발을 빼냈다. 그 와중에 신발 한짝이 벗겨지고 없었다.

누군가 다시 그녀를 일으켜 세차게 잡아끌더니 곡선을 이룬 복도를 따라 고리 구역이 우주선 동체와 연결되는 바큇살 통로 쪽으로 향했다. 바큇살이 보이는 지점까지 왔을 때 카르데니아 곁에는 경호원 셋이 남아 있었다. 도대체 어떻게 된 일인지 물어보려는 찰나, 우지직 소리와 함께 뭔가 그녀를 갑판으로 세차게 밀었다. 손목이 삐끗하고 팔과 얼굴이 바닥에 쓸렸다. 다시 바람이 울부짖었다. 넘어졌다 일어선 경호원 중 한 명이 고리 구역에서 밖으로 밀려나가고 차단문이 다시 닫혔다.

카르데니아는 바닥에 넘어진 채 열까지 센 뒤 다시 일어섰다. 그녀는 필사적으로 산소를 찾아 숨을 몰아쉬었다. 우주선에 난 두 군데의 균열 때문에 고리 구역의 공기가 너무 희박해져 질식할 것 같았다. 역시 숨을 헐떡거리던 남은 경호원 중 하나가 벽에 걸린 비상 장비를 발견하고 포장을 부순 뒤 작은 산소 호흡기 두 개를 꺼냈다. 그녀는 호흡기 중 하나를 카르데니아에게 주고 사용 방법을 알려주었다. 카르데니아는 산소를 한 모금 들이마시고 너무나 고마워서 흐느끼기 시작했다.

이어 경호원은 갑판에 쓰러진 채 일어나지 못하는 다른 경호원을 살폈다. 카르데니아가 돌아보니 머리 주위에 피가 고여 있었다. 너무 세게 부딪혀서 출혈로 정신을 잃은 것 같았다.

고리 부위 우주선 표면과 희박한 공기 속에서 커다랗게 삐걱거리고 터지는 신음 소리가 울렸다.

"뭐지?" 카르데니아는 물었다.

"고리는 중력을 생성하기 위해 회전합니다." 경호원은 말했다. "지금은 거기 균열이 생겼습니다. 고리가 저절로 분리되어 나가는 겁니다." 경호원은 카르데니아에게 손을 뻗었다. "어서, 폐하. 저 연결 통로로 가야 합니다."

연결 통로는 푸시 필드를 염두에 두고 설계된 것이었다. 넓은 보행 통로가 주 갑판 옆을 돌아 고리 구역 벽을 타고 연결 통로로 이어졌고, 푸시 필드는 선원들이 벽을 타고 '올라' 안전하게 연결 통로로 갈 수 있도록 도왔다. 연결 통로 반대쪽 끝은 우주선 주 동체였고, 저쪽 끝에도 역시 푸시 필드가 작동하고 있었다.

"먼저 가십시오, 폐하." 경호원이 말했다. 카르데니아는 산소통을 손에 들고 절뚝거리며 벽을 올라 연결 통로로 들어선 뒤 경호원을 돌아보았다. "계속 가세요!" 경호원은 올려다보며 계속 가라고 손짓했다. 그때 우지직거리는 소리가 한층 커지더니, 경호원 아래쪽에서 고리 구역 갑판이 흔들거리며 찢겨나가기 시작하는 광경이 보였다. 이번에는 연결 통로를 봉쇄하는 차단문이 내려가기 시작했다. 카르데니아가 마지막으로 본 경호원의 모습은 카르데니아에게 뛰라고 소리치는 광경이었다.

재촉도 필요없었다. 카르데니아는 푸시 필드가 사라질 때까지 연결 통로를 달렸고, 이어 무중력 상태로 통로를 따라 흘러가다가 벽에 한 번 부딪힌 뒤 주 동체로 이어지는 반대쪽 문을 향해 벽을 타고 내려갔다.

통로를 내려가는 동안, 카르데니아는 벽이 투명하게 되어 있는 부위를 지나쳤다. 밖을 내다보니 우주선 고리의 찢겨나간 잔해가 보였고, 연결 통로가 부서지면서 파편을 흩뿌리며 우주선에서 찢겨나가고 있는 반대쪽 고리가 보였다. 그녀는 잔해를 뒤로하고 계속 떠내려갔고, 눈앞에 주 동체로 이어지는 자난문이 나타났다.

차단문은 봉쇄되어 있었다.

날카로운 충격이 연결 통로를 흔들었다. 카르데니아는 벽에 세게 부딪혀 휙 돌았다. 높은 합창 같은 휘파람 소리가 들려왔다. 연결 통로 아래쪽 벽을 따라 균열이 생겼다. 바늘구멍 같은 작은 구멍 여러 개가 최소한 3미터 길이로 한 줄로 뚫려 있었다. 연결 통로도 공기를 잃고 있었다.

카르데니아는 산소 호흡기를 꽉 쥐고 주 동체와 이쪽을 가로막는 차단문 쪽으로 다가가서 문 옆쪽의 손잡이를 잡고 호흡기로 문을 두드리기 시작했다. 공기는 차츰 희박해지고 차가워졌다. 그녀는 의식을 잃지 않기 위해 가끔 호흡기를 입에 대고 산소를 마셔가며 계속 두드렸다. 얼마나 두드렸을까, 반대편에서 누군가 두드리는 소리가, 아니, 환청이 들려왔다.

그녀는 추위로 의식을 잃을 때까지 두드렸다.

17장

황제 경비대가 길드 하우스의 라고스 가문 사무실에 몰려 들어 갔고, 키바는 이 순간 생각할 수 있는 유일한 반응을 보였다.

"무슨 짓거리야?" 그녀는 자기 사무실에 우뚝 서 있는 프레타 경에게 물었다. 경비대와 수사관은 그의 파일과 태블릿은 물론 사무실 안 모든 사람들의 파일과 태블릿을 뒤지고 있었다.

"황제 암살 기도가 있었습니다." 프레타는 설명했다.

"그게 우리하고 무슨 상관이길래 이 짓거리야?"

"레이디 키바, 제발." 프레타는 경비대를 돌아보았다. "말투에 예의를 갖추십시오."

"말투 좋아하시네." 키바는 말했다. "질문에 대답이나 해."

프레타는 라고스 가문 허브 본부의 이사로서 수장의 딸을 한 대 쳐도 되는지 안 되는지 잠시 생각하는 것 같았다. 잠시 후 그는 안

된다는 결론을 내린 것 같았다. 키바가 볼 때 올바르긴 하지만 실망스러운 결정이었다. 지금 그를 한 대 쳐서 양탄자 위에 납작하게 눕히고 싶다는 충동이 간절했던 것이다. "황제는 새로 건조한 우주선을 둘러보고 계셨습니다. 누군가 황제가 둘러보는 우주선의 고리 구역에 셔틀을 들이박았습니다."

"그래서?"

"그리고 그 셔틀은 우리 우주선 소속이었습니다."

"뭐? 어느 우주선?"

"'예스 써' 호."

"농담이겠지." 키바는 말했다.

프레타는 주위를 둘러보며 눈썹을 치켜세웠다. '내가 농담하는 거면 지금 이 사람들이 여기서 이러고 있겠니.'라는 말 같아서 키바에게는 대단히 거슬렸다.

"레이디 키바." 등 뒤에서 목소리가 불렀다. 돌아보니 대단히 참견을 좋아할 것 같은 인간 하나가 그녀를 바라보고 있었다.

"누구야?"

"히버트 림바. 황실 경호원 대장입니다. 이야기를 좀 하고 싶습니다."

"좋아. 나도 당신하고 이야기를 하고 싶으니까." 키바는 프레타를 돌아보았다. "나가."

"여긴 제 사무실입니다." 프레타는 항의했다. "당신은 당신 어머니가 아닙니다, 레이디 키바."

"아니지." 키바는 말했다. "원하면 어머니에게 전화해서 항의

해. 그러기 전에는 꺼져. 난 이 사무실이 필요해."

프레타는 잠시 바라보고 있다가 나갔다. 사무실 안에 있던 경비대와 수사관들이 나가는 그의 모습을 빤히 바라보았다.

키바는 그들에게 손짓했다. "나머지도 다 꺼지라고 해." 그녀는 림바에게 말했다.

"다들 꺼져." 림바는 말했다. "15분간."

다들 나갔다. 림바는 그들 뒤로 문을 닫았다.

"어떻게 우리 셔틀이 이 빌어먹을 일에 동원된 거야?" 그녀는 프레타의 사무 의자에 다가가 털썩 주저앉으며 물었다.

"그걸 제게 묻다니 재밌군요, 레이디 키바." 림바는 말했다. "저도 같은 질문을 하려고 했습니다. 아마 욕설은 안 붙였겠지요."

"보시다시피 난 몰라."

"당신은 '예스 써' 호 선주 대변인이었습니다."

"맞아."

"엔드에서 허브로 돌아오는 길에 엔드의 망명자를 가득 싣고 오셨지요. 거기 내전을 피해 탈출한다는 핑계로."

"맞아. 그래서?"

"그러니 그 망명자 중 한 명, 혹은 그 이상이 여기 도착한 뒤 모종의 계획이 있었을지도 모릅니다."

키바는 코웃음을 쳤다. "우리가 허브로 싣고 온 그놈들 중 한 명이 황제가─이제 막 즉위한, 우리가 거기서 출발할 때쯤 즉위한 황제가─특정한 시각에 특정한 우주선에 있을 거라는 사실을 알고 그녀를 제거하려고 셔틀을 '빌렸다'는 건가."

"가능성이 크다고 생각지는 않습니다. 여기 있던 누군가 그들이 도착한 뒤에 지시를 내렸다고 봐야겠지요."

"그건 무슨 뜻이야?" 키바는 물었다.

"레이디 키바, 오늘 공격당한 우주선에 대해 알고 계십니까?"

"몰라."

"'싱 아웃' 호였습니다. 노하마페탄 가문이 건조한 새 테너죠."

키바는 아무 말도 하지 않았다.

"그 우주선이 공격당하기 얼마 전 당신과 당신 어머님이 사업 관련 분쟁으로 아미트 노하마페탄을 협박했다고 레이디 노하마페 탄이 말씀하시더군요."

"협박한 게 아니야. 그의 가문이 엔드에서 우리 사업에 대해 취한 특정 행동에 대해 불쾌감을 분명히 표시한 것뿐이지. 우린 법정 밖에서 해결하자고 제안했어. 당신이 그에게 직접 물어봐."

"그러고 싶습니다만, 우주선이 공격당할 때 그는 황제 폐하와 같이 있었습니다. 폐하는 살아남았지만, 아미트 노하마페탄은 불행히도."

"아, 젠장." 키바는 잠시 후 내뱉었다.

림바는 고개를 끄덕였다. "원하신다면 사진을 보여드리겠습니다. 하지만 남은 것은 별로 없습니다. 우주선 갑판에 뭉개진 것 말고는 대부분 우주로 튀어나갔으니까.

"우리가 그랬다고 생각하는 건 아니겠지."

"음, 레이디 키바, 당신이 말씀하셔야지요. 당신은 엔드에서 돌아오면서 노하마페탄 가문과 사업상 분쟁이 있었고, 우주선에는 상호의존성단 곳곳을 공격하는, 전에도 황제를 암살하려고 시도했던 반란군이 득실거리는 행성 출신의 난민을 잔뜩 싣고 왔습니다. 그러니 이 암살 기도는 단지 황제만을 겨냥한 것이 아니라 노하마페탄 가문의 수장 후계자를 제거하고 새 테너 우주선이 가동되기 전에 파괴해서 부수적으로 막대한 금전적 손해를 끼치기 위한 것이겠지요. 당신과 이 엔드 출신의 테러리스트들이 일거양득의 이익을 꾀했다고 쉽게 상상할 수 있지 않겠습니까?"

"상상은 마음대로 해." 키바는 말했다. "그런다고 그게 사실이 되지는 않으니까. 어쨌든 말도 안 되고. 우리 입장에서는 합의를 실행에 옮기려면 아미트 경이 살아 있어야 했어. 그러기 전에 그가 죽으면 우리에게는 좋을 게 없지. 이제 그쪽에서 우리가 개입했다고 생각한다면, 우리와 어떤 일도 하지 않으려 할 거 아닌가."

림바는 미소 지었다. "그 점은 사실이겠지요. 레이디 나다쉬는 격노했고, 라고스 가문에 화력을 집중하지 못하는 것도 단지 엔드로 군대를 보내자고 독려하느라 바빠서이니까요."

키바는 노하마페탄과 엔드 반란군의 결탁에 대해, 왜 그 점에 대해 알아보지 않느냐고 말하려다가 이가 부딪혀서 딱 소리가 날 정도로 얼른 입을 닫았다.

"네, 레이디 키바?" 림바는 이 기색을 눈치채고 물었다. "무슨 생각이 나셨습니까?"

"당신의 이 추론을 뒷받침할 근거가 있는지 궁금했어."

림바는 주위를 손짓했다. "우리가 여기 있는 이유가 있지요. 당신이나 당신의 어머니가 개입했다 해도, 이런 계획을 기록 가능한 매체에 저장할 정도로 어리석다고 생각하지 않습니다. 하지만 직원들 모두가 그렇지는 않겠지요. 그렇다면 우리가 찾아낼 겁니다. 그동안 레이디 키바, 허브폴로의 여행은 당분간 제한하고 비빌리에 움직임을 감시하겠습니다. 물론 당신뿐만 아닙니다. 당신의 어머니, 프레타 경, 허브와 시안에 주재하는 귀사 중역 대부분도 마찬가지입니다."

"내 어머니가 순순히 납득하지 않을걸."

"난 그러거나 말거나 아무 상관없다고 백작께 말씀해주십시오. 이 말 그대로 전하셔도 됩니다. 누군가 내 경호하에 있는 황제를 두 번째로 암살하려고 했습니다. 무슨 수를 써서든 반드시 내가 찾아낼 겁니다. 그게 만약 당신이라면, 혹은 당신 어머니나 라고스 가문과 관련 있는 인물이라면, 당신이 얼마나 지위가 높고 권력이 세고 아랫사람을 얼마나 협박하든지 난 관심 없습니다. 해야 한다면 당신과 당신 가문을 반드시 파멸시킬 겁니다."

"어머니에게 그렇게 알리지."

"하십시오. 그리고 레이디 키바, 실례지만 내 부하들은 이제 일해야 합니다." 그는 문을 열고 경비대와 수사관들을 다시 들어오게 했다. 키바는 그들이 줄지어 들어오는 모습을 보다가 의자에서 일어나 사무실을 나가서 엘리베이터로 향했다. 경비 한 명이 하던 일을 멈추고 그녀에게 다가왔다.

"아, 왜 이래." 키바는 경비에게 말했다. "네 상관이 눈에 띄지 않게 감시하라고 했을 텐데."

"눈에 띄지 않게 하고 있습니다." 경비는 키바 옆에 서면서 말했다.

키바는 눈동자를 굴리고 싶은 충동을 억눌렀다. "이름이 뭐지?"

"브레냐 피토프 경위."

"경위, 지금 이 순간부터 수사가 끝날 때까지 내가 혼자 있는 시간을 가질 수 있을까?"

"아니요."

"그럼 똥 눌 때도 지켜보겠다는 얘기군."

"아닙니다."

"좋아."

"화장실에 창문이나 다른 출입구가 없다면."

엘리베이터 문이 열리고 키바는 안에 들어섰다. 피토프 경위도 따랐다.

"1층 버튼을 눌러." 키바가 말했다.

"전 따라다니기만 합니다, 레이디 키바. 당신 하인이 아닙니다." 피토프는 말했다. 그래도 버튼은 눌렀다.

◇◇◇

"어디 계십니까?" 블리니카 함장이 태블릿을 통해 키바에게 말했다. 황실 경비대가 압수하지 않은 태블릿이었다.

"내 호텔 방 욕실에." 키바가 말했다.

"그 소리는 뭡니까?"

"샤워야."

"샤워하면서 전화하셨습니까?"

"아니, 통화하려고 물을 틀었어. 내 호텔 방에 경비가 있어."

"경비는 뭘 하고 있지요?"

아주 녹초가 되도록 한판 구른 뒤에 침대에 누워 있지, 키바는 생각했지만 입 밖으로 내지는 않았다. 이렇게 철저히 감시당해야 한다면, 최소한 뭔가 얻어내는 것도 있어야겠지. "내가 샤워를 끝낼 때까지 기다릴 거야. 그러니 본론으로 들어가지. 우리 셔틀은 어떻게 된 거지?"

"셔틀은 우주 정거장에서 돌아오는 도중에 통신이 두절되고, '싱 아웃' 호가 건조되는 항구로 기수를 돌려 들이받았습니다. 셔틀이 돌진하는 것을 보고 황실 경비대가 포격했지만, 들이받기 전에 완전히 파괴하지는 못했습니다."

"조종사는 누구였어?"

"링 시."

키바는 얼굴을 찌푸렸다. 시는 대단히 유능하고 전혀 재미없는 성품이었으며, 그녀가 알기로 개인적인 정치적 동기가 없었다. "그녀가 그 우주선에 셔틀을 들이받다니 말이 안 돼."

"그녀가 그랬다고 생각하지 않습니다." 블리니카가 말했다. "셔틀 조종석 데이터를 갖고 있습니다. 비행 도중 많은 활동이 기록돼 있는데, 비행 데이터가 없습니다—보다 정확히 말해 해당 경로에 대한 비행 데이터죠. 조종사가 실제로 조종하는 장면이 아니라, 셔틀을 조종하려고 노력하는 장면만 확인할 수 있습니다."

"그럼 납치당했다는 이야기군."

"네. 어떤 방법으로든 셔틀을 해킹해서 자동 항법, 혹은 원격으로 '싱 아웃'에 들이받은 것 같습니다."

"황실 경비대에도 말했나?"

"묻지 않더군요. 그들이 알아낼 때까지 기다리기로 했습니다. 무작정 우주선에 들어와서 가져갈 수 있는 모든 걸 다운로드하고 화물창 한 곳에 진을 쳤어요. 아직 거기 있습니다. 나와 상급 선원들에게 질문도 했지만, 그건 몇 시간 전입니다. 우린 우주선 밖으로 나가는 걸 금지당했습니다. 지금은 뭘 하는지 모르겠습니다."

"셔틀에는 시 외에 다른 사람은 없었나?"

"네."

"그전에는? 그녀가 셔틀을 몰고 우주 정거장으로 갔지? 그때는 누가 같이 있었나?"

"잠시만 기다리십시오." 블리니카는 말했다. 키바는 기다렸다. 기다리는 동안, 정말 샤워를 해야겠다는 생각이 들었다. 그녀와 피토프 경위는 대단히 뜨거웠다. 키바는 옷을 벗고 태블릿을 스피커 모드로 돌린 뒤 샤워에 들어갔다.

"승객 두 명이 있었습니다." 블리니카가 돌아와서 말했다. "사실 세 사람입니다. 르윈이라는 이름의 부부. 그리고 브로쉬닝이라는 이름의 남자. 그들은 '예스 써' 호를 완전히 떠났습니다."

"어디로 갔는지 알고 있나?"

"모릅니다."

"하지만 누군가 알고 있는 사람이 있지? 알아낼 방법이 없나?"

"모르겠습니다. 난 함장입니다. 사립 탐정이 아니라."

"가슨 매그넛에게 물어봐. 화물창에 짐이 있고 셔틀로 가져가지 않았다면, 어디로 보내라는 요청이 있을 거야."

"짐은 방금 내렸습니다. 거기에서부터는 우주 정거장이 취급합니다."

"그럼 그들에게 물어봐."

"말하기는 쉽지요."

"황실 경비대는 우리가 황제를 암살하려 했다고 생각하고 있어." 키바는 말했다. "노력을 좀 해봐도 좋을 것 같은데."

블리니카는 잠시 말이 없었다. "스피커 켜놓으셨습니까?"

"아마."

"남들에게 들리지 않게 한다고 하셨잖습니까."

"진짜 샤워가 더 필요했어."

"그건 제가 몰랐다면 더 좋았을 뻔했습니다."

"그 사람들을 찾아줘. 어디 있는지 알려달라고."

"장담은 못합니다."

"그럼 교도소에서 다시 보게 될 거야."

블리니카의 한숨 소리가 들려왔다. "전화는 다시 걸지 않겠습니다. 받으실 때 뭘 하고 있을지 두렵습니다. 메시지를 보내죠."

"보안 회선으로."

"당연하지요." 블리니카는 말하고 전화를 끊었다.

키바는 샤워를 끝내고 물을 잠그고 수건으로 몸을 닦고 문을 열었다. 피토프 경위가 문 반대쪽에 붙어 서 있었다.

"그 사람들을 쉽게 찾는 방법이 있어요." 피토프가 말했다.

"문밖에서 엿듣고 있었어?" 키바는 믿기지 않는다는 듯 물었다.

"네."

"뭘 들었지?"

"스피커를 켠 뒤 당신이 한 말 대부분."

"믿을 수가 없군."

"우리가 섹스를 했다고 해서 내가 일을 안 하는 건 아닙니다. 레이디 키바."

키바는 입을 열었다가 다시 닫았다. "대답할 말이 없어." 그녀는 마침내 말했다. "그 사람들을 쉽게 찾는 방법이 뭔지 말해 봐."

"영구 이주를 위해 우주 정거장에 도착하는 사람들은 세관에 자기가 머무는 곳을 알려야 합니다. 영주권 허가가 나기 전까지는 이민국이 행적을 파악하고 있어야 하니까요."

"그럼 세관이 알고 있겠군."

"아마도."

"때로 사람들은 행선지에 대해 거짓말을 해."

피토프는 고개를 저었다. "세관을 떠나기 전에 호텔 예약증이나 신세지는 사람의 이름과 주소를 제시해야 하고, 도착한 뒤에 다시 신고해야 합니다."

"그런 다음 다시 나가서 사라질 수도 있잖아."

"최소한 지금보다는 그들을 찾는 데 한 걸음 가까이 가겠지요."

"그럼 이제 내가 세관에 어떻게 이야기하면 되지?"

"그럴 필요 없습니다. 내가 하죠."

"왜 날 돕겠다는 거야?"

"돕지 못할 이유가 없으니까요. 내가 당신을 위해 하는 모든 일을 상관에게 보고한다는 것만 알고 있으면 됩니다."

키바는 눈썹을 치켜세웠다. "모든 걸 다 보고하는 건 아니길."

"아니요. 섹스도 보고할 겁니다."

이 말에 키바는 잠시 생각에 잠겼다. "미행하는 사람과 섹스하는 건 비윤리적인 일 아닌가?"

피토프 경위는 어깨를 으쓱했다. "늘 가까이 있으라는 명령을 받았는데요."

키바는 웃었다. "마음에 들어, 피토프 경위. 내 타입이야."

"고맙습니다, 레이디 키바. 그 이름을 다시 말해주세요. 물소리 때문에 잘 못 들었습니다."

◇ ◇ ◇

타피드와 춘 르윈은 우주 정거장의 중저가 호텔 프림로즈에 머물고 있었다. 키바에게는 좋을 게 없었다. 허브에서 나갈 수가 없으니. 나중에 상대해야 할 것이다. 죠크 브로쉬닝에 대한 정보를 기다리고 있는데, 커다란 소리가 나더니 호텔 로비에서 비명 소리가 들려왔다. 키바는 옷장 안에서 가운을 찾아 입은 뒤 문을 열고 호텔 안뜰을 통해 세 층 아래를 내려다보았다. 뭉개진 시체가 16층 위의 호텔 천장을 올려다보고 있었다.

"찾았습니다." 피토프가 객실에서 말했다. 그녀는 다른 가운을 입고 복도로 나와서 키바에게 브로쉬닝의 사진이 들어 있는 정보를 태블릿으로 보여 주었다.

키바는 사진을 보았다. "나도 방금 찾은 것 같군." 그녀는 호텔 바닥을 가리켰다. 사람들이 둘러싸고 있었고, 피가 흘러나오기 시작하고 있었다. 그때 뭔가 다른 것이 눈에 띄었다. 키바는 가운 차림으로 복도 저쪽 엘리베이터로 향했고, 피토프가 뒤따랐다.

로비 층에서 키바는 안뜰로 들어가 시체와 모여 있는 사람들을 지나쳐서 멋진 인공 식물이 꽂혀 있는 장식용 화분으로 향했다. 커다란 식물의 잎 안쪽에 키 카드가 꽂혀 있었다. 키바는 카드를 집어 들고 다시 시체와 인파를 지나친 뒤 안내 데스크로 향했다. 아주 충격을 받은 듯한 호텔 부지배인의 눈길이 그녀를 향했다.

"죠크 브로쉬닝에게 연락해주겠습니까? 약속이 있는데, 객실 번호를 잊었습니다."

"네, 그러지요." 지배인은 스크린을 켜고 이름을 검색한 뒤 통신 패널에서 객실 번호를 눌렀다. "응답이 없습니다." 그는 잠시 후 말했다.

"그냥 객실 번호를 알려주시면 안 될까요?"

"죄송합니다만, 그건 규정 위반입니다."

"알겠습니다." 키바가 돌아서자 피토프가 막 따라붙었다. 키바는 그녀 옆을 그대로 지나쳐서 다시 엘리베이터를 타고 12층 버튼을 눌렀다. 따라 탄 피토프도 층을 눈여겨보았지만 아무 말도 하지 않았다.

12층에서 내린 키바는 1245호로 향했다. 지배인이 스크린에서 누른 번호였다. 그녀는 카드를 문에 갖다 댔다. 문은 잠겨 있지 않았다.

"여기는 따라오지 않는 게 좋을걸." 키바는 피토프에게 말했다. "증거물 훼손으로 기소될 수도 있어. 가운 차림으로."

"닥치고 문 여세요." 피토프는 말했다. 키바는 어깨를 으쓱하고 들어섰다.

객실 침대는 구겨져 있었지만, 시트는 젖혀져 있지 않았다. 누군가 침대에 누운 적은 있지만 자지는 않은 것 같았다. 그것 외에 방은 깨끗했고 수트케이스와 다른 소지품은 짐을 풀지 않은 상태였다. 책상을 보니 수첩과 펜이 눈에 띄었고, 수첩 맨 윗장에 글자가 적혀 있었다. 키바는 책상으로 다가가서 수첩을 건드리지 않고 내용을 읽었다. 촘촘하고 작은 글씨였다.

나는 엔드에서 옥수수와 바누를 재배한다. 바누는 곰팡이 때문에 말라 죽었다. 오렌지류 때문이라고 하는데, 내 생각에는 옥수수에서 옮은 것 같다. 옥수수 농사도 실패했다. 나는 모든 것을 잃었고, 전쟁이 나를 쫓아냈다. 떠나려 했지만, 돈이 없었다. 그런데 그레니 노하마페탄이 내게 만나자고 했다. 내게 돈을 주겠다고 했다. 내 바누 농사에 생긴 일에 책임을 느낀다고 했다. 내가 좋은 영업권자였다고 했다.

그는 허브에 도착하면 체 이솔트라는 이름의 세관원을 만나서 무엇을 할지 물어보라고 했다. 이솔트는 우주선에 올라와서 내게 트랜스미터 상자를 주었다. 내릴 때 셔틀에 두고 내리라고 했다. 나는 그렇게 했다. 그리고 호텔에 와서 모니터를 켰고, 셔틀에 무슨 일이 생겼는지 알게 되었다.

그들이 알아낼 것이다. 그들은 분명 날 찾아낼 것이다. 아무도 나를 믿지 않을 것이다. 나는 이미 너무 많은 것을 잃었고, 어리석게 이용당했다. 나는 허브에서 새로 인생을 시작할 기회가 있을 거라고 생각했다. 내 생각이 틀렸다.

소동을 일으켜서 미안하다.

"빌어먹을 노하마페탄." 키바는 피토프를 돌아보았다. "태블릿 있나?" 피토프는 태블릿을 들어 보였다. "상관에게 연락해."

"뭐라고 말하라는 건가요?"

"나와 내 가문을 함정에 밀어넣으려는 음모를 찾았다고 해."

"유서 한 장으로 그렇게 믿지는 않을 텐데요."

"이건 그냥 유서 한 장이 아니야."

"그래도 시간이 필요할 겁니다."

키바는 고개를 끄덕였다. "그래. 할 일이 끝나면, 당신 태블릿을 좀 빌려줘."

"왜요?"

"내 부하에게 전화해서 브로쉬닝을 찾는 일은 그만둬도 된다고 전해야 하니까. 다른 사람에게도 연락해야 해."

"누구?"

"내 가문을 함정에서 꺼내는 작업의 속도를 아주 높여줄 만한 사람."

18장

황실 경비대가 문을 열어 젖혔고, 마르스 클레어몬트는 집행위원회가 아침 첫 회의를 하고 있는 화려하고 커다란 방에 들어섰다. 그는 폴더를 쥔 채 눈을 쟁반만큼 커다랗게 뜨고 거대한 방의 바로크풍 디자인을 둘러보았다. 황궁에 아무리 오래 머물더라도 이 우스꽝스러울 정도의 사치만은 절대 익숙해지지 못할 것 같았다. 한마디로 과잉이었다.

마르스는 집행위원회가 둘러앉은 탁자로 다가갔다. 황제는 아직 암살 기도의 충격에서 회복하느라 자리에 없었다. 그레이랜드 2세가 코르빈 대주교라고 알려준 사람이 상석에서 조용히 그를 쳐다보았다. 마르스는 그녀에게 절하고 나다쉬 노하마페탄을 찾아 잠시 탁자를 둘러보았다. 전에 본 적은 없었지만, 곧 알아볼 수 있었다. 집행위원회의 다른 어떤 위원들보다 젊었고, 동생 그레니와 비슷한 인상이었다. 마르스가 누구인지, 무엇을 하러 왔는지 알 길 없는 나다쉬는 중립적인 시선으로 그를 마주 보았다.

"새로운 분이군." 코르빈 대주교가 말했다.

마르스는 고개를 끄덕였다. "네, 저는 마르스 클레어몬트, 황제 폐하의 새 과학 정책 자문입니다. 엔드에서 도착해서 어제 갓 채용되었습니다."

이 말이 나다쉬의 주의를 끌었지만, 그녀는 그런 기색을 숨겼다. 마르스가 반응을 기대하며 미리 살피고 있지 않았다면, 못 보고 지나쳤을 것이다.

코르빈은 미소 짓고 위원회에게 눈길을 주었다. "둘째 날치고는 큰 자리겠군."

"네, 맞습니다. 큰 자리입니다. 아시는 것보다 더."

"폐하의 상태에 대해 전해주시겠다고 한 것으로 알고 있소." 코르빈이 말했다.

"네. 괜찮으시다면 폐하께서 위원회에 알리라고 하신 다른 용건도 있습니다."

"물론이오."

"폐하의 상태는 호전 중입니다. 공기가 새는 우주선에 갇혀 있었던 탓에 아직 추위와 저산소증의 영향을 겪고 계십니다만, 다행히 경비가—남아 있던 사람들이—생명이 위험한 상황까지 가기 전에 다행히 폐하를 무사히 구해냈습니다. 운이 좋으셨습니다. 폐하를 지키다 순직한 다섯 명의 경비보다, 아미트 노하마페탄 경을 구하려다 순직한 네 명의 경비보다 운이 좋으셨습니다." 그는 고개를 돌려 나다쉬에게 끄덕였다. "삼가 조의를 표합니다. 레이디 나다쉬."

"고맙습니다." 그녀는 대답했다.

"물론이지요." 마르스는 코르빈을 돌아보았다. "드리닌 박사는 황제 폐하가 며칠 더 의사의 관찰하에 침대에서 쉬면서 몸을 추스리실 시간이 필요하며, 그동안 집행위원회는 안건을 알아서 처리하도록 하시는 게 좋을 거라고 했습니다. 엔드와 그 반란군 진압을 위한 제국군 투입에 대해 의회 승인 건을 말씀하신 거라고 믿고 있습니다."

"폐하는 그에 대해 뭐라고 하셨소?" 코르빈은 말했다.

"폐하는 황제 부재 상태에서 집행위원회가 대신 승인을 처리하되⋯."

"지금보다 적기는 없소." 의회에서 수송선 '라헬라의 예언' 호를 엔드에 파견하자는 데 한 표 던진 우펙샤 라나퉁가가 말했다.

"⋯제가 말씀드릴 두 번째 정보를 이 위원회와 공유한 뒤에 승인 여부를 결정하길 원한다고 말씀하셨습니다."

"그건 무엇인가?" 코르빈이 물었다.

"이겁니다." 마르스는 들고 있던 폴더를 펼쳤다. 안에는 아홉 건의 서류가 들어 있었고, 각각 상당히 두꺼운 페이지를 스테이플러로 찍어 묵직했다. 마르스는 보고서를 위원들에게 돌리기 시작했다.

"이건 뭐요?" 라나퉁가가 물었다.

"몇 년 전 제 아버지가 하티드 로이놀드라는 박사 과정 학생에게서 받은 과학 논문 초기본입니다. 그녀가 아버지에게 이 논문을 보낸 이유는, 제 아버지가 비록 엔드의 제국 감사관으로 일하고 계시지만 거기서 아타비오 6세가 명한 다른 임무도 수행하고 있었기 때문입니다. 아버지는 저와 마찬가지로 플로우 물리학자이며, 전 황제께서는 아버지에게 상호의존성단 내 플로우의 안정성에 대한 데이터를 수집하라고 하셨습니다. 거의 모든 신뢰할 만한 플로우 학자들의 장담에도 불구하고, 아타비오 6세는 이 중대한 무역로가 붕괴할지도 모른다고 염려하고 계셨습니다."

"그러한가?" 라나퉁가가 물었다.

"전에도 그런 일이 있었습니다." 마르스는 말했다. "가장 잘 알려진 예로 천 년 전 우리 조상별 지구로 가는 플로우의 붕괴가 있었지요. 달라시슬라 시스템과 연결되는 플로우 역시 200년 전 붕괴했습니다. 그러나 그 이후로 플로우 흐름은 대단히 안정적으로 유지되었으며, 이로 인해 상호의존성단은 융성하고 번영할 수 있었습니다."

코르빈은 보고서를 당장 펼쳐 보지 않고 흔들었다. 다른 위원들도 탁자에 내려놓았다. 나다쉬 노하마페탄은 자기 보고서를 내려놓고 태블릿에 뭔가 적었다. "이 보고서에 플로우 흐름이 붕괴한다는 의견이 적혀 있나?"

"아닙니다." 마르스는 말했다. "이 논문에는 플로우가 몇 년 안에 급진적으로 재배치되는 변화를 겪는다는 주장이 들어 있습니다. 지금 우리가 사용하는 대부분의 플로우가 없어지지만, 다른 플로우가 나타나 성단의 무역은 계속될 수 있다는 내용입니다. 단지 허브가 아닌 엔드가 이 새 플로우 네트워크의 중심이 될 것으로 예측하고 있지요."

"그것이 정확한가?" 코르빈이 물었다.

"로이놀드도 그 점을 알고 싶어서 아버지에게 논문을 보냈습니다. 아버지도 그전에 같은 주제로 논문을 쓰고 교우 관계였던 아타비오 6세와 그 내용에 대해 논의했던 바가 있습니다. 아버지는 아타비오 6세의 요청으로 이 주제에 대한 연구를 공적으로 수행하는 것을 중단했지만, 초기 논문은 공개 상태로 남아 있었으니까요. 로이놀드는 아버지가 이 주제에 대해 자신의 연구를 진지하게 검토해줄 유일한 사람이라고 여겼습니다."

"그는 뭐라고 대답했소?"

"아무 대답도 하지 않았습니다. 황제를 위해 비밀리에 연구하던 중이었으니까요. 아버지가 연구 결과를 공유한 유일한 사람은 접니다. 제가 연구를 돕고 있었으니까요. 최소한 공적으로는 하티드 로이놀드도 이 주제에 대한 연구를 중단했습니다. 그녀의 박사 학위 논문은 전혀 다른 방향이었지요. 그러나 황제 경비대가 간밤에 그녀와 이야기를 나눴습니다. 알고 보니 제 아버지처럼 로이놀드 역시 사적인 후원자를 찾아서 플로우의 이동에 대한 연구를 계속하고 있었습니다. 바로 나다쉬 노하마페탄."

모든 눈길이 나다쉬에게로 향했다. 그녀는 미소 지었다. "이 얘기가 나올 줄 알았지." 그녀는 코르빈을 똑바로 바라보았다. "하티드는 제 대학 시절 친구입니다. 금전적인 곤경에 처해서 절 찾아왔지만, 자선은 사양한다고 했지요. 그래서 대신 이 주제에 대한 연구를 지원하기로 했던 겁니다. 저는 이 연구와 다른 작업을 끝낼 비용을 지불했고, 그녀는 분기마다 보고서를 보냈습니다. 별로 중요하다고 생각하지 않았기 때문에 저는 읽어보지도 않았습니다."

"유감입니다만, 레이디 노하마페탄, 그렇지 않다고 믿을 만한 이유가 있습니다." 마르스가 말했다.

나다쉬는 마르스를 돌아보았다. 할 수만 있다면 마르스의 가슴에 구멍이라도 낼 만한 시선이었다. "이유가 무엇인가, 클레어몬트 씨?"

"클레어몬트 경입니다, 레이디 나다쉬." 마르스는 말했다. "당신 오빠도 다르게 말했고요."

"누구에게?"

"우리에게." 그레이랜드 2세가 문간에서 말했다. 이미 일어서 있던 마르스를 제외하고 모든 사람이 자리에서 일어섰다. 마르스는 그레이랜드 2세의 갑작스러운 등장에 미소 지었다. 아까 이야기할 때 계획한 상황은 아니었지만, 마르스가 찾아가서 키바 라고스의 이야기와 자신의 개인적인 정보를 알려주자 크게 동요했다는 것을 알 수 있었기 때문이었다. 황제가 그에게 자신이 알고 있는 이야기를 해주니 섬뜩하게도 모든 것이 다 들어맞았다. 황제가 전화를 걸어 몇 가지 단서가 될 만한 사실을 확인한 뒤 두 사람은 이 자리를 기획했고, 마르스가 전달을 맡았다.

그러나 마르스는 마이크를 장착한 상태였기 때문에, 황제는 다른 방에서도 대화 전체를 다 들을 수 있었다. 너무 멀어서 나다쉬 노하마페탄의 말을 들을 수 없을 상황이었는데도 회의장에 들어서면서 곧장 대답할 수 있었던 것은 그 때문이었다. 마르스는 훌륭한 심리적 효과가 있다고 인정하지 않을 수 없었다.

그레이랜드는 천천히 탁자로 다가와서 모두에게 앉으라고 손짓했다. 코르빈 대주교는 다른 곳에 앉기 위해 상석에서 비켜났지만, 황제는 계속 있으라는 뜻으로 손짓했다. 그녀는 마르스 옆으로 다가가서 그에게 기댔다.

"레이디 나다쉬, 당신 오빠는 당신 가문이 로이놀드 박사의 연구에 대해 알고 있었다고 말했소." 그레이랜드는 말했다. "새 우주선을 들이받은 셔틀에 찢겨 죽기 직전에. 그때는 그가 무엇을 말하는지 알지 못했소. 하지만 그 뒤 여기 클레어몬트 경과 얘기를 나누었는데, 그는 로이놀드 박사의 초기 논문을 읽었기 때문에 당신 오빠의 말이 무슨 뜻이었는지 곧장 이해했소. 클레어몬트 경은 그 논문 내용을 알고 있었고, 그 내용이 틀렸다는 것을 알고 있었소."

"틀렸습니다." 마르스는 동의했다. "수학적 전개가 엉터리였습니다. 최신 연구는 읽지 못했지만, 아직도 플로우 이동을 주장하고 있다면, 그 초기 실수를 수정하지 못한 것이 분명합니다."

"하지만 당신이 알 리가 없었지." 그레이랜드는 나다쉬를 향해 말을 이었다. "그래서 당신과 당신 가문은 엔드가 상호의존성단의 중심이 될 거라는 가정하에 음모를 꾸몄소. 그 일이 일어날 때 당신이, 우 가문이 아니라 당신 가문이 플로우에 대한 통제권을 쥘 수 있도록. 엔드에 반란을 사주하고, 당신 남동생 그레니를 보내

반란을 지휘하고, 상황을 악화시키기 위해 농작물 바이러스를 유포하고, 이를 라고스 가문에게 뒤집어씌워서 당신들의 흔적을 지우고 앙숙에게 복수하려 한 거요."

"한편 여기 허브에서 당신은 엔드의 대공을 돕는 대규모 군사 작전을 선동하고, 해적을 시켜 무기를 탈취해서 대공으로 하여금 더 절박한 행동을 취하게 했습니다." 마르스는 말했다. "이곳과 성단 전역에 테러 공격을 기획하고 실행해서 군사 개입의 명분도 만들었지요."

"그건 거짓말이오." 나다쉬가 말했다.

"나는 체 이솔트를 구금했소, 레이디 노하마페탄." 그레이랜드는 말했다. "관세 및 이민국에 근무하는 당신 수하. 추궁하니 거의 즉시 실토하더군. 그는 당신과 엔드의 이민자 사이에서 어떻게 중개 역할을 했는지 다 털어놓았어. 어제 일에 대해서도 말했소. 아무것도 모르는 이민자에게 유지 보수 프로그램을 통해 셔틀을 해킹하는 트랜스미터를 설치해서 당신 우주선을 들이받게 했다고. 그가 왜 그렇게 쉽게 실토했는지 알고 있나?"

"이 일이 노하마페탄 가문에 대한 공격인 것처럼 보이게 하기 위해 당신이 의도적으로 당신 오빠를 죽였다는 걸 깨달았기 때문입니다." 마르스가 말했다.

그레이랜드는 고개를 끄덕였다. "형제 살해는 그도 감당하기 힘들었던 모양이지. 하지만 그는 당신이 라고스 가문을 이 모든 일의 범인처럼 보이게 한 건 대단했다고 생각했소. 영리한 선택이었다고 하더군."

"하지만 라고스 가문은 당연히 달갑지 않겠지요." 마르스가 말했다.

"당연하지." 그레이랜드는 동의했다. "전혀. 우리도 마찬가지요, 레이디 나다쉬. 이 모든 일에 대해서."

정적이 흘렀다. 모든 집행위원들이 나다쉬 노하마페탄을 응시했다.

"이런 허황된 이야기를 믿으시다니 너무나 통탄스럽습니다." 나다쉬는 입을 열었다.

"아, 집어치워, 나다쉬." 그레이랜드는 짜증스러워하며 말했다. "다 끝났어."

"아니, 카르데니아." 나다쉬는 말했다. 황제의 이름을 호명하는 무도한 결례에 좌중에서 헉 소리가 일었다. "아직 끝나지 않았어. 나는 끝났을지 모르지. 하지만 노하마페탄 가문은 끝이 아니야." 나다쉬는 계속 손에 쥐고 있던 태블릿을 들고 탁자 위에 던졌다. 그녀는 태블릿을 가리켰다. "여기 당신의 종자가 하티드의 논문을 내 손에 쥐어준 순간, 나는 '라헬라의 예언' 호에 메시지를 보냈어. 1만 명의 해병과 무기, 장비를 실은 군 수송선에. 당신이 나타나서 장광설을 시작한 순간, 수송선은 출입구를 차단하고 플로우 입구 쪽으로 항해하기 시작했어. 이미 거의 도착했을 거야. 15분만 지나면 '라헬라' 호는 플로우로 들어가 엔드로 여행을 떠난다. 막기는 너무 늦었어."

그레이랜드는 코르빈을 바라보았다. 대주교는 자기 태블릿을 들고 탁자에서 벌떡 일어나 전화를 걸기 시작했다. 그런 뒤 나다쉬를 돌아보았다. "당신 선원들이 언제까지나 우주선 안에 박혀 있을 수는 없어."

"멍청한 소리 하지 마." 나다쉬는 말했다. "그들만 우리 편인 줄 아나보지. 난 몇 년 동안 이 계획을 꾸몄어. '라헬라' 호가 엔드에 도착하면, 우리가 시스템을 장악한다. 우주 정거장부터 접수하고, 내 남동생이 이미 행성 자체를 통치하고 있지 않으면 우리가 곧 행성도 접수할 거야. 그다음 남은 건 기다리는 일뿐이지, 안 그래? 우리는 엔드 쪽 출구를 쉽게 감시할 수 있어. 계획도 다 짰어. 플로 우가 변화하면, 우리는 협상을 시작한다."

"이해를 못하는군." 마르스가 말했다. "로이놀드는 틀렸습니다. 변화는 오지 않아. 붕괴가 오는 겁니다. 모든 플로우는 앞으로 10 년 안에 사라집니다."

"잠깐, 뭐라고?" 우펙샤 라나퉁가가 말했다.

"그래서 내가 여기 온 겁니다." 마르스가 말했다. "아버지가 확 인했습니다. 엔드로 오는 우주선 데이터를 수집해서 확인했습니 다. 모두 닫혀요. 전부 다. 엔드는 다른 모든 시스템과 마찬가지로 고립될 겁니다."

"그건 당신의 데이터 해석일 뿐이야." 나다쉬가 말했다.

"일은 이미 일어나고 있어." 그레이랜드가 말했다. "엔드에서 허브로 오는 플로우는 이미 닫혔어. 허브에서 테라툼으로 가는 플 로우가 다음이야. 당신 가문의 본거지, 나다쉬. 당신의 본거지."

나다쉬는 고개를 젓고 미소 지었다. "아니. 어쨌든 그건 상관없 어." 그녀는 마르스를 가리켰다. "그가 맞다면, 수십 억 인류가 죽겠지. 엔드는 상호의존성단 내에서 인간이 살 수 있는 행성을 지닌 유일한 시스템이야. 다른 모든 시스템은 인류가 만든 정주지지. 몇 년, 혹은 몇 십 년쯤 갈까. 하지만 언젠가 멸망할 거야. 노하마페탄 가문이 지배하게 될 엔드만 제외하고."

회의실 문이 열리고, 네 명의 황제 경비대가 들어와서 집행위원회 탁자로 향했다. 히버트 림바가 그들 뒤를 따랐다.

나다쉬는 그들을 바라보고, 다시 황제를 보았다. "나를 데리러 온 건가?"

"맞아." 그레이랜드는 말했다.

"충고 하나 할까, 카르데니아." 나다쉬는 말했다. 경비대가 그녀를 에워쌌다. "날 살려두고 아주 잘 대접해야 할 거야. 상호의존성단의 멸망은 어떻게든 와. 어떤 식으로 오든, 노하마페탄 가문은 마지막으로 살아남아 성단에 조의를 표할 거야. 내게 무슨 일이 생기면 당신에게 결코 좋지 않을걸."

"기억해두지." 그레이랜드는 말했다. "그동안 집행위원회에서 노력해준 데 대해 감사해. 이제 물러가도 좋아."

나다쉬는 웃고 탁자에서 일어서더니 걸어나갔다. 경비들이 뒤따랐다. 집행위원회 전체는 그녀가 사라지는 모습을 바라보았다.

나다쉬가 방을 나가자 라나퉁가가 헛기침을 했다. "플로우가 10년 안에 붕괴한다는 이 이야기를 다시 듣고 싶습니다." 그녀는 마르스와 그레이랜드를 보았다. "사실입니까?"

"사실입니다." 마르스가 말했다.

"한데 그걸 이제야 우리에게 말하는 겁니까?" 라나퉁가는 믿기지 않는다는 듯 물었다.

마르스는 그레이랜드가 한숨 쉬는 것을 들었다. 그녀는 잠시 마르스 쪽을 돌아보더니 탁자로 돌아가고 있는 코르빈을 향했다.

"'라헬라의 예언' 호는 갔습니다." 코르빈은 말했다. "플로우 입구로 들어갔습니다. 엔드로 가는 중입니다."

"겨우 해병대 1만이지 않습니까." 마르스가 말했다. "그곳 우주 정거장에도 그렇게 많은 인원이 있을 리 없습니다. 이쪽에서는 우주선 수백 대, 해병 수십만이 있지 않습니까."

"그 병력이 모두 좁은 플로우 입구를 빠져나가가야 해." 그레이랜드가 말했다. "저쪽은 우주선 몇 대, 무기 몇 개만 있으면 충분할 거요."

"확신하시는 것 같군요."

그레이랜드는 쓸쓸하게 웃었다. "천 년 전 우 가문이 어떻게 황제 가문이 되었는지 아시오, 클레어몬트 경? 우리도 이것과 똑같은 짓을 했어. 허브 상공에서. 플로우 입구를 통제하면서 진입하고 나가려는 모든 사람들에게 통행료를 징수했지. 대가를 받아냈어, 클레어몬트 경. 엔드에 가려는 모든 사람에게 대가를 받아내겠다는 노하마페탄의 계획과 마찬가지로. 결국 그들이 새 황제가 되는 거요. 아니, 그들은 그렇게 믿는 거지."

"그러면 엔드를 완전히 봉쇄하십시오." 코르빈이 말했다. "노하마페탄이 자진해서 유배를 떠나겠다면, 그렇게 하라지요."

"그게 그렇게 간단하지 않습니다." 마르스가 말했다.

"왜?"

"나다쉬의 말이 옳기 때문이오." 그레이랜드가 말했다. "플로우가 붕괴한다면, 자체적으로 인류가 생존할 수 있는 시스템은 단 하나뿐이야. 그게 엔드요. 우리는 모든 시스템에 붕괴에 대비하라고 지시할 수 있소. 줄 수 있는 모든 것을 주고 최대한 오래 버티도록 할 수 있어. 하지만 전 세계가 암흑기에 들어선 뒤에도 살아남을 곳은 엔드요. 우리는 그 행성이 필요해. 성단의 모든 시스템에서 최소한 몇몇 사람들만이라도 엔드에 보내야 하오."

"그리고 노하마페탄이 그 길을 가로막고 있지요." 마르스가 말했다.

"맞아." 그레이랜드는 고개를 끄덕였다.

"그럼 어떻게 해야 할까요?" 우펙샤 라나퉁가가 잠시 후 물었다. "이제 뭘 해야 합니까?"

"여기 앉아 있는 것 말고 할 일이 없니?" 아타비오 6세가 기억의 방에 앉아 있는 카르데니아에게 물었다.

"나무라시는 건가요?" 카르데니아가 물었다.

"내가 죽어갈 때 네가 내 옆에서 시간을 보내는 걸 보고 그 질문을 했던 기억이 나는구나. 지금 다시 묻는 것이 적절한 것 같다. 내가 네게 신경을 쓴다는 인상을 주니까. 네게 필요한 것이 바로 그것이지."

"그걸 그런 식으로 말하면 다 망가져요."

"미안하다. 하지만 질문은 여전히 유효해."

"할 일은 많아요." 그녀는 말했다. "하지만 어쨌든 여기 앉아 있을 거예요."

아타비오 6세의 시뮬레이션은 고개를 끄덕이고 그녀 옆에 앉았다—아니, 옆에 앉는 것 같은 모습을 취했다. "나도 여기 오곤 했어." 그는 말했다. "사람들에게 압도당하거나, 지치거나, 그저 떨어져 있고 싶을 때. 여기 와서 내 어머니나 할아버지, 아니면 다른 황제들과 이야기했다."

"효과가 있던가요?"

"지금 네게 효과가 있는 만큼은 있었지." 그는 말했다. "하지만 그 정도로 충분히 좋다고 생각했어."

카르데니아는 미소 지었다. "충분히 좋아요."

"최근에는 기억의 방에 자주 오지 않더구나."

"내가 없을 때 보고 싶으세요?"

"네가 없으면 난 존재하지 않는다. 그러니, 아니."

"난 모든 것의 종말 때문에 바빴어요." 카르데니아는 말했다. "마르스 경에게 의회에 나가서 발표하도록 했어요. 군에 엔드를 탈환할 전략을 짜게 했고요. 노하마페탄 가문의 사업과 독점권을 중단시키고 라고스 가문에게 대행하게 했어요."

"잘됐을 거라고 믿는다."

"라고스 가문은 잘됐어요, 최소한." 카르데니아는 라고스 백작과 그녀의 딸 키바와의 회의를 떠올렸다. 둘 다 노하마페탄 가문의 몰락과 자기 가문의 부상에 너무나 기뻐했다. 백작은 카르데니아의 허락을 받고 레이디 키바에게 노하마페탄 독점 사업 운영 책임을 맡겼다. "마르스의 발표는 그렇게 성공적이지 않았어요. 최대한 간단하게 정리해서 직설적으로 설명했지만, 의원 대부분은 증거가 있는데도 여전히 말도 안 되는 헛소리라고 생각해요."

"하지만 아직 증거는 없지 않니." 아타비오 6세는 말했다. "클레어몬트 경이 도착한 지 2주도 채 지나지 않았어. 엔드발 우주선은 내전 때문에 연기되는 것일 수도 있고. 테라툼으로 가는 플로우는 아직 열려 있다."

"그때조차 이게 중요하다고 생각할지 모르겠어요." 카르데니아는 말했다. "나는 가능한 마지막 순간까지 사실을 무시하거나 부정하려는 인간의 본성에 직면하고 있어요. 아마 마지막 순간이 와도 며칠 동안은 그렇겠죠."

아타비오 6세는 고개를 끄덕였다. "내가 그 일에 대해 아무 말도 하지 않았던 게 그 때문이다."

"네. 그 때문에 곤란할 때도 많아요, 고맙습니다, 아버지." 카르데니아는 말했다. "의회의 70퍼센트는 이 붕괴가 다가온다는 것을 믿지 않기 때문에 내게 화를 내고 있고, 40퍼센트는 더 빨리 말하지 않았다고 화를 내고 있어요."

"산수가 틀렸구나." 아타비오 6세는 말했다.

카르데니아는 고개를 저었다. "아니, 어떤 사람들은 양쪽 다예요. 게다가 나다쉬가 나나 라고스 가문의 음모에 빠졌다고 믿거나, 약간의 반역이나 반란은 별거 아니라고 생각하는 노하마페탄 동맹 가문도 있어요. 이것도 아버지에게 감사드려야겠네요. 그 가문을 이렇게까지 영향력 있게 만들어준 데 대해서."

"그건 내 잘못이 아니야."

"당연히 아버지 잘못이죠. 난 그냥 아버지 탓을 했어요. 내가 욕을 먹고 있고, 난 지금 그 일부를 아버지에게 떠넘기고 있어요. 그 때문에 기분이 고약하셨으면 좋겠네요."

"난 죽었어. 어떤 일에도 기분이 나빠지지 않는다."

"좋겠네요."

"그렇지 않아." 아타비오 6세는 말했다.

카르데니아는 눈을 잠시 감고 기억의 방 벽에 기댔다. "난 황제가 되고 싶지 않았어요."

"그래." 아타비오 6세도 동의했다. "기억한다."

"아버지도 절 황제로 만들고 싶지 않았죠."

"그것도 기억한다. 하지만 우리가 원했던 것과 상관없이 현실은 존재해. 현실에서 넌 황제다. 아마 상호의존성단의 마지막 황제겠지. 그리고 네가 너 자신에게 물어야 할 질문은, 너 외에 다른 사람을 그 자리에 올리고 싶은가 하는 것이겠지."

"아니. 그러고 싶지 않아요."

아타비오 6세는 고개를 끄덕였다. "내가 그레이랜드라는 이름을 제안한 데는 이유가 있다는 걸 기억하거라. 네가 해야만 하는 일을 일깨우기 위해서였어. 그 일을 할 수 있는 사람이 되도록 널 독려하기 위해서."

"잘되고 있다고 생각하세요?"

"난 더 이상 의견이 없다."

"음, 있는 척이라도 해보세요."

"넌 자가 학습 컴퓨터 네트워크에 의견을 묻고 있어."

"맞아요. 잘되고 있다고 생각하세요?"

잠시 침묵이 흘렀다. 카르데니아는 아타비오 6세의 영상이 아주 짧은 순간 희미하게 깜빡이는 것을 본 것 같았다. "그래, 나는 네가 잘하고 있다고 생각한다."

카르데니아는 미소 지었다. "그거죠. 그리 어렵지 않죠?"

"사실, 맞아. 어려웠어."

카르데니아는 이 말에 웃음을 터뜨리다 다시 조용해졌다. "상호의존성단은 거짓말 위에 건설됐어요."

"그래, 알고 있다. 거짓말이 아니라면, 원래 의도를 가장 덜 사악하게 투사한 이미지 위에 건설됐겠지."

"거짓말이에요." 카르데니아는 말했다. "난 알아요. 아버지도 알아요. 모든 황제는 알아요. 모든 주요 가문이, 상호의존성단이 창설된 이래 계속 존재해온 가문들이 알고, 그보다 약한 가문들도 상당히 확신하고 있을 거예요. 우리 모두 이 거짓과 함께 살겠다고 동의하고 거짓을 계속해온 거예요. 수 세기 동안."

"맞아."

"그 거짓말이 비로소 끝날 때가 온 것 같다는 기분이에요." 카르데니아는 한 손을 들었다. "분명하게 하고 싶지만, 그런 기분이 든다고요. 논리적인 근거는 없어요. 하지만 내 안에서 그런 기분이 너무 강하게 들어요. 우리가 우리 자신을 위해 상호의존성단을 건설했다는 걸 알면서 마치 모든 사람들을 위한 것인 양 해온 세월들. 이 붕괴는 마치 우주가 그 선택에 대해 한마디 하는 것처럼 느껴져요."

"그렇지 않아."

"알아요. 플로우도 우리와 아무 상관없어요. 플로우는 인간을 신경 쓰지 않아요. 그저 존재하는 현상일 뿐이죠. 하지만 난 여전히 그런 느낌을 떨칠 수가 없어요."

"그게 인간의 뇌다." 아타비오 6세는 말했다. "존재하지 않는 패턴을 만들어내지. 인과관계가 없는 곳에서 인과관계를 상상하고. 내러티브가 없는 곳에서 내러티브를 만들고. 두뇌 자체의 설계가 그렇게 되어 있다. 거짓말에 적합하지."

"거짓말을 믿기에 적합하고요."

"그래." 아타비오 6세는 말했다.

그때 카르데니아는 한 가지 생각이 떠올랐다.

"음." 그 생각이 머릿속에 펼쳐진 뒤, 그녀는 말했다.

"뭐지?" 아타비오 6세가 물었다.

"상호의존성단은 거짓으로 시작됐어요."

"그래."

카르데니아는 미소 지었다. "끝날 때도 또 다른 거짓으로 끝나야겠죠."

[끝]

THE
COLLAPSING EMPIRE

무너지는 제국

1판 1쇄 발행 2018년 4월 30일
2판 1쇄 발행 2023년 4월 21일

지은이 존 스칼지
옮긴이 유소영

발행인 김지아
표지 및 본문 디자인 Misoso

펴낸곳 구픽
출판등록 2015년 7월 1일 제2015-27호
주소 서울시 광진구 동일로 459, 1102호
전화 02-491-0121
팩스 02-6919-1351
이메일 guzma@naver.com
홈페이지 www.gufic.co.kr

ISBN 979-11-87886-94-5 03840